L'AFFAIRE SOUGRAINE

Léon-Pamphile Le May

Copyright pour le texte et la couverture © 2023 Culturea
Edition : Culturea (culurea.fr), 34 Hérault
Contact : infos@culturea.fr
Impression : BOD, Norderstedt (Allemagne)
ISBN : 9791041838134
Date de publication : juillet 2023
Mise en page et maquettage : https://reedsy.com/
Cet ouvrage a été composé avec la police Bauer Bodoni
Tous droits réservés pour tous pays.

PROLOGUE

LES DEUX FUGITIFS

Il y a vingt ans les chemins de fer ne sillonnaient pas, comme aujourd'hui, les immenses prairies de l'ouest, et les voyageurs traversaient, à cheval ou à pied, la zone étonnante qui se déroule des bords du Mississipi aux montagnes rocheuses. Tantôt, dans la glauque prairie sans bornes, une caravane passait comme un tourbillon et s'estompait sur l'horizon, comme le bronze d'un bas-relief sur la corniche d'un temple; tantôt un chasseur, débarrassé du joug qu'impose la société des hommes, cheminait seul, au hasard, buvant à la fontaine et dormant sur le foin vert, à la merci du ciel, avec les fauves et les oiseaux.

Les blancs sortaient de leurs villages et les indiens sortaient de leurs montagnes, pour venir dans ces plaines chasser le buffle roux, et quelque fois des combats singuliers, plus souvent des engagements terribles, entre les bandes jalouses, arrosaient de sang le sol encore vierge.

Nul écho ne répétait les clameurs des combattants, les éclats des mousquets, les plaintes des vaincus, les chants des vainqueurs. Tous les bruits s'éteignaient dans l'air morne; la solitude gardait ses secrets. Cependant le trappeur qui collait son oreille au gazon, pour interroger le désert, entendait d'étranges murmures, et des tas d'ossements blanchis proclamaient, en ces lieux comme ailleurs, la malice des hommes.

Un jour du mois de juillet de l'année 18--, un indien s'en allait à travers la prairie, le fusil sur l'épaule, le regard fixé sur la chaîne des montagnes rocheuses dont les pics s'enfonçaient comme une dentelure noire dans la lumière du ciel. Une jeune fille le suivait. Elle marchait avec peine et se laissait distancer souvent. Il l'attendait de moment en moment, sans murmurer, mais sans lui dire ces paroles d'encouragement qui font tant de bien à l'âme.

De temps en temps la jeune fille pleurait et, du revers de sa main, elle essuyait les larmes du chagrin qui se mêlaient aux sueurs de la fatigue.

Elle pouvait être l'enfant de cet homme qu'elle accompagnait, mais la blancheur de son teint, l'éclat de son oeil bleu, la régularité de ses traits, disaient qu'elle n'était pas indienne. D'où venait-elle et pourquoi si jeune et tout étrangère aux coutumes et au langage de l'habitant des bois, avait-elle laissé sa famille et son village pour suivre les pas de ce chasseur? Il n'était point beau. Son visage plat et sans barbe, sa bouche largement fendue, sa peau cuivrée, ses cheveux rudes qui tombaient en mèches inégales, n'en pouvaient faire un séducteur bien redoutable. Avait-il, par force ou par ruse, ravi cette fille à ses parents? Avait-elle volontairement déserté le toit paternel pour vivre la licencieuse existence sauvage? Il était bien coupable ou elle était bien perverse.

Le soleil semblait toucher déjà l'une des cimes éloignées, et lui faire un nimbe d'or. Ses reflets moins chauds glissaient obliquement sur les flots de verdure qu'agitait le souffle du soir. La prairie rayonnait comme une mer profonde où n'apparaît aucune voile. Pas un bruit, pas un chant, pas une plainte, sauf le frémissement léger des tiges de foin sec qui s'emmêlaient dans leur bercement.

Les deux voyageurs s'arrêtèrent au bord d'une fontaine, allumèrent du feu avec l'herbe aride et firent rôtir une tranche de bison, mets délicieux de ces sauvages endroits.

--Les montagnes n'approchent pas vite, commença l'indien, et si tu ne marches plus, va, le soleil se lèvera deux fois sur la prairie avant qu'on dorme sous les grands arbres.

--Je suis épuisée, répondit sa compagne.

--Il faut accoutumer tes pieds aux longues marches, Elmire, car l'homme de la forêt ne s'arrête guère. Et puis l'on a bien fait de mettre un long espace entre le Saint-Laurent et nous. On informe, on fait des recherches là-bas peut-être.

--Le souvenir de ta femme me poursuit sans cesse comme un remords, Sougraine. Tu n'aurais pas dû l'abandonner, cette malheureuse, par le temps qu'il faisait, seule, sur la grève de St. Jean. Elle ne serait peut-être pas morte.

--Elle voulait mourir; tu sais, elle le disait; seulement, va! l'indien ne se pardonnera jamais l'imprudence qu'il a faite en laissant au cadavre la corde qui lui servait de ceinture.

Elmire--c'était le nom de cette jeune personne--pencha la tête sur sa poitrine et resta longtemps absorbée dans un rêve douloureux.

Les dernières lueurs du jour s'éteignirent peu à peu, les ombres s'étendirent comme des voiles de deuil sur les champs infinis et le sommeil vint fermer les yeux des fugitifs.

Au milieu de la nuit ils furent éveillés par un bruit semblable au grondement du tonnerre. C'était le feu qui dévorait la prairie. Le vent soufflait et les torrents de flamme, roulant comme des vagues en fureur, se précipitaient vers eux. Des tourbillons d'aigrettes ardentes, formées des grappes de foin, s'élançaient de tous côtés, et la rafale les semait pour allumer de nouveaux incendies.

Le torrent poussait plus vite ses deux extrémités comme pour former un cercle implacable autour des malheureux. La clameur, sourde d'abord, devenait éclatante, le sol tremblait, l'air était brûlant et des panaches de fumée noire montaient vers le ciel.

L'indien et sa compagne, pris de terreur, se mirent à fuir devant le fléau.

De temps en temps ils tournaient la tête pour voir si le danger grandissait. La peur leur donna d'abord de nouvelles forces. Bientôt, cependant, ils s'aperçurent qu'ils faiblissaient et que leurs pieds perdaient de l'agilité. Leur poitrine haletante ne suffisait plus à aspirer l'air chaud qui les enveloppait, leurs mains se crispaient comme pour saisir un appui, leur gorge râlait, leurs paupières cuisantes et rougies s'ouvraient sinistrement. Ils couraient toujours et trébuchaient dans les sinuosités du terrain. Le feu courait plus vite. L'indien, espérant d'abord se sauver avec sa compagne, n'avait pas voulu l'abandonner; mais à cette heure que le danger était grand, il songeait à se sauver seul et la laissait en arrière. En vain, d'instant en instant, elle lui jetait un cri désespéré, il ne l'entendait plus; il ne voulait plus l'entendre. La crainte de la mort tuait son amour.

Elmire retourna la tête une dernière fois et comprit que le salut était impossible. L'océan de flamme lui jetait déjà ses bouffées ardentes. Elle eut une pensée pour sa mère lâchement abandonnée, pour son humble village si calme et si heureux, puis elle s'affaissa.

Dans une gorge tortueuse et profonde des montagnes rocheuses, une petite troupe de voyageurs canadiens cheminait avec précaution. Elle venait de la Californie. La soif de l'or l'avait attirée dans cette région lointaine, le besoin de revoir les rives natales la ramenait au bords du Saint Laurent. Elle avait bravé mille dangers pour atteindre les mines célèbres où s'est précipité le monde des travailleurs aventureux, elle en bravait mille autres pour retrouver les joies de la famille et les charmes indéfinissables de la patrie.

Parmi les gens qui composaient cette troupe se trouvaient Léon Houde, Ovide Beaudet et Casimir Pérusse, de Lotbinière. Houde, marié et père de famille, les autres, garçons. Tous étaient durs à la fatigue, gais compagnons et bons amis.

La troupe allait bientôt sortir de l'âpre chemin qu'elle avait heureusement suivi à travers les montagnes. Une dernière nuit dans les ravins, à l'abri des rochers, et la partie la plus redoutable de l'immense route serait traversée. On entrerait dans la prairie. Les sioux, ces terribles indiens de l'Ouest, n'avait pas découvert la marche des blancs et nul combat ne s'était engagé.

A l'approche du soir, la tente fut dressée au pied d'une muraille de roches coupée en zigzag par un filet d'eau, et les voyageurs se couchèrent sur un lit de feuilles. Ils s'endormirent tour à tour de ce bon sommeil qu'apporte la fatigue, et leur esprit s'envola, sur l'aile capricieuse de l'imagination, vers les régions qu'ils avaient quittées, vers les plages qu'ils allaient revoir.

Une sentinelle veillait à la porte de la tente, pour donner l'alarme au moindre bruit inusité. Il ne fallait pas s'endormir dans une confiance funeste et perdre, au dernier moment, le fruit d'une longue prudence.

On se relèverait d'heure en heure, car il n'eût pas été juste qu'un même homme veillât toute la nuit. Le premier désigné par le sort vint s'adosser à un arbre, le revolver au poing, l'oreille attentive, puis, une heure écoulée, il céda sa place et s'en alla dormir.

Il était minuit. Casimir Pérusse sortit de la tente et se mit en faction à quelques pas, au bord du torrent. La nuit était très noire, surtout au fond de cet abîme on reposaient les voyageurs canadiens. Un silence presque lugubre régnait partout et le torrent lui-même, trouvant en cet endroit un lit de sable, se taisait. On n'entendait que la source voisine qui murmurait en descendant du rocher où elle s'était creusé un lit capricieux.

Pérusse tira son briquet et fit sortir le feu de la pierre. Le tondre en brûlant répandit une odeur agréable. Quand il eut fumé quelque temps il secoua les cendres de sa pipe sur des feuilles sèches, à ses pieds, et une flamme légère se mit à vaciller gaiement.

Il prenait plaisir à regarder le rayonnement du feu sur les angles des rochers et sur les feuilles des arbres. Une douce mélancolie enivrait son âme. Il songeait à sa mère qui l'attendait en priant, à son père qui recevrait une bonne poignée d'or, aux amis d'enfance qu'il étonnerait par ses récits merveilleux. Et la flamme grandissait, et son pétillement devenait vif. Une voûte noire, dont l'oeil ne pouvait percer la masse ténébreuse, pesait de plus en plus sur la ravine.

Pérusse ne voyait rien à cause de l'éclat de la flamme qui l'éblouissait. L'imprudent, s'il eut pu voir, il aurait aperçu, de l'autre côté du ruisseau, quelques ombres menaçantes qui se glissaient sans bruit et s'approchaient toujours. Il achevait sa faction et se disposait à éteindre, avant de se retirer, le feu qu'il avait allumé, quand, soudain, des sifflements aigus traversèrent les ombres. Il poussa une clameur et vint tomber à la porte de la tente, le corps percé de flèches empoisonnées.

Les canadiens, tirés violemment de leur sommeil, s'élancèrent dehors, la rage au coeur et décidés à vendre cher leur vie. Un silence profond s'étendait de nouveau sous les bois. Ce calme effrayant les épouvantait plus que les cris et les menaces. Ils ne savaient pas où se cachait leur traître ennemi et ne pouvaient ni l'attaquer ni s'en défendre. Horrible position! Se sentir capable de lutter et ne pouvoir détourner le bras qui nous menace! attendre le coup fatal et comprendre l'impossibilité de l'éviter!

Quelques heures se passèrent dans cette cruelle angoisse. Un sombre désespoir s'emparait des voyageurs, car ils savaient bien que les sioux ne s'étaient pas éloignés et que s'ils ne se montraient point, c'était à dessein, pour atteindre leur but sans courir de dangers. On devait s'attendre à des attaques réitérées, à des surprises fréquentes. On tomberait probablement tour à tour, comme ce pauvre Pérusse, dans la solitude sauvage, loin du cimetière béni de la paroisse....

Il fallait cependant se mettre en route; on ne pouvait indéfiniment demeurer là. Et qui sait? quelques uns échapperaient, peut-être, et pourraient aller raconter au pays le triste destin des autres.

Alors, sur la terre imprégnée du sang de leur compagnon, ils tombèrent à genoux et leur voix tremblante et pleine de larmes implora la protection de Marie, la consolatrice des affligés.

Au même instant, dans la lueur mourante du feu, il virent apparaître un homme. Il était grand, jeune, et de toute sa personne se dégageait un mélange charmant de douceur et de dignité. Ses cheveux tombaient en boucles noires sur son cou, sa lèvre était garnie d'une fine moustache et son menton, d'une barbiche. Il n'avait point la peau jaune des indiens; cependant il était basané. Son regard n'était pas oblique et fuyant comme le regard du sioux, mais ferme et droit. Il portait un poignard à sa ceinture.

Dès qu'il parut plusieurs revolvers se braquèrent sur lui.

--Arrêtez! fit-il, en levant la main, arrêtez! J'appartiens à la tribu sanguinaire qui vient de tuer l'un de vos amis, mais je réprouve son action. Je suis chrétien.

A ces paroles une grande joie remplit l'âme des voyageurs.

--Vous nous sauverez! s'écrièrent-ils... n'est-ce pas? vous nous sauverez.

--Silence! murmura l'étranger; j'essaierai de vous sauver, mais qui sait ce qu'il m'en coûtera. Vous êtes enfermés ici. Des guerriers sont partout qui vous guettent pour vous égorger et vous piller. Je ne connais qu'un chemin, c'est celui-ci.

Il montrait le roc à pic comme une muraille.

--Impossible d'escalader ce rocher, reprirent les canadiens au désespoir.

--Venez, dit-il.

Il les conduisit à quelques pas, et, dans l'obscurité il saisit une corde qui tombait du sommet abrupt. Il reprit:

--Suivez-moi, ne craignez rien. Je l'ai solidement attachée, cette corde; elle ne vous laissera pas tomber. Quand vous serez en haut, vous trouverez un guide; vous n'aurez qu'à fuir.

Les voyageurs, tout exaltés par la pensée du salut, pressèrent les mains loyales du guerrier et le suivirent.

La corde était un lasso qui descendait par les méandres de la source, et la source semblait faire tout le tapage possible afin d'étouffer le frôlement des pieds et des mains contre les parois sonores. L'étranger disait:

--Vous emmènerez avec vous une jeune fille de votre pays qui se trouve dans mon wigwam depuis quelques jours, et vous la rendrez à ses parents. Elle est en ce moment sur le rocher avec ma femme. Ce sera ma femme qui vous conduira. Elle veut s'en retourner au bord de la mer d'où vient le soleil, car c'est là qu'habite sa vieille mère. Elle a une enfant, une petite fille de six mois qu'elle porte dans sa nagane, sur son dos. Vous prendrez soin de l'une et de l'autre; vous défendrez la mère et l'enfant si elles ont besoin d'être défendues. Moi, j'irai vous rejoindre dans la prairie aussitôt que les sioux auront oublié le mécompte que je leur prépare en ce moment. Si je partais avec vous ils me soupçonneraient. A leurs yeux la sainte action que je fais est un crime.

L'un des voyageurs s'avança, c'était Léon Houde.

--Je jure, dit-il, de protéger ta femme et ton enfant, et, s'il le faut, je me ferai tuer pour les sauver.

--Merci, fit l'indien. Et il continua:

--Ne soyez pas surpris de me voir vous parler comme je le fais. Je vous l'ai dit, je suis chrétien. Le sang indien n'est pas le seul qui coule dans mes veines; il est mêlé au sang espagnol. Ma mère venait de l'Espagne. Elle m'a bien aimé, ma mère, et je lui garde un culte sacré. Je n'ai pas vu le jour dans ces lieux sauvages; je suis né dans le beau pays du Texas. J'aime votre belle langue. Je connais votre fleuve sans pareil, le grand St. Laurent. J'ai vu Québec sur son rocher et Montréal au pied des grands rapides. J'irai vivre encore au milieu de vous, car les coutumes barbares de mes frères indiens me font mal, et je travaille vainement à adoucir le caractère de ces hommes aveugles; ils ne veulent point écouter mes conseils. Mais, hâtons-nous! Du courage et de la prudence.

Le sauvage et la jeune canadienne qui fuyaient devant les vagues brûlantes de la prairie, n'avaient pas remarqué, dans leur terreur, un chasseur qui venait au galop de son coursier.

C'était une lutte formidable entre ce chasseur et le fléau. Celui-ci, dans sa fureur inconsciente semblait vouloir dévorer le couple malheureux; celui-là, dans son héroïsme voulait les sauver. Tous les deux s'approchaient dans une course vertigineuse. Le cavalier éperonnait son cheval, le vent poussait la flamme. Le cheval écumait et ses naseaux étaient bruyants comme les soufflets d'une forge; la flamme roulait comme une trombe et jetait un mugissement effroyable. On se fût demandé quelle folie poussait cet homme vers l'implacable brasier. La folie de la charité.

Il passa comme un trait à côté de Sougraine et vint s'arrêter auprès de la jeune fille évanouie sur l'herbe. Il sauta de cheval, enleva l'infortunée d'un bras vigoureux, la mit en croupe et reprit sa course. Cette fois, il fuyait l'incendie.

Alors Sougraine se jeta à genoux en levant les deux mains comme pour l'implorer. Le chasseur le fit monter près de lui, en arrière, et dirigea sa monture rapide vers une gorge des montagnes, dans l'éloignement.

Les sioux qui le virent entrer dans le campement se moquèrent de lui, disant que les guerriers, ses pères, quand ils revenaient de la prairie n'emportaient des blancs que la chevelure.

--Vous oubliez, répondit le chasseur, que ma mère appartenait à cette race blanche que vous haïssez: vous oubliez que ma religion m'oblige à faire du bien à tous les hommes.

En parlant ainsi il regardait ses compagnons d'un oeil ferme, et sa voix vibrait, comme l'acier de son poignard. L'un des sioux, le plus vieux, lui répliqua cependant:

--Si la Longue chevelure--c'était le nom sauvage du jeune chasseur. Chez les blancs on l'appelait Leroyer--Si la Longue chevelure a peur du sang que ses aïeux comme les nôtres aimaient à boire dans le crâne de l'ennemi; si la Longue chevelure déteste nos coutumes anciennes et le culte de nos Manitous; si la Longue chevelure aime la vie paresseuse et les lâches habitudes des Visages pâles, il peut s'éloigner de notre vaillante tribu, et retourner aux lieux d'où il vient. Nous l'avons jadis accueilli avec joie, nous le verrons s'éloigner sans regrets.

C'était le chef qui parlait ainsi. L'irriter n'eût pas été prudent. La tribu l'entourait de respect et tous les guerriers obéissaient à sa parole. La Longue chevelure ne fit qu'ajouter:

--Vous connaissez mal les Visages pâles, car vous ne les jugeriez pas aussi sévèrement, et, loin de les tuer comme des chiens, quand vous les surprenez, vous leur presseriez la main comme à des frères.

--Des frères qui nous traquent comme des bêtes fauves, répondit le vieillard, qui nous poussent sans cesse au fond des bois, s'emparent de nos forêts, de nos montagnes, et nous laissent mourir de faim sur nos rochers.

Leroyer entra dans son wigwam, et quand les fugitifs furent remis de leurs fatigues et de leur terreur il les interrogea.

--Cette jeune personne est-elle ta femme? demanda-t-il à l'Abénaqui.

--Oui, elle est ma femme, répondit Sougraine.

--Elle est bien jeune.

--Oui, c'est vrai, mais elle est ma femme.

--D'où venez-vous? où vous êtes-vous mariés?

--On vient du Canada, de Notre-Dame-des-Anges, une paroisse sur la rivière Batiscan, au nord du grand fleuve. On s'est marié à St. Jean Deschaillons, au sud. C'est là que ma femme est morte.

--Ah! tu as perdu une première femme? Et quand cela?

--A la dernière chute des feuilles....

--Tes parents, dit-il à la jeune fille, ont-ils consenti à ton mariage, et savent-ils où te conduit ton mari?

La jeune fille baissa la tête et ne répondit point.

--Si tu me trompes, reprit Leroyer s'adressant à Sougraine, tu t'en repentiras. Je veux savoir la vérité et j'ai droit de la savoir, moi qui viens de vous sauver la vie à tous deux.

L'Abénaqui hésita un moment, puis faisant un effort.

--Oui, c'est vrai, tu nous as sauvé la vie; tu es bon et tu auras pitié de nous encore. Je te parlerai la vérité. On n'est pas marié, mais on le sera dès qu'il sera possible de trouver un missionnaire.

--Sougraine, ordonna la Longue chevelure, et sa parole était solennelle, cette jeune fille sera comme ta soeur, désormais.

L'Abénaqui s'inclina.

Elmire dit, baissant les yeux et rougissant de honte:

--Je ne suis plus une soeur pour lui. Il me doit protection.

--Il passe de temps à autres des caravanes de Visages pâles qui se dirigent du côté du soleil levant, continua la Longue chevelure, parlant à la jeune fille, tu suivras l'une de ces caravanes et tu retourneras dans la maison de ton père. Ma femme, qui souffre au milieu de notre tribu, veut s'en aller avec son enfant dans le beau pays d'où elle vient. Vous voyagerez ensemble. Je vous rejoindrai si quelque raison m'empêche de partir avec vous.

L'occasion attendue ne tarda guère.

Les voyageurs qui revenaient de la Californie s'étaient depuis longtemps engagés dans les gorges où nous les avons vus et s'approchaient de la retraite des sioux. Ils venaient d'être trahis par la clarté du feu allumé sous les bois, et Pérusse se tordait sur le sol dans une terrible agonie.

Les sioux qui avaient surpris le camp des voyageurs n'étaient pas nombreux; ils n'osèrent point exposer leur vie inutilement. Ils savaient que tous les guerriers de la tribu seraient contents de prendre part à un combat. Au reste, les dernières lueurs du feu vacillaient sous les rameaux et bientôt l'on ne se verrait plus; il valait mieux attendre le jour. Les Blancs ne bougeraient point dans ces ténèbres épaisses et, dès le matin, quand ils voudraient s'échapper, un cercle de vaillants ennemis les étreindrait mortellement.

Le chef fut aussitôt averti de ce qui venait de se passer. Il tint conseil pendant la nuit, et, comme l'avaient prévu les assassins de Pérusse, l'extermination de la bande étrangère fut décidée. C'est alors que la Longue chevelure voulut, au risque de sa propre vie, délivrer les malheureux voyageurs, et qu'il vint les trouver en secret, se glissant au moyen d'un lasso, par le chemin difficile que l'on sait, afin d'éviter la rencontre de ses frères les sioux.

Les canadiens escaladèrent le rocher. La femme de la Longue chevelure les attendait.

--Par ici, dit-elle.

Comme des ombres les voyageurs défilèrent, l'un après l'autre, sous les arbres noirs de la montagne. Une jeune femme les guidait. Elle portait une nagane sur son dos et, dans la nagane, une jolie petite fille qu'un ange gardien faisait sourire pour l'empêcher de pleurer; car ses cris n'auraient pas manqué d'être entendus et d'éveiller les soupçons des farouches sauvages.

PREMIÈRE PARTIE

Vingt-trois ans après
UN BAL CHEZ MADAME D'AUCHERON

I

--On sonne, Adèle, allez donc ouvrir.

--J'y cours, monsieur.

Et la vieille servante qui répondait au nom d'Adèle, s'avança vers la porte, de ce pas tranquille et traînard d'une personne qui est toujours sûre d'arriver assez tôt. Elle revint moins vite encore, les yeux fixés avec étonnement sur une grande lettre carrée. Elle pensait:

--Il doit y en avoir long. Il a besoin de savoir lire, le professeur....

--Voici, monsieur, dit-elle, en tendant à son maître le large pli cacheté.

--Diable! fit celui-ci, une écriture de femme.

Et il lut à demi-voix:

Monsieur Antoine Duplessis,

Instituteur.

Il déchira le bout de l'enveloppe.

--Une carte! de l'imprimé, s'il vous plaît! J'aime bien cela: ça se lit vite.

Voyons, que dit-elle cette carte majestueuse?

Monsieur, madame et mademoiselle D'Aucheron prient monsieur et madame Duplessis de les honorer de leur présence, vendredi soir, le 11 janvier, à 9 heures. R. S. P.

On dansera.

--On dansera! on dansera! murmura le vieux professeur: «*Bien danse pour qui la fortune chante....*» Mais «*Tout le monde ne s'accommode pas d'une même chaussure.*» N'importe, continua-t-il, «*On ne doit juger d'homme, ni de vin, sans les éprouver soir et matin.*»

Et comme je n'ai éprouvé monsieur D'Aucheron, ni le soir ni le matin, je ne saurais le juger. Tout de même cette invitation me semble assez drôle, assez surprenante. «*Il doit y avoir anguille sous roche*». «*On a souvent besoin de plus petit que soi.*» Si j'allais être utile à M. D'Aucheron, ou, plutôt, si monsieur D'Aucheron allait m'être utile. Car le plus petit de nous deux n'est peut-être pas celui qu'on pense... Irons-nous à cette soirée? Il est un peu tard: Nous côtoyons la soixantaine... Vendredi, le onze, c'est demain, et demain j'ai des pauvres à visiter. Passer du taudis au palais la transition n'est guère naturelle. Il n'y a pas de malheureux, cependant, que ceux qui habitent des cabanes où le vent et la neige s'engouffrent. J'ai vu couler des larmes dans la demeure de l'opulence. La douleur habite un peu partout, et le bonheur vient souvent de sortir quand on frappe à sa porte....

Si je parlais de mes pauvres à madame D'Aucheron? Si je lui demandais de prendre sous sa haute protection cette bonne vieille femme que la Saint-Vincent de Paul nourrit et loge depuis quelques mois?... Une vieille qui ne veut plus porter d'autre nom que celui de la Sainte Vierge. La mère Marie!

Un bal, cela peut avoir du bon. C'est un bal; la carte ne le dit pas mais toute la ville le sait. On veut fiancer mademoiselle D'Aucheron.... Pauvre enfant!...

Pourquoi choisir le vendredi, par exemple? Pour braver la superstition, je suppose... «*Tel rit vendredi, dimanche pleurera.*» Monsieur D'Aucheron ne veut-il pas se faire élire député pour un comté quelconque? Il ne serait pas difficile sur le choix.... Il arrivera car il a du toupet et il donne des bals. Mais «*Mesure la profondeur de l'eau avant de t'y plonger.»* Les grands de notre petit monde vont se pavaner dans ses salons. Si quelques uns de nos ministres s'y trouvent je les aborde. Il faut qu'ils me promettent de donner à nos institutions de charité une subvention plus généreuse. *«Qui donne aux pauvres prête à Dieu.»* Ce sera de l'argent bien placé. Et personne au monde n'est plus reconnaissant que le bon Dieu. Il peut empêcher une crise ministérielle en inspirant l'esprit de soumission aux brebis rétives, et retenir au pouvoir pendant tout un parlement, au grand ébahissement du public qui n'y voit goutte, un ministère politiquement condamné. J'irai au bal, oui, j'irai.... Pourtant, je n'irai pas, non, je n'irai pas.

Tout en monologuant le brave instituteur marchait, les mains derrière le dos, dans la petite pièce qui lui servait de salle d'étude. Sa femme l'entendait bien mais s'inquiétait peu, vu qu'il avait l'habitude de se parler ainsi à lui-même. Pourtant, quand il répéta d'un ton ferme: J'irai, oui, j'irai!... Je n'irai pas!... non, je n'irai pas!... elle ne put résister à la curiosité, entr'ouvrit la porte et lui demanda où donc il se proposait d'aller et de ne pas aller. Tu me fais songer, ajouta-t-elle en riant, à.... Elle n'eut pas le temps de finir.

--Au bal, ma chère, c'est au bal que nous allons demain soir. Tiens, vois.

Il lui mit sous les yeux la carte d'invitation.

--Les D'Aucheron sont bien aimables, reprit madame Duplessis, mais je ne vais pas à leurs soirées....

--Attention, femme, *«Il vaut mieux tomber de cheval que de la langue.»*

--Je ne vais pas à leurs soirées, de même que je ne vais pas aux soirées des autres. Je ne vais jamais dans le monde, tu le sais bien.

--Moi non plus, ma femme, mais il pourrait se faire que j'irais demain. Les élections approchent et il y aura de la politique dans les entr'actes. J'ai des intérêts à sauvegarder. J'irais chez le diable si j'étais sûr d'y trouver le bon Dieu.

--Comme je n'ai que mon repos à sauvegarder, moi, continua madame Duplessis, je te laisserai sortir seul. Au reste, quel éclat apporterais-je à ce bal? Personne ne tient à m'y voir; pas même monsieur ni madame D'Aucheron qui me prient de les honorer de ma présence.

--Ma femme, vous avez un grain de malice aujourd'hui; remettons la partie à demain. Cependant je croyais que vous portiez intérêt à mademoiselle D'Aucheron et que vous seriez contente de saisir cette occasion de la voir.

--C'est une colombe dans un nid de merles.

--N'achève pas! n'achève pas! nous irons peut-être chanter dans ce nid de merles, demain soir.

--On sonne, Adèle, allez ouvrir, cria de nouveau le professeur.

J'y cours, Monsieur, répondit, encore l'obéissante fille, qui courait toujours et n'en allait jamais plus vite pour cela.

--Encore une lettre! fit-elle, en revenant du même pas lentement empressé, mais une lettre d'une grandeur raisonnable, cette fois.

Duplessis prit la lettre des mains de la servante:

--Toujours une écriture de femme, dit-il; des pattes de mouche. Tiens! ce n'est pas pour moi.

A Madame,

Madame Antoine Duplessis,

rue D'Aiguillon,

Québec.

--Pour moi? exclama Madame Duplessis, un peu surprise. Elle ouvrit la lettre et lut:

Ma chère Madame Duplessis,

--Un jour, nous sortions toutes deux d'une maison pauvre où gémissaient des orphelins qui vous appelaient leur mère, vous m'avez montré un jeune homme qui rentrait dans une église et vous m'avez dit: S'il y en avait plus comme celui-là le bonheur du ménage serait moins problématique. Suivons-le? vous demandai-je étourdiment; et nous allâmes nous agenouiller auprès de lui, devant l'autel. Nos regards se rencontrèrent et je ne sais quelle émotion j'éprouvai. Nous sortîmes, il priait encore. Je sentais toujours le rayon de son oeil mélancolique qui cherchait mon coeur. Nous nous revîmes, vous le savez.

Nous nous aimions déjà. C'est à vous que nous devons notre bonheur. Il sera ici, demain soir, lui, mais il y en aura un autre, un autre choisi par mes parents. Notre paix est menacée. Vont êtes de bons conseil, aidez-moi. Venez à notre soirée pour m'empêcher de faire des coups de tête... ou de coeur.

LÉONTINE D'AUCHERON.

L'Instituteur ajouta:

--Cela veut dire, premièrement, que tu protèges les amoureux; deuxièmement, qu'on aura besoin de toi, demain soir; troisièmemet, que nous irons tous deux au bal pour la première fois de notre vie, vendredi le onze janvier de l'an de Notre Seigneur mil huit cent... et caetera.

II

Pendant que les cartes d'invitation volaient à leur adresse, Madame D'Aucheron et Mademoiselle Léontine allaient d'un magasin à l'autre. Il faut tant de colifichets, tant d'atours pour passer à travers un bal sans laisser trop de sa toison sous la dent de la médisance. Les amis sont implacables, surtout quand on les fête bien.

--Rendons-nous chez Glover, dit Madame D'Aucheron; j'aime mieux acheter chez les Anglais; c'est plus *chic*....

La jeune fille sourit et, de son léger manchon de loutre, protégea contre le froid sa bouche mignonne.

En janvier la brise qui souffle ne fait pas épanouir les fleurs. Elle passe sur d'éternels champs de neige et ne nous apporte ni babil d'oiseaux, ni murmures de ruisseaux, ni frissonnements de feuilles, ni bouffées de parfums. Elle est glacée et ses aiguillons vous fouillent comme des lames de poignards.

Devant la vitrine de Glover il y avait un curieux, un homme âgé de plus de cinquante ans, pas gros, pas grand, cuivré, sans barbe, le blanc de l'oeil un peu jaune et la bouche large fendue. Il portait un *capot de couvertes* avec une raie noire dans le bas, une ceinture *flèchée*, des mitaines de caribou, un casque de chat sauvage.

--C'est un indien, dit Léontine à sa mère. Il y en a plusieurs en ville en ce moment-ci.

Madame D'Aucheron s'arrêta près de l'étranger, lui jeta un regard distrait et se mit à examiner les articles de fantaisie étalés derrière les glaces brillantes. A chaque nouvel objet qu'apercevait sa convoitise, elle poussait un cri d'admiration.

--Que ce fichu est beau! c'est de la dentelle de vrai fil--Ah! ces mouchoirs, quelle fine broderie!... Regarde donc ces gants!... Quelles mains élégantes ils doivent faire!... Il n'y a personne comme ces Anglais pour savoir acheter.

--Et vendre, ajouta Léontine avec une pointe d'ironie.

L'Indien regardait furtivement cette jolie dame entichée des choses anglaises, et semblait prendre plaisir à écouter le son de sa voix au diapason un peu trop élevé.

Les deux femmes entrèrent, choisirent quelques unes des dernières nouveautés, ce qui fut assez long, puis sortirent pour aller ailleurs. L'indien était toujours là.

--Ce n'est point devant la vitrine d'un marchand canadien qu'il resterait aussi longtemps, observa madame D'Aucheron. Il se trouve de ces sauvages qui ne manquent pas de goût.

Elles se dirigèrent enfin vers le faubourg St. Jean, suivant la grande rue jusqu'à la côte Ste. Geneviève. Mademoiselle D'Aucheron descendit à la rue Richelieu pour rendre visite à son amie mademoiselle Ida Villor, et sa mère rentra.

III

Monsieur D'Aucheron sonnait chez le notaire Vilbertin, son ami, pendant que Madame D'Aucheron visitait les boutiques de nouveautés.

--Le notaire est-il chez lui? demanda-t-il au clerc qui vint ouvrir.

Le clerc n'avait pas encore répondu qu'une voix caverneuse s'écria:

--Entre, mon vieux, j'y suis en corps et en âme en corps surtout, car mon âme, je ne sais pas au juste où elle loge.

Le visiteur entra. Une poignée de main fut échangée.

Les deux amis qui se trouvaient réunis ne se ressemblaient guère, si ce n'est par l'âge. L'un et l'autre, toutes voiles au vent, voguaient vers la pleine mer, mais ne faisaient que de laisser les rivages de la jeunesse. En langage ordinaire, l'un et l'autre ne dépassaient guère trente à trente cinq ans. D'Aucheron, quant au physique, était demeuré dans les limites du bons sens, le notaire prenait des envergures de ballon. Le premier était assez grand, le second, trop court, roulait plutôt qu'il ne marchait. D'Aucheron cultivait l'ambition, prétendait mener de pair plusieurs besognes, se prodiguait, faisait l'important, posait; le notaire remplaçait toutes ces misères par une seule: l'avarice. Depuis plusieurs années il vivait dans l'isolement. Son étude était comme une toile d'araignée. Il se tenait tapi dans le fond, attendant l'imprudente victime. Il prêtait à la petite semaine et à la grosse rente. Sa charité était une roue d'engrenage d'où l'on sortait parfaitement broyé. Il s'était marié pour avoir de l'argent. Sa femme eut la chance de mourir avant de le connaître. Elle s'endormit en paix après quelques mois d'illusions. Le beau père avait fait la sottise de la précéder dans un monde que l'on est convenu d'appeler meilleur. A son lit de mort il manda son gendre et lui parla longuement. Que lui dit-il? Rien de bien agréable à coup sûr, car ce brave gendre fit une grimace significative et donna pendant longtemps libre cours à sa mauvaise humeur. Vilbertin cultivait une autre passion bien inoffensive, en apparence du moins: la passion de la chasse. Je me trompe, il ne la cultivait pas, il la réprimait à cause du plomb perdu et de la poudre qu'il ne fallait pas jeter aux moineaux. Pourtant, une fois l'an, elle se réveillait si vive qu'il ne résistait plus; une fois l'an, toujours à la même époque, à l'époque des vents glacés et des neiges éclatantes, à l'époque des grands caribous fauves.

--Eh bien! dit-il à l'ami qui entrait, comment vont les affaires.

--A merveille.

--Vas-tu avoir une section du chemin de fer à construire?

--Je l'espère. Plusieurs ministres m'ont promis d'assister à mon bal. Or, tu le comprends, c'est dans les soirées, au souper, quand le vin coule abondamment et que les femmes se montrent aimables, que les grandes questions se traitent le mieux et que les travaux les plus considérables trouvent des hommes d'énergie pour les entreprendre. La reconnaissance de l'estomac, mon cher, c'est la plus vive... et la plus durable. C'est ma femme qui a conçu cette idée de bal.

--C'est ta femme qui a!... tiens! il me semblait que... mais enfin. Ta femme elle est diplomate comme Bismark.

--Quand une femme se mêle de la politique, ou de ses annexes, elle peut enfoncer les plus retors.

--Elles ont des moyens que nous ne possédons point.

--Les femmes mènent le monde, mon cher. Nous allons où elles veulent, nous faisons ce qu'elles désirent, et, du fond de leurs boudoirs, elles rient bien de nos prétentions et de notre vanité.

--Moi, dans ce cas, je ne fais plus partie du monde, car j'ignore entièrement le pouvoir occulte de la femme.

--Puisses-tu toujours y échapper! Défie-toi, cependant, car il suffit d'un regard pour éveiller le coeur le plus endormi. Tiens! moi... Mais je ne suis pas venu pour soutenir une thèse, comme un docteur, ou m'épancher comme un amoureux. J'ai besoin de quelques dollars, une centaine tout au plus, pour terminer les apprêts de ma fête. Elle va être éblouissante, ma fête. Il faut qu'on en parle longtemps. Plusieurs journalistes y sont conviés. Les principaux. Les journalistes, voilà des gens qui ont du flair. Il y en a qui sont de force à faire lever la perdrix où il n'y a que des merles, et à mettre en fuite, par leurs aboiements, le gibier du carnier.

Le notaire ne l'écoutait plus, il calculait.

--Cent piastres pour terminer, diable! le commencement a dû être joli. Et si tu allais manquer ta section? Si ces messieurs avaient la digestion pénible et l'estomac ingrat?

--J'ai une autre corde à mon arc, une bonne, celle-là.

--Montre vite cette corde suprême qui... t'attend.

--Je marie ma fille adoptive. Elle a fait tourner la tête à notre jeune ministre.

--D'Aucheron, mon ami, je te souhaite du succès.

--Et tu me prêtes de l'argent?

--Et je te prête de l'argent; mais signe-moi un bon reçu. Entre amis, tu sais, il faut savoir s'obliger.

Le père Duplessis nous honorera probablement de sa présence demain soir, reprit D'Aucheron, souriant un peu méchamment.

--Duplessis? Il va nous parler de ses pauvres. Il collectionne des veuves et des orphelins. Je suppose qu'il nous passera le chapeau pour qu'on y jette l'obole de la charité. Enfin, tu es bien libre d'avoir qui te plaît.

--De la politique, mon bon, de la politique. Ce vieux pédagogue est populaire en diable dans son quartier. Les pauvres l'adorent. Ils lui brûleraient de l'encens sous le nez. Les élections ne sont pas loin et le jeune ministre qui est mon intime, tu sais....

--Par ta femme.

--Vilbertin!

--Oui, c'est par ta femme que je le sais.

--A la bonne heure. Eh bien! le jeune ministre m'a demandé mon appui. Il connaît mes ressources. J'ai tout de suite pensé à Duplessis. C'est l'homme. Cela va le flatter de se trouver en contact avec les sommités de notre monde. Il va voir comme sont joyeux, aimables et bons garçons, dans nos salons, ces hommes que l'amour du devoir et le dévouement à la chose publique rendent si chères et si redoutables dans leurs bureaux. Tu vois l'enchaînement? Ma femme prend Duplessis, car c'est elle qui a conçu cette idée.

--Diable! encore! elle....

Il n'eut, pas le temps de finir sa remarque. D'Aucheron continua:

A chacun le sien. Duplessis prend le ministre et le soigne comme ses pauvres; le ministre prend son mandat, grâce au dévouement de Duplessis, et moi j'attrape ma section de chemin, par le ministre, et toi tu partages avec ton ami la poule aux oeufs d'or.

--C'est bien agencé. Mais ta femme, quelle influence exerce-t-elle sur ce vieil instituteur pour le forcer à venir à ta soirée, lui qui ne va jamais dans le monde?

--Un chaînon que j'ai oublié. C'est par ma fille adoptive. Léontine connaît madame Duplessis et elles se rencontrent souvent dans les galetas de l'indigence et chez les Dames de la Charité.

--Voilà précisément ce qui fait que madame Duplessis ne viendra pas au bal.

Léontine a dû lui écrire un mot. Je ne sais quoi par exemple; elle n'a pas voulu nous le dire. Mais elle lui aura fait croire sans doute qu'il y allait de l'intérêt de ses besoigneux. C'est une fine mouche que cette Léontine, et fût-elle ma propre fille, je ne l'aimerais pas davantage.

--Si j'avais ma bonne petite femme moi, observa en poussant un profond soupir, le dodu notaire, je l'aimerais bien aussi ce me semble, et je ne serais pas seul aujourd'hui! J'aurais un peu de gaieté dans ma maison; je me reposerais mieux de mes soucis. Cela est si gai une jeune femme de vingt ans dans une chambrette fraîche. C'est l'oiseau qui gazouille dans sa cage. C'est...

--Tiens! tiens! voilà que tu fais du sentiment. Je ne te connaissais pas ce côté sensible.

--Parce que l'on se donne sérieusement aux affaires, il n'en faut pas conclure que le coeur est complètement desséché. Si je te disais tout, vraiment tu serais étonné.

--Tu me diras tout et tu m'étonneras... si tu peux, mais pas aujourd'hui. J'ai à dépenser les cent dollars que tu m'avances avec tant de bonté... et de prudence, puis j'irai me reposer un instant chez moi. Il faudra que je rencontre ensuite la députation indienne de Bécancour. Les ministres m'ont prié de leur préparer les voies. Il n'est pas toujours aisé d'arriver promptement à une entente avec ses farceurs-là.

--Je parle des indiens de Bécancour. Il est bon de les endoctriner un peu.

--Que veulent-ils?

--Des réserves, des réserves, et encore des réserves.

Là-dessus D'Aucheron sortit.

IV

Il y avait un vacarme d'enfer, le soir de ce jour-là, dans l'une des petites salles noires de l'auberge du Loup-garou, à la basse ville. La fumée flottait épaisse sous le plafond sale; l'âcre senteur du tabac vous mordait à la gorge; maintes personnes parlaient, criaient, chantaient, riaient à la fois. On ne s'entendait plus guère, on ne se comprenait plus du tout. La maîtresse de la maison risquait de temps en temps un mot de reproche, un conseil, une supplication, mais rien n'y faisait; on répondait par un redoublement de tapage.

--Il n'y a donc pas de chef parmi vous? dit-elle, à la fin.

Alors, piqué dans sa dignité, l'un des hommes se leva.

--Metsalabanlé est le chef, répondit-il gravement, et il sait bien qu'on lui obéira s'il commande.

--Metsalabanlé est le chef, affirmèrent plusieurs et les indiens respectent leur chef.

Ces bruyants hôtes étaient pour la plupart les Abénaquis de la Rivière Bécancour, auxquels M. D'Aucheron avait fait allusion chez Vilbertin. Ils venaient en effet demander au gouvernement certaines faveurs pour leur tribu dispersée. Metsalabanlé, leur chef, était un homme assez petit, pas replet du tout, plutôt maigre. Une légère moustache couvrait mal sa lèvre supérieure. Il paraissait avoir dépassé la cinquantaine, avait l'air doux, peu présomptueux. Cependant quand il affirmait ses prérogatives, il le faisait avec un accent qui indiquait de la fermeté. On l'aimait, cela paraissait évident.

Il voulut que le silence se fît, et sur le champ, l'auberge du Loup-garou rentra dans le calme.

Parmi les Abénaquis se trouvaient deux indiens étrangers. L'un, grand, bien fait, avec un front plus large que ne l'ont d'ordinaire les enfants des bois, un oeil perçant mais doux, un langage magnifique, une longue chevelure rejetée en arrière; l'autre, petit, grêle, un peu ridé, l'air inquiet, morne, soupçonneux. Le premier avait un type particulièrement remarquable, et semblait un objet d'admiration pour ses nouveaux amis. Il pouvait avoir cinquante ans, se disait moitié sioux, moitié espagnol. C'était la Longue chevelure ou Leroyer. Le second ne disait ni son âge, ni son nom, ni sa tribu. Il ressemblait aux Abénaquis, mais venait des montagnes de l'ouest. Ses compagnons le nommaient: la Langue muette. C'est lui qui se trouvait devant la vitrine de Glover, et dont madame D'Aucheron avait admiré le bon goût.

Monsieur D'Aucheron entra dans l'auberge au moment où le calme se rétablissait. Il crut qu'on se taisait par respect pour lui. Il s'annonça comme l'envoyé du gouvernement, et fut l'objet d'une vénération presque sacrée. Il se montra habile, parla beaucoup pour ne rien dire, fit espérer tout sans rien promettre, et mit le comble à sa réputation d'homme supérieur en priant les indiens de venir danser leur danse de guerre, à son bal, le lendemain, à minuit précis.

C'était une idée, mais qui ne venait pas de lui.

Sa femme, toujours poursuivie par la pensée du sauvage intelligent qui admirait les marchandises anglaises, avait trouvé cela.

Elle était ravie de son idée. Ce serait du nouveau, pensait-elle, et du rare.

Une surprise à tout renverser. Une bande de sauvages faisant irruption dans une salle éclatante, jetant leur cri de guerre et dansant leur ronde infernale sous des flots de lumières, quel succès! Ni madame de St. Flon, ni madame La mercière, ni madame Duponteau ne pourraient rien imaginer de semblable. Elles en crèveraient de dépit. Quel triomphe!

D'Aucheron dut aller le soir même rencontrer les Abénaquis. Sa femme attendait son retour avec anxiété. Quand il rentra, elle était pâle de crainte. La crainte d'un désappointement.

--Viennent-ils? demanda-t-elle d'une voix mal assurée.

--Ils m'ont presque baisé les pieds. Au temps du paganisme, je serais devenu leur idole...

--Mais vont-il venir?

--S'ils vont venir? oui, à minuit juste.

Madame D'Aucheron se frappa dans les mains, embrassa sa fille et son mari.

Léontine avait une amie, Mademoiselle Ida Villor, une douce jeune fille, son ancienne compagne de classe. Ida perdait son père alors qu'elle était encore au berceau. Sa mère, venue de la campagne pour cacher un peu sa pauvreté parmi les nombreuses misères inavouées ou inaperçues de la ville, vivait du travail de ses mains ne reculant devant aucune tâche, se levant tôt se couchant tard, trouvant chaque jour cependant quelques instants pour aller prier à l'Eglise voisine. C'est au pied des autels, à genoux dans la poussière du saint lieu, qu'elle retrempait son âme souffrante. La prière est la force des faibles. Ida la suivait toujours et s'était formée de bonne heure à cette vie pieuse de bien des jeunes filles, qui observent dans le monde les saintes pratiques du cloître. La douce intimité qui régnait entre les deux jeunes filles ne pouvait qu'être agréable à madame Villor, car Léontine montrait aussi les plus heureuses dispositions de l'esprit et du coeur. Plus gaie, plus pétulante qu'Ida, elle avait de fantastiques idées parfois, et souvent étonnait ses amies par ses singularités. L'étrange lui plaisait; elle ne faisait rien comme les autres, tout en ne faisant que d'excellentes choses. Madame D'Aucheron disait en parlant d'elle:

--Bah! ces enfants trouvés, ils sont pétris de charmes et de caprices.

Elle s'ennuyait d'être seule, madame D'Aucheron, elle s'ennuyait d'être seule et sentait le besoin de façonner un coeur et une intelligence. Elle alla donc demander un jour à l'hospice de la charité l'une de ces petites créatures qui sont semblables aux fleurs du désert, aux fleurs du désert écloses d'une larme de l'aurore et d'un rayon de soleil, aux fleurs du désert que nulle main bienfaisante n'arrose ou ne recueille. Heureusement que l'enfant se modela sur sa compagne de classe et fut plus touchée des discours admirables et de la vertu résignée de madame Villor que des sottes conversations et du caractère léger de sa mère nourricière.

V

Madame Villor demeurait au troisième et dernier étage d'une maison. Quatre petites chambres d'une exquise propreté, pleines de fleurs et de soleil, donnant sur la luxuriante vallée Saint Charles et les onduleuses Laurentides, lui composaient son logement.

C'est vers ce joli petit nid que monta mademoiselle Léontine, après qu'elle se fut séparée de madame D'Aucheron, au coin de la côte Ste Geneviève et de la rue St. Jean.

Elle trouva madame Villor et sa fille tout en pleurs. Cela la surprit beaucoup, car elle savait combien elles avaient de courage et de résignation. Elle les embrassa l'une et l'autre.

--Je regretterais d'être venue surprendre votre chagrin, commença-t-elle, si je n'espérais y apporter quelqu'adoucissement.

--Nous sommes bien malheureuses, ma pauvre Léontine, répondit Ida.

--Qu'y a-t-il donc? que se passe-t-il ici?

--Nous ne pouvons payer notre terme et le propriétaire menace de nous jeter sur le pavé...

--En plein coeur d'hiver! quelle cruauté! mais non, cela ne se fera pas. Vous trouverez des amis dans vos jours d'épreuve.

--Pauvre enfant, dit madame Villor, tu ne connais guère le monde, et tu juges les autres d'après tes bons sentiments.

--Et quel est ce propriétaire qui vous menace de la sorte?

--Le notaire Vilbertin.

--Vilbertin! c'est l'ami de papa. Soyez tranquilles, vous ne serez point maltraitées. Je parlerai pour vous à mon père; je parlerai au notaire. J'ai de l'influence; vous verrez. Consolez-vous; riez. Voyons, ne pleurez plus,--je vous promets que tout cela va s'arranger.

On entendit tout à coup des pas légers qui montaient dru les degrés tortueux, et une voix joyeuse qui égrenait des notes d'oiseau qui s'envole.

--C'est Rodolphe, fit madame Villor.

--Je me cache, dit Léontine. Une espièglerie.

La porte s'ouvrit.

--Bon jour, petite tante, bon jour, jolie cousine! Embrassons-nous: j'ai du bonheur plein le coeur: j'en ai jusque sur les lèvres... maintenant que je vous embrasse.

--As-tu passé tes examens? demanda la tante.

--Oui, passé, ce qui s'appelle passé!

Maintenant on va commencer à tuer légalement ses semblables, sous prétexte de leur conserver la vie.... Mais j'ai un autre sujet de bonheur encore.

--Oui? lequel, dis vite, fit Ida.

--Je vais au bal.

--Chez monsieur D'Aucheron?

--Chez monsieur D'Aucheron! Le petit ange du foyer ne m'a pas oublié. Les portes vont s'ouvrir à deux battants pour me recevoir.... Papa D'Aucheron s'améliore; c'est évident. Il faut que je me fasse spirituel et beau, pour plaire à la mère. Quand on a la mère pour soi le reste nous est donné comme par surcroît. Me faire spirituel, je suis bien amoureux, pour cela. Il paraît que l'on est bête quand l'on est amoureux. Beau! cela dépend beaucoup du caprice des gens qui vous regardent.

--Si mademoiselle Léontine t'entendait, Rodolphe, elle croirait vraiment que tu l'aimes, remarqua madame Villor.

--Je vous dis, ma tante, que je l'aime comme deux.

--Elle a bien des qualités, cette jeune fille, et ce qui ne gâte rien, elle héritera d'une belle fortune.

--Vous avez raison, tante, elle est pleine de grâce et de vertus; vous n'avez pas raison, tante, quand vous dites qu'elle sera riche héritière.

--Comment cela?

--La farine du diable retourne en son.

--Rodolphe, mon enfant, pèse tes paroles, sois prudent.

--Comment! ces murs ont-ils des oreilles?

--Peut-être.

--Que voulez-vous? Je dis ce que je pense, et ce qui vaut mieux, je pense ce que je dis. D'Aucheron, tout le monde le croit, s'est enrichi par des tours de force. On connaît ça, les tours de force. Je puis bien n'admirer ni cet homme ni sa femme et adorer leur enfant. Mais Léontine n'est pas du tout sortie de cette race-là. C'est une fleur suave transportée par un souffle mystérieux de la vallée discrète au bord du chemin. Il lui fallait bien de l'éclat et des parfums, pour demeurer ce qu'elle est.

--C'est de la poésie, cela, cousin.

--Je l'aime tant que je deviens poète.

Depuis quelques minutes madame Villor faisait à son neveu des signes qu'il feignait de ne pas comprendre. Elle pensait bien que la situation de Mlle Léontine devenait embarrassante, et que prolonger davantage ce jeu serait cruel.

--Je ne comprends pas vos signes, ma tante, reprit en riant avec malice, Rodolphe qui soupçonnait la vérité, sont-ce des signes cabalistiques? Voulez-vous m'ensorceler? Je le suis déjà. Vous me montrez la porte? Est-ce qu'on met les gens dehors par un temps pareil? Voyez donc la tempête qui s'élève. On gèle rien qu'à regarder la neige. Je passe ici la nuit, s'il le faut, pour attendre le beau temps.

Mademoiselle Léontine ne savait plus comment sortir de sa cachette et regrettait bien son enfantillage. Qu'allait-il penser d'elle? Une fille qui se cache pour entendre ce que l'on dit, c'est laid. Elle n'avait qu'une chose à faire: s'accuser de son étourderie. Il était si bon qu'il pardonnerait. Cependant elle n'en faisait rien. Elle n'osait point. Ida, sa bonne amie, trouverait bien un moyen de la tirer de là. Elle ne se hâtait toujours point mademoiselle Ida.

--Savez-vous, continua Rodolphe, que cela m'amuserait de voir la fortune de D'Aucheron se fondre comme neige. Léontine aurait la preuve que mon amour est tout désintéressé. J'essuierais moins de contrariétés, je rencontrerais moins d'obstacles dans la poursuite de mon rêve. Non pas que je craigne la lutte et que je ne me sente point le courage de vaincre; mais si elle allait se fatiguer avant moi, elle.

Léontine ne pouvant supporter plus longtemps la fausse position où elle se trouvait, ramassa toute son énergie et rentra le front haut dans la salle où causaient madame Villor, Rodolphe et Ida.

--Je vous pardonne, dit-elle, monsieur Rodolphe, d'avoir un peu mal parlé de ceux qui me tiennent lieu de parents et je vous demande pardon de mon étourderie.

--Quoi! vous étiez là? fit Rodolphe beaucoup moins étonné qu'il ne le paraissait. Si je vous avais devinée, vous en auriez entendu de belles: Que je ne vous aime guère; que c'est votre fortune que je courtise; que vous n'êtes point belle à faire tourner la tête; que vous avez des défauts. Un tas de mensonges!... Oui, j'aurais menti pour la première fois de ma vie, exprès, par malice.

Il riait en disant cela.

--C'est peut être un peu ce que vous avez fait, reprit Léontine, mais j'avoue que j'ai mérité vos sarcasmes. On ne m'y reprendra plus.

--Votre plus grande faute, dit Rodolphe, c'est de m'avoir privé pendant un gros quart-d'heure du plaisir de vous entendre. Je ne vous garderai pas rancune, pourtant, puisque demain je pourrai vous voir encore et pendant toute une soirée.

--Vous accompagnerez Ida, n'est-ce pas?

--Avec le plus grand plaisir, si ma cousine ne s'y oppose pas.

--Je suis toujours heureuse de sortir avec toi, cousin, mais j'hésite à me risquer--même sous ton égide--dans le grand monde et dans les brillantes soirées.

--Sois sans crainte, cousine, le grand monde est bien petit, et les soirées brillantes ne sont pas plus désagréables que les autres quand on y rencontre des personnes que l'on aime.

Un pas un peu lourd, un peu lent, se fit entendre alors. Ce n'était plus le pas léger de la jeunesse.

--Voici quelqu'un, mademoiselle Léontine, vous cachez-vous, demanda Rodolphe, d'un ton plaisant.

--Méchant! lui répondit la jolie brunette en le menaçant du doigt.

La porte n'était pas ouverte que l'on entendait déjà un proverbe: «*Faites le bien, Dieu fera le mieux.*»

--Le professeur Duplessis, s'écrièrent à la fois la femme et les jeunes filles.

Rodolphe ne le connaissait pas.

--Moi-même, mes belles dames, fit le vieux professeur, en saluant respectueusement.

--M. Rodolphe Houde, étudiant en médecine.

--Pardon, ma tante, docteur en médecine, interrompit le jeune homme.

--Eh oui! docteur en médecine, reprit madame Villor, en présentant le jeune homme.

--«*Il vaut mieux courir au pain qu'au médecin,*» échappa le père Duplessis. Et il continua:

--M. Rodolphe Houde, je vous félicite d'être le neveu d'une si bonne tante et le cousin d'une si jolie cousine.

--Monsieur le professeur dit Rodolphe, d'un ton demi-sérieux demi-badin, j'espère que plus tard, si nous nous rencontrons encore tous ensemble, vous féliciterez ma tante et ma cousine d'avoir, l'une un si digne neveu et l'autre un si brave cousin.

--C'est cela: «*Fais honneur à tes habits et tes habits te feront honneur,*» répliqua le professeur en prenant le siège qu'on lui offrait.

Les deux jeunes filles, craignant d'être indiscrètes, ou voulant causer à leur aise, passèrent dans la chambre voisine.

--Puisque Monsieur est votre neveu, je puis sans doute parler de vous devant lui.

--Il sait notre gêne, répondit Madame Villor.

--Le notaire Vilbertin, reprit le professeur, a dit à qui voulait l'entendre qu'il allait vous jeter dans la rue. «*Le fumier couvert d'or reste toujours fumier.*» Son clerc, qui fut mon élève, m'a rapporté cela ce matin même; et je viens vous dire de ne point vous décourager... La Providence a soin des petites insectes qui trottent sur nos sillons, elle ne peut oublier les pauvres humains qui la bénissent?

--C'est vrai, mais mon Dieu! il est malaisé d'espérer contre toute espérance....

--Bah! laissez faire le ciel, il est ingénieux. Il vous causera quelque bonne surprise.... «*Si Dieu a créé la bouche il a aussi créé de quoi la remplir.*»

Des larmes coulaient des yeux de madame Villor.

--Monsieur, dit Rodolphe, j'aurais voulu vous connaître plutôt; un jeune homme comme moi gagne beaucoup dans la fréquentation d'un homme comme vous.

--«*Chacun est fils de ses oeuvres.*» «*Il faut puiser tandis que la corde est au puits.*» Tout de même, jeune homme, je crois que vous n'avez pas perdu votre temps. Les bons conseils de votre tante ne sont pas tombés dans une terre aride. Tant mieux. J'aime beaucoup la jeunesse, beaucoup. C'est elle qui est l'avenir. Une génération croyante et chaste forme toujours une époque de force, de gloire et de grandeur dans la vie d'un peuple. Oh! la jeunesse, si on savait mieux préserver sa foi! La morale va souvent se perdre sur les écueils du monde si elle n'a pas la foi pour guide. «*A navire sans pilote tous les vents sont contraires.*» La vraie foi ne fait pas souvent naufrage. Sachons l'inculquer et la morale suivra. «*La barque sous voiles n'est pas ballottée comme le vaisseau désemparé.*»

Dirait-on, à m'entendre, que je deviens mondain que je ne rêve plus que bal et grande soirée? Voilà bien pourtant la vérité. «*Comme on connaît les saints il faut les honorer.*»

--Vous allez chez monsieur D'Aucheron, peut-être? observa madame Villor.

--Je vais chez monsieur D'Aucheron. Je ne serai pas fâché de rencontrer là quelques uns de nos hommes politiques. Je veux leur dire dans l'intimité ce que je pense de leur manière de gouverner. J'ai ma petite influence. Puis on a souvent besoin de plus grand que soi. J'ai une autre raison. J'accompagne ma femme. «*Le coeur mène où il va.*» «Qui prend s'engage.»

--Comment! madame Duplessis va au bal? exclama madame Villor.

--Eh oui! comme elle irait à un enterrement. Même elle se mêle d'intriguer. Pas dans la politique; cette bêtise-là n'est bonne que pour nous, les forts. Elle fait dans les amours. Pas comme entremetteuse, par exemple, oh! non! Comme protectrice de l'innocence menacée. Un beau rôle pour une femme qui a sacrifié, un jour, l'avenir le plus brillant à la foi promise. «*Mais il n'y a ni belles prisons, ni laides amours.*»

Il paraît que notre jeune ministre Le Pêcheur, a témoigné le désir d'épouser la dot de Mlle D'Aucheron. Une belle dot. Une belle demoiselle aussi, Léontine D'Aucheron, et bonne, et gentille. Un peu.... comment dirai-je? un peu étrange, par exemple. Mais c'est un charme de plus, un charme rare, à mon avis. Elle ne m'entend pas, j'espère. Le citoyen D'Aucheron est on ne peut plus flatté. La citoyenne D'Aucheronne appelle déjà sa fille la *ministresse*. On a tenu la chose secrète.... autant qu'on peut tenir secrète une chose dont on est heureux, fier, orgueilleux. Le secret ne doit être officiellement

éventé que demain soir. «*Préparez-vous au pire en espérant le mieux.*»
«*On ne va jamais si loin que lorsqu'on ne sait pas où on va.*»

VI

Rodolphe éprouvait une rude angoisse pendant cette conversation. Il voyait ses espérances tomber une à une comme les feuilles quand le frimas d'octobre les a recouvertes de sa froide poussière d'argent. Il aimait depuis longtemps mademoiselle D'Aucheron. Il l'avait connue dans une des solennelles fêtes de l'Université Laval.

Il recevait ses diplômes et la médaille d'or. On l'avait acclamé. Il resplendissait dans son triomphe, et pourtant son maintien grave avait gardé une suave modestie. On eût dit qu'il ignorait son mérite et que l'ovation n'était point pour lui.

Parmi les petites mains blanches qui battirent bien fort, ce jour là, les plus vaillantes furent celles de mademoiselle Léontine.

Tout modeste que l'on soit, on lève les yeux de temps à autre, surtout vers des galeries peuplées de jolies femmes qui vous regardent curieusement et vous admirent au moins un peu. Rodolphe avait levé les yeux et rencontré sur son passage le minois gracieux de mademoiselle D'Aucheron. Le regard de la jeune fille croisa le sien. Deux regards qui se croisent produisent souvent un effet merveilleux. C'est comme deux courants électriques. Le feu s'allume soudain au fond du coeur, comme si les regards partaient de ce coin secret de notre être.

Quelques heures plus tard la ville se promenait sur l'immense terrasse Frontenac, à 200 pieds au dessus des hautes maisons noires de la rue Champlain, à 150 pieds au-dessous de l'imprenable citadelle. La fanfare, sous la direction de Vézina, l'habile chef d'orchestre, jetait au ciel ses éclats sonores qui se répercutaient sur les rochers voisins; le fleuve dormait dans son lit profond; les navires immobiles avec leurs grands mâts garnis de cordages, ressemblaient à une forêt dépouillée par l'hiver. Le bruit continu des camions, des charrettes des wagons, qui serpentaient dans les rues étroites de la basse-ville, montait comme un grondement de tonnerre vers les calmes allées des remparts. Les hommes d'affaire, les flâneurs, les étudiants, les dames de l'aristocratie, les demoiselles, les bonnes d'enfants, les gamins, les désoeuvrés, les curieux, les employés du gouvernement, les chercheurs d'aventures ou de distractions, les avocats en quête de paradoxe, les médecins fuyant les remords, les notaires placides, les ouvriers de tout métier, les hommes politiques de toutes couleurs, les chercheurs de place de toute sorte, tout ce monde allait, venait, se croisait, se mêlait, se dégageait pour s'embarrasser encore, comme une populeuse fourmilière qui s'ébat au soleil sur le sable doré d'un jardin. Un grondement sourd s'élevait de là, qui se taisait quand les cors et les flûtes, les clarinettes et les trombones recommençaient leurs accords.

Mademoiselle Léontine se promenait avec Ida Villor. Elle dit tout à coup à demi-voix et ne croyant pas être entendue:

--C'est lui.

Elle regardait un joli garçon qui passait près d'elle avec quelques amis.

Le jeune homme surprit son regard et saisit ses paroles. Il dit à ses compagnons, assez haut pour qu'elle l'entendit:

--C'est elle.

Il voulait faire une boutade, rien de plus.

On passa. A la rencontre suivante, Rodolphe--c'était lui--risqua un salut qui lui fut gracieusement rendu. A la troisième promenade, il brûla ses vaisseaux. Il prit un ton badin. Le badinage est souvent un excellent moyen de commencer un affaire sérieuse:

--Puisque c'est vous, mademoiselle et puisque c'est moi, voulez-vous que nous marchions ensemble? La foule est difficile à percer; je vous aiderai à vous frayer un chemin.

--Vous êtes bien aimable, monsieur. D'après ce qu'il m'a été donné de voir aujourd'hui, les difficultés ne vous découragent point, et vous pouvez vous ouvrir un superbe chemin, répondit aussitôt mademoiselle D'Aucheron.

Ce fut là le commencement des amours de Rodolphe Houde, alors étudiant en médecine et de Léontine D'Aucheron.

Pas un nuage n'avait passé sur cette amitié tendre d'une jeune fille sage et d'un jeune homme vertueux, pas un souffle mauvais n'en avait terni l'éclat.

Monsieur et madame D'Aucheron n'avaient pas, il est vrai, donné leur assentiment à cette liaison, et la pensée d'avoir pour gendre un homme sans fortune et sans nom dans la politique, ne leur souriait pas du tout. Ils toléraient partout excepté à la maison les rencontres des deux jeunes amoureux. Ce contresens de la vigilance chrétienne ne les troublait nullement.

Tout en laissant l'attachement se fortifier dans le coeur de sa fille adoptive et de l'étudiant, D'Aucheron cherchait un prétendant sérieux et bien posé.

Il l'avait donc trouvé. Et certes! il n'avait rien perdu pour attendre. Un ministre, quand même il ne le serait que par contrebande et pour un jour, c'est beau. Etre ministre cela grandit un homme et transforme un nom. L'honorable monsieur Renard, L'honorable monsieur Lelapin, L'honorable monsieur Lacarpe, voilà des noms qui deviennent merveilleusement beaux avec cette auréole dont les entoure la vanité. Et puis on la garde cette auréole sa vie durant, descendrait-on quatre à quatre les degrés de l'échelle sociale escaladée un jour par hasard.

VII

Rodolphe souffrait. Les paroles de l'instituteur étaient tombées sur son coeur comme des gouttes de plomb fondu. Il s'éveillait au milieu d'un beau rêve et la réalité cruelle se montrait tout à coup à son âme confiante comme ces spectres horribles que la nuit apporte l'on ne sait d'où, sur ses vagues de ténèbres. Pourquoi lui avoir caché avec tant de précaution une affaire aussi grave? Mais pourquoi surtout l'avoir invité à cette soirée, s'il doit y rencontrer un rival heureux? Non, Léontine n'est pas si méchante que cela. Son âme droite n'a pas médité une pareille tromperie. L'amour ne s'est pas éteint dans son coeur, puisqu'il brillait encore dans ses paupières tout à l'heure. Il se cramponnait à l'espérance.

Les deux jeunes filles sortirent de la petite chambre. L'heure avançait, le froid, le vent, la neige augmentaient d'instant en instant. Il fallait rentrer avant que la neige s'amoncelât sur les trottoirs. Rodolphe proposa à son amie de l'accompagner.

--Je ne saurais refuser un si brave compagnon, répondit-elle. C'est surtout maintenant que la tempête gronde que j'ai besoin de son appui.

Rodolphe la regarda avec de grands yeux chargés de tristesse. Elle eut un profond tressaillement et comme l'intuition d'un malheur.

--Il sait, pensa-t-elle, ce que je n'osais lui apprendre. J'aurais voulu pourtant souffrir seule.

Ils sortirent, après s'être bien enveloppés dans leur vêtement de fourrure. La brise leur fouettait le visage.

--Que ne puis-je me moquer des orages du coeur comme de ces orages de la nature? observa Rodolphe.

--Je vous croyais courageux, répondit Léontine.

--Courageux, je le suis quand je sais d'où vient le danger et où se cache l'ennemi.

--Je voulais vous éviter d'inutiles alarmes et des tourments insensés.

--Mais si vous m'aviez dit: Lutte, combat et espère, j'aurais, avec le plus grand bonheur, bravé tous les périls, repoussé toutes les attaques, brisé tous les obstacles.

--La valeur, dans ces batailles de l'amour, consiste souvent à beaucoup souffrir en silence. Je vous ai dit d'espérer.

--Mais depuis quand veut-on vous faire épouser ce ministre?

--Duplessis vous a dit que c'est un ministre.

--Pas à moi, à madame Villor.

--Et vous m'avez trouvée bien....

--Bien discrète pour le moins.

--Vous avez dû me décocher un autre qualificatif.

--Ma foi! j'étais tellement ahuri que je ne cherchais nullement les noms que vous méritiez. Quand j'eus repris un peu possession de moi-même, je ne trouvai encore que les doux noms que vous savez.

--Vous avez eu raison de ne pas douter de moi. Je ne sacrifierai jamais mon amour et la paix de mon âme à un sentiment de vanité. Je respecte la volonté de mes parents cependant; mais j'espère qu'ils respecteront aussi cette chose divine et sans prix que le bon Dieu a mise dans l'âme de chacun: la liberté d'aimer.

Les deux jeunes amoureux se séparèrent à la porte de M. D'Aucheron. Léontine rentra tout émue. Elle n'avait pas encore parlé un langage si ferme et si plein de tendres promesses. Rodolphe, la figure au vent, rayonnait de bonheur.

Le professeur Duplessis fut bien chagrin de n'avoir pas ménagé la sensibilité du docteur. Il ne savait pas, lui, qu'il aimait Léontine.

Il rassura de nouveau madame Villor contre les duretés du notaire et s'en retourna en songeant à tout le bien que l'on pourrait faire et que l'on ne fait pas.

VIII

Pendant toute la journée du vendredi ce fut un va et vient continuel dans la maison des D'Aucheron. Les servantes allaient et venaient, époussetant, arrangeant, dérangeant. Elles paraissaient avoir perdu la tête et recommençaient dix fois la même chose. C'est que madame D'Aucheron courait partout, donnant des ordres, les révoquant pour les redonner et les annuler encore. Rien n'était assez bien. Les rideaux de damas pourpre tombaient mal et ne se repliaient pas assez gracieusement sur le parquet; les chaises et les fauteuils pouvaient être placés avec plus d'art. Il y avait trop de symétrie, pas d'imagination dans l'arrangement. Les lampes ne jetteraient peut-être point tout l'éclat que l'on était en droit d'attendre d'elles en pareille occurrence. Il ne faudrait pas fermer les volets trop juste, car, de la rue, ou ne verrait rien des splendeurs de l'intérieur. Il faudrait entr'ouvrir discrètement les vasistas pour laisser les flots d'harmonie se glisser un peu au dehors, et surprendre agréablement les curieux qui passeraient ou viendraient écouter. Pourtant ils ont des replis majestueux, ces épais rideaux et ils tombent mollement de leurs corniches dorées. Ils ne font pas un si mauvais effet, après tout, ces sièges de velours rouge où personne ne s'est assis encore. Les tapis de turquie, avec leurs larges fleurs de toutes nuances, ne ressemblent pas mal à un parterre savamment dessiné. On n'a pas vu mieux ailleurs. Il faut être de bon compte et juste envers soi-même, franchement, on n'a jamais vu même rien d'aussi bien ailleurs.

La voiture du pâtissier apporta une charge de choses sans noms, toutes plus extraordinaires les unes que les autres. Il y a des gens qui connaissent l'histoire et la généalogie de ces étranges produits de l'art culinaire en dévergondage, et qui ne croquent pas un *kiss* ou ne portent pas un *doigt de dame* à leurs lèvres, sans publier aux quatre coins... de la table la raison mystérieuse d'une aussi charmante appellation. Madame D'Aucheron admirait tout cela, se souciant peu des noms et croyant fermement aux qualités.

A mesure que le jour baissait les émotions se pressaient dans l'âme de la maîtresse de maison. Le moment solennel arrivait. Les lustres furent allumés. La lumière ruissela sur l'or des cadres suspendus aux murs, sur la tapisserie à grands ramages, sur les consoles sculptées, les panneaux vernis des meubles. C'était un rayonnement qui semblait doux et chaud comme un rayonnement de soleil.

--N'est-ce pas que c'est beau, Léontine, fit madame D'Aucheron tout enthousiasmée?

--Trop beau, peut-être, mère.

--Trop beau? mais tu n'y penses pas. Pour des députés, pour des ministres rien n'est trop beau. Ce sont ces hommes-là, vois-tu, que Dieu place à la tête de la nation pour la gouverner.

--Dieu ou le diable, répondit Léontine en éclatant de rire.

--Il y a peut-être parfois des ministres prévaricateurs, ma fille, oui prévaricateurs, c'est bien le mot que j'ai entendu l'autre jour, mais ces ministres-là sont rares, ton père l'a dit.

--Ah! mère, parlons colifichets, plutôt, nous serons mieux dans notre élément.

--Il faut que tu t'habitues à parler politique, et que tu apprennes à en causer toi-même, ma fille; car, autrement, la position que tu vas occuper, bientôt dans le monde, t'exposerait à bien des mécomptes. Je ne voudrais pas que l'on pût me reprocher une lacune quelconque dans ton éducation.

--J'aimerai mon mari, je le laisserai parler et agir à sa guise; j'aurai soin de sa maison pour qu'il y revienne toujours avec bonheur, ce sera ma politique....

--Je me disais cela, moi-même, dans le temps, mais j'ai bien compris plus tard toute l'influence que la femme peut exercer sur les hommes publics. J'ai compris mon époque, et je ne suis pas demeurée inactive. C'était aussi par intérêt pour mon mari que je travaillais. Je voulais le sortir de la foule des misérables où il peinait sans espoir. Aujourd'hui tu vois quelle position nous avons conquise. Nous sommes montés haut, laissant au-dessous de nous ceux qui furent nos égaux. La fortune passait, j'ai su lui ouvrir la porte. Plus chanceuse que moi, tu as reçu, par mes soins, une instruction parfaite--je ne te la reproche point--et tu vas du premier coup--grâce toujours à mon habileté--atteindre le faîte de la grandeur. Comme tes amies vont te porter envie! C'est là le plaisir: faire crever de jalousie tous ceux qui nous connaissent.

--Je ne tiens à faire mourir personne. D'ailleurs, ce ministre ne recherche-t-il pas votre argent plutôt que votre fille?

--Notre argent! si tu savais avec quel accent passionné il m'a parlé de toi. Au reste, il dit qu'il sera ministre aussi longtemps qu'il le voudra. Il n'est point de ces esprits étroits qui s'attachent irrévocablement à un parti, à une idée. Il croit qu'il faut savoir changer avec les temps et les circonstances, se modifier sur les nécessités ou les intérêts nouveaux qui surviennent. Il a l'esprit large, il est sans préjugé; tu le connaîtras.

--Je le connais assez déjà.

--Ton père qui est tout à fait son intime, a dû te dire déjà comme il est surprenant ce garçon, ce monsieur, dis-je, cet honorable Monsieur.

--Il ne me surprendra point.

--Montre-toi charmante comme toujours, qu'il devienne fou de toi. Prends bien garde de donner des espérances à ce petit freluquet d'étudiant. On t'a permis de l'inviter, mais on avait une intention. On veut qu'il sente toute l'ironie de sa position et tout le ridicule de ses démarches.

--L'étudiant d'hier est un docteur aujourd'hui, mère.

--C'est cela, femme, tu parles comme la sagesse même, s'écria D'Aucheron en faisant irruption dans le salon tout illuminé.

Il embrassa sa femme et mit un baiser sur le front de Léontine, se frotta les mains avec allégresse, enveloppa la pièce d'un regard satisfait, se laissa choir sur un sofa et bondit sur le coussin moelleux. Il se releva presqu'aussitôt.

--Suis-je bien ainsi demanda-t-il.

--Oh! très bien! répondirent les deux femmes.

Il portait l'habit noir de rigueur, cravate blanche, col droit et luisant, gilet largement échancré pour laisser se découper en coeur une chemise de toile fine sur la quelle s'épanouissaient trois gros boutons de diamant plus ou moins authentiques.

--Et nous, comment nous trouves-tu? demanda à son tour madame D'Aucheron, en se tournant dans sa longue robe de satin rose, dont elle renvoya, jusqu'au milieu du salon, d'un coup de pied savant, la *traîne* éclatante.

--Adorable!

IX

L'horloge en bronze doré achetée à grand prix, la veille, chez Duquet, sonna neuf fois. Madame poussa un grand soupir, monsieur palpa sa cravate blanche pour s'assurer qu'elle était bien à sa place, et mademoiselle fit une moue charmante en disant que c'était bien ennuyeux de commencer la veillée à l'heure où les honnêtes gens songent à se mettre au lit.

--C'est l'usage du monde, ma fille, répliqua madame D'Aucheron; accoutume-toi à veiller, parce que dans la carrière politique où....

Le timbre clair de la porte qui retentit ne lui permit pas de terminer sa phrase.

Les premiers invités entraient. C'étaient le professeur à l'Ecole Normale et sa femme. On pouvait les recevoir, ils étaient mis convenablement. Ils passeraient inaperçus.

D'Aucheron et sa femme échangèrent un regard rapide qui voulait dire:

--Ils pouvaient bien ne pas tant se hâter ceux-là.

Puis s'étant levés ils serrèrent avec une effusion menteuse les mains loyales de ces braves gens.

--J'avais peur que vous ne fussiez empêchés de venir, commença D'Aucheron, vous avez toujours un tas de gens chez vous, le soir. Vrai, cela m'eût chagriné.

--J'ai pensé qu'en effet la présence d'un vieux patriote ne vous serait point désagréable, et j'ai fait une brèche dans mes habitudes. *Pourtant, le limaçon ne doit pas sortir de sa coquille.*

--Vous êtes tout de même bien aimable, madame Duplessis, d'avoir si vite répondu à notre invitation, disait madame D'Aucheron.

--Il est neuf heures, ma bonne madame, et nous ne voulons point passer la nuit, tout aimable que soit la compagnie.

--Oh! quand je dis: vite.... Cette pendule, la plus belle que nous ayons pu trouver en ville, nous avertit qu'il est temps d'ouvrir nos portes, comme nos coeurs, aux distingués amis qui nous font l'honneur de....

--Monsieur le notaire Vilbertin, annonça un serviteur d'occasion placé en sentinelle à la porte du salon.

--Ce cher notaire! s'écria madame D'Aucheron, qui laissa de nouveau sa phrase inachevée.

Le notaire donna une poignée de main aux dames, une autre à son ami D'Aucheron, salua le vieux professeur, s'inclina aussi profondément que le lui permettait la proéminence de son ventre, devant madame Duplessis, et tout essoufflé, s'assit dans le plus large fauteuil. Il était connu, le notaire; son avarice aussi. Le professeur pensa en le voyant:

«C'est une folie que de vivre pauvre pour mourir riche.»

Le timbre retentit encore, retentit souvent, et les invités arrivaient, arrivaient toujours.

Joseph, le domestique, gauchement affublé d'un habit bleu barbeau garni de boutons dorés, se tenait près de la porte, pour recevoir les messieurs et leur indiquer une petite salle où ils pourraient refaire le noeud de leur cravate et les désordres de leurs cheveux, avant de monter, car le salon était au premier étage.

Les dames passaient aux mains de Catherine, une assez gentille fille de chambre, qui prenait un plaisir extrême à comparer les unes aux autres les tapageuses toilettes dont la maison s'emplissait.

Ce fut comme une procession radieuse dans l'escalier. Les replis des robes de soie ou de satin jetaient des rayons de vagues où flotte le soleil, et des senteurs enivrantes se répandaient partout.

X

En attendant le quadrille d'honneur on causait.

--Quelles nouvelles, monsieur Duplessis? Demandait le notaire Vilbertin; la société St-Vincent de Paul a-t-elle bien de la besogne cet hiver?

--Monsieur le notaire, soyez sûr qu'il ne manque pas de gens qui lui en taillent de la besogne, répondit l'instituteur en regardant d'aplomb l'avare notaire.

--Il faut qu'il y ait des pauvres, reprenait celui-ci, afin que la charité des bonnes âmes puisse s'exercer.... Que ferait mademoiselle Léontine, par exemple, si elle n'avait point à qui distribuer ses douces paroles et ses nombreuses aumônes?

Il regardait mademoiselle D'Aucheron en souriant et voulait détourner l'attention qui s'attachait à lui.

--Monsieur Vilbertin, répondit la jeune fille, nous devrions former une société tous les deux; je distribuerais les paroles et vous, les écus....

--Une société avec vous?... je vous prends au mot... mais une vraie société que vous n'aurez pas le droit de dissoudre.

--Une vraie société de bienfaisance. Ouvrez votre bourse, monsieur, payez.

--Ouvrez votre bouche adorable, mademoiselle, parlez....

--Remettez à madame Villor le prix de son loyer... jusqu'au mois de mai prochain. J'ai parlé.

--Rien que cela? fit le notaire un peu décontenancé, mais riant toujours cependant. Vous commencez bien; n'importe, pour vous, je m'exécuterai.

--Il faut que ce soit pour l'amour de Dieu... pas pour l'amour de moi.

--Cela n'est point dans le contrat. Pas de clauses frauduleuses, mademoiselle. Vous n'avez rien à voir aux motifs. C'est pour l'amour de vous. J'y tiens.

--Excusez-moi, l'on me demande, fit Léontine qui se leva pour courir au devant de quelques jeunes dames qui entraient.

--Diable! fit le notaire à madame D'Aucheron, votre fille est bien jolie.

Il lorgnait Léontine qui s'en allait d'un pas gracieux et vif.

--Oh! oui, soupira la vaniteuse femme, c'est à son tour à porter le trouble dans les coeurs.

--Veillez sur elle, on pourrait vous l'enlever.

--L'enlèvement est à la veille de s'accomplir. Vous en entendrez parler. Cette soirée, si vous êtes observateur, vous dira que...

--L'honorable monsieur Jean-Baptiste-Oscar Le Pêcheur! cria tout à coup le garçon de sa voix la plus retentissante.

--Le Pêcheur en eau trouble, chuchota quelqu'un.

Madame D'Aucheron resta court une fois de plus. Elle ne put résister au mouvement qui la poussait, se leva, courut plutôt qu'elle ne marcha, les mains tendues vers le jeune ministre....

--Comme vous êtes aimable de nous honorer ainsi de votre présence! s'écria-t-elle.

--Oui, oui, mon cher Le Pêcheur, que vous êtes aimable! répéta D'Aucheron qui s'était avancé en même temps.

--Tout l'honneur est pour moi, mes chers amis, croyez-le, répondit le jeune ministre.

--Permettez-moi de vous présenter ma fille adoptive, demanda madame D'Aucheron.

--Il me tarde d'offrir mes hommages à mademoiselle Léontine.

Léontine causait avec les jeunes dames qui venaient d'entrer. Elle s'interrompit et salua froidement l'honorable personnage qui s'inclinait jusqu'à terre, comme un huissier de la verge noire, aux jours de gala.

--Elle est intimidée, pensa le ministre. Ces gens-là croient que nous ne sommes point des êtres ordinaires. À leurs yeux nous sommes des divinités. S'ils savaient!...

--J'aurai le bonheur de dire bientôt à mademoiselle Léontine l'admiration que m'inspirent ses hautes qualités, ajouta-t-il, et il passa.

--Monsieur Antoine Duplessis, ancien instituteur, membre de la St. Vincent de Paul, et congréganiste, débita D'Aucheron en présentant l'instituteur.

--M. Duplessis, l'amitié, la confiance et l'aide d'un homme comme vous ne peuvent que m'être utiles et me flatter. J'espère que nous ferons tout à l'heure plus intime connaissance, et que nous nous comprendrons à merveille.

--M. le notaire Vilbertin, l'honneur et la gloire de la profession, continua D'Aucheron.

--L'on fait ce que l'on peut dans l'humble sphère où la Providence nous a placé, repartit le notaire en donnant la main au ministre.

--Votre état, M. le notaire, vous met en rapport avec bien des gens, et votre influence doit être grande, observa celui-ci.

--Je ne dis pas non, et si l'on voulait se livrer à la chose publique on pourrait peut être arriver à son tour.

--Le champ est ouvert à tous.

--C'est vrai, mais beaucoup d'appelés et peu d'élus, ajouta en riant D'Aucheron qui s'imaginait avoir inventé un mot drôle.

Jean Griflard, député multicolore et souvent en disponibilité, fut acclamé chaleureusement quand il entra avec sa femme, une joyeuse dondon à l'oeil clair, avec une rose sur la tête, une robe fantastique qui ne commençait nulle part et ne finissait jamais.

Monsieur et madame Laminon firent aussi une entrée triomphale. Ils venaient de se retirer des affaires. C'est un titre. Ils furent suivis de monsieur et madame Dupotain, de monsieur et madame Blanchoux, de Joachim Pichenette, le conseiller de ville, de Marc Blondole, l'échevin, d'Athanase Baudriol, le marchand de charbon, de Pierre-Jean-Louis Landeau, l'épicier; toute une légion. Tous les états se trouvaient représentés. C'était une bigarrure qui ne manquait pas d'avoir son côté drôle. Les femmes étaient mises avec ce goût particulier dont les a douées le Créateur. Il y avait peut-être un brin de coquetterie; il y en avait certainement. Chacune voulait paraître mieux que les autres; de là un déploiement de luxe inutile. Les chances restaient les mêmes qu'auparavant.

On retrouvait d'anciennes connaissances, on en formait de nouvelles; la conversation s'allumait comme un feu de broussailles, et le murmure des fraîches voix de femmes, le parler sonore des hommes, les frémissements de la soie, le bruissement des pieds sur les tapis, tout cela formait un bruit étrange et gai qui remplissait la maison et grisait tout le monde.

Léontine se montrait fort aimable. Elle avait une bonne parole, un sourire gracieux pour chacun des invités. Cependant elle semblait un peu inquiète, un peu mal à l'aise, et ses grands yeux noirs revenaient toujours se fixer vers la porte grande ouverte. Elle attendait quelqu'un. Et celui qu'elle appelait de tout son coeur ne venait point. Elle perdait toute sa gaieté et ne répondait plus que par monosyllabes à ceux qui lui adressaient la parole. Elle ne se contraignait pas longtemps. Avec son caractère vif, bouillant, un peu fantasque, comme disait le père Duplessis, elle ne pouvait pas feindre.

--Vos parents font vraiment bien les honneurs de leur maison, lui dit le jeune ministre, qui venait de s'asseoir auprès d'elle, aussi, comme tout le monde se livre à la joie; vous seule semblez un un peu ennuyée: n'aimez-vous donc pas ces fêtes.

--Mes invités à moi ne se montrent guère empressés, et cela me fait de la peine.

Elle souligna cette phrase.

--Ah! vous attendez quelqu'un?

--Deux amis seulement.

--Et s'ils ne viennent pas, ne vous laisserez vous point distraire ou consoler un peu par d'autres amis qui, pour être nouveaux, n'en seront pas moins dévoués et fidèles?

--Je tâcherai de déguiser mon désappointement, mais j'ai peur d'y mal réussir.

XI

La première danse s'organisait. Les instruments de musique jetaient les premières notes éveillées, comme des oiseaux qui essaient leurs jeunes ailes. Des vibrations sonores, des soupirs mélodieux, des fugues vives comme des fusées, arrivaient par vagues harmonieuses avec des bouffées d'arômes. Toutes les figures riaient, tous les yeux étaient chargés d'éclairs.

Le ministre dansa le premier quadrille avec mademoiselle Léontine. Ils avaient pour vis-à-vis M. D'Aucheron et madame Griflard. Le notaire Vilbertin eut l'honneur de danser avec la maîtresse de la maison. Duplessis refusa. Les figures du quadrille étaient pour lui d'inextricables dédales où il se serait invariablement perdu. Il danserait peut-être un cotillon, tantôt, après les autres. Le député flottant avait jeté son dévolu sur madame Baudriol, une blonde un peu fade, mais fort sentimentale. Elle parut bien heureuse de danser avec un député. Plus tard elle dansa avec un épicier et elle parut bien heureuse encore. Elle passa par le quadrille, le lancier, la caledonia, le cotillon, le Sir Roger de Coverly, etc., avec le député, l'épicier, le marchand de charbon, l'échevin et le conseiller, et elle parut toujours bien heureuse.

On dansait dans une grande salle voisine du salon. Ceux qui ne dansaient point regardaient danser et critiquaient en attendant qu'ils fussent critiqués.

--Savez-vous que ce bal est splendide? disait-on, d'un côté.

--Un peu bigarré, peut-être, mais enfin....

--Madame D'Aucheron ne vieillit pas.

--Elle attend son mari.

--En effet, il est bien plus jeune qu'elle.

--Une dizaine d'années.

--On dit que c'est un mariage d'argent.

--Elle n'est pas jolie dans tous les cas.

--Pas fine, non plus.

--Pas jolie, pas fine, pas jeune.... mais dorée sur tranche; le mystère est expliqué.

On disait ailleurs:

--Il n'y a pas très longtemps que D'Aucheron est à Québec. Il s'est marié aux Etats-Unis.

Et quelqu'un qui se targuait d'en savoir long expliquait à demi-voix, en s'inclinant vers les curieux.

--D'Aucheron est ici depuis une dizaine d'années, à peu près. Il vient de Lowell, Mass. C'est là qu'il a connu sa femme. Je le sais bien. Mon frère qui demeure en cette ville me l'a dit. Elle était modiste, elle, sur la rue Merrimack, la principale rue. Elle faisait d'excellentes affaires. Il était tout jeune, lui, et beau garçon. Il s'est laissé tenter par les écus.

--Ils n'ont jamais eu d'enfants, je crois.

--Pas depuis que je les connais. Ils ont pris une orpheline peu de temps après leur arrivée ici.

--C'est mademoiselle Léontine.

--C'est mademoiselle Léontine, un beau brin de fille....

D'autres causaient un peu plus loin sous les flots de lumière qui tombaient des lustres et ne se gênaient pas pour rire.

--Voyez donc madame chose, disait l'un, comme elle prend des airs de chatte.

--C'est son air; je vous jure qu'elle est sage, répondait l'autre. Elle a des griffes sous ses pattes de velours.

--Vous aurait-elle égratigné?

--Je me tiens toujours loin de ces charmants petits animaux-là.

--Mademoiselle Léontine danse bien, n'est-ce pas? Et notre jeune ministre, voyez donc s'il y met de l'entrain.

--Ce qui m'étonne c'est qu'il n'aille pas plus vite que le violon.

--Vilbertin garde bien la mesure, malgré son poids énorme.

--Ce serait la première chose qu'il ne garderait pas.

--Tiens, M. le député et madame Landeau qui arrivent après les autres.

--Ils auront passé par la chambre.

Au dessus des accords entraînants de l'orchestre on entendit un tintement joyeux et clair: le timbre de la porte. Léontine eut un vif tressaillement et perdit deux ou trois mesures.

--Venez donc, lui dit plaisamment le ministre, vous savez bien que nous devons marcher ensemble maintenant.

Il faisait allusion à leur union prochaine. Elle feignit de ne point entendre et continua la figure commencée tout en épiant l'arrivée des nouveaux convives.

C'était lui, Rodolphe, avec Ida, sa cousine.

--Est-elle assez simplement habillée, celle-là, remarqua l'une des robes de soie gros grains, en faisant une moue dédaigneuse.

--Elle s'est trompée de pièce, je crois, c'est à la cuisine qu'elle est attendue, répondit un corsage en rupture de ban.

--Elle n'est pas laide, cependant.

--Laissez donc! y a-t-il jolie fille sous pareille pelure? j'appelle cela une pelure, moi!

--Lui n'est pas trop mal, observa une longue jupe allongée sur le tapis comme un chien au pied de sa maîtresse.

--Lui! c'est un beau garçon, mais... ses manières ne sont pas des plus dégagées.

--C'est mal à D'Aucheron de n'être pas plus difficile dans le choix de ses invités. Quant à moi, je ne suis pas vaniteuse, cela ne m'offusque point; mais il y a ici des députés, un ministre, et ces hommes-là doivent être respectés.

--D'autant plus que le ministre, m'a-t-on assuré,--devient ce soir le fiancé de mademoiselle Léontine. C'est le prétexte de la fête.

--Qui vous a dit cela?

--Cela c'est su par les domestiques. Ils connaissent tout, les domestiques et ces gens là sont créés et mis au monde pour vendre les secrets de leurs maîtres.

--Voilà pourquoi D'Aucheron demandait au ministre, il y a un instant, comment il trouvait sa petite Léontine.

Le quadrille fini, les dames furent respectueusement conduites à leurs sièges, sauf Léontine qui vint souhaiter la bienvenue à Rodolphe et à sa chère Ida.

Elle était devenue toute autre. Elle subissait une transformation complète. Tout le monde remarqua son expansive et joyeuse humeur. Le ministre en prit ombrage. Il n'entendait point que le premier venu, même un docteur en médecine, vînt donner sur ses brisées. Il était bien décidé d'épouser Léontine, pour sa dot, d'abord, pour elle ensuite, et il l'épouserait. Il chercha l'occasion de lui parler. Il dut attendre un peu, car elle voulut danser un lancier avec Rodolphe. En attendant il aborda D'Aucheron.

--Est-ce que ce garçon recherche mademoiselle Léontine? demanda-t-il; il me semble la poursuivre plus que de raison. Je serais humilié d'avoir à lutter contre un pareil rival.

--Mon cher ministre, une amitié de jeunesse, vous savez ce que c'est. Autant en emporte le vent. Il n'oserait pas; non, il n'oserait pas. Et puis Léontine est avertie, bien avertie. Elle est cachée par exemple, elle est dissimulée, la coquine. Il est malaisé de savoir ce qu'elle pense.

--S'attend-elle à me voir lui demander sa main?

--Sans doute.

--Et si elle allait me la refuser?

--Elle ne le fera pas. Un ministre, allons! vous n'y pensez pas.

--Les jeunes filles... voyez-vous, c'est toujours ce rêve stupide d'une chaumière sous les bois, loin du monde, près des flots bleus, avec le bien aimé qui les a ravies... le bien aimé! un sot, très souvent, qui peut à peine dire oui, non, un gueux qui grignote un morceau de pain noir en chantant des stances amoureuses, un poète!

XII

La danse allait toujours, il y avait de l'entrain. La chaude atmosphère des salles pleines de femmes et de lumières se remplissait de suaves émanations. On sentait passer des effluves voluptueuses. O les grandes soirées de danse, quelles délices pour les sens! quel champ pour les amours! quel tombeau pour la chasteté!

Rodolphe et Léontine se laissaient emporter aux accords de l'entraînante musique, et les yeux dans les yeux, coeur contre coeur, ils tourbillonnaient comme des flocons de neige au souffle de la tempête. Ils vinrent s'asseoir l'un près de l'autre, portant vaillamment le poids de tous les regards.

Madame D'Aucheron cherchait une occasion d'aborder sa fille pour lui rappeler que le ministre était là.

Plusieurs d'entre les messieurs passèrent dans le fumoir. D'autres s'assirent aux tables de cartes.

L'on se mit à discourir sur toutes sortes de sujets, mais la politique finit par tout absorber. La politique, c'est une éponge qui boit bien. Le ministre était entouré.

Il discourait avec l'aplomb que donne l'ignorance entée sur la vanité, et maints sots l'approuvaient. Les puissants n'ont-ils pas toujours raison?

Comment, si jeune et sans fortune, était-il devenu ministre? Un accident. La constitution permet cela. Il avait de la langue et du toupet, fausse monnaie très en vogue et que des gens sensés même ont la faiblesse d'accepter. Il se vantait de tout savoir et le monde, qui est ignorant, le croyait sur parole. Il exploita les préjugés et le peuple jaloux lui trouva du bon sens. Il était pauvre, il devait être supporté par la classe pauvre. C'est juste, disait-on. Les riches ont les riches pour eux. Il connaissait les misères de l'ouvrier, lui, et serait en état d'y apporter remède. Nul plus que lui n'était déshérité, puisqu'il n'avait pas même de parents. Il en avait emprunté pour naître. Il ne rougissait pas de son origine et se vantait de remonter à Adam, comme tous les autres hommes, mais par un chemin détourné. On trouvait cela fort original. Il avait passé par le séminaire, fait plus de *pensums* que de versions et lu plus de nouvelles que d'histoire. Il est vrai que l'histoire n'est souvent qu'un roman. Il sortit en troisième pour étudier le droit, et donna pour payer ses cours, des leçons de grammaire, de latin, de grec et d'anglais. Des choses qu'il ignorait la veille, et qu'il apprenait à la hâte pour l'occasion. Il se faufila dans les assemblées publiques, se hissa sur l'estrade et se mit à pratiquer l'éloquence à quatre sous. Il devint habile, se fit un cliché de phrases et de maximes sonores et vagues qui pouvaient être dites en tout temps, en tous lieux et en toutes occasions. Il proclama sans cesse son amour de la patrie, protesta de son désir d'éclairer ses semblables, affirma la nécessité de créer des lois sages et de faire sortir le peuple de la torpeur où il gémissait. Il osa briguer les suffrages des électeurs et les électeurs osèrent l'élire. Il était peut être de bonne foi et croyait en lui-même, mais sa vertu n'avait pas été mise à l'épreuve. Combien de belles et nobles intentions font naufrage dès la première tempête! Ceux qui n'ont point passé par le creuset de la tentation ne connaissent ni leur force, ni leur faiblesse.

Hier donc, intransigeant, il menaçait de rester toute sa vie dans les bas-fonds de la gauche, plutôt que de sacrifier une de ces idées généreuses qui devaient sauver le monde; aujourd'hui il s'est séparé de ses amis pour accepter, au refus de tout autre, un siège à la droite, un portefeuille de ministre et un titre qui ne cache pas sa honte.

--Le grand secret de la politique, disait-il, c'est l'économie. Dépensez peu et vous serez toujours riches. Avant longtemps le coffre public sera plein car nous allons émonder sérieusement. La politique, c'est un arbre. Si vous voulez qu'il croisse vite et monte haut, taillez-le, coupez les branches inutiles, émondez! C'est ma devise.

--«*J'entends bien la bruit de la meule mais je ne vois pas la farine,*» observa le père Duplessis en aparté.

--Le ministre a raison, dit le notaire, l'économie est la grande loi qui sauve les nations comme les individus.

--Il existe un mal certain, risqua un autre, un jaloux: Le trop grand nombre d'employés.

--Pour cela, c'est vrai, répondit une voix nouvelle; nous nourrissons à ne rien faire un tas de fainéants.

--Nous allons mettre ordre à cela, fit le ministre, se rengorgeant. La question--qui est une des grandes questions sociales--est à l'étude depuis mon arrivée au pouvoir, et il a été décidé, à la dernière réunion du conseil--je puis bien le dire, puisque la chose sera connue officiellement dès demain--il a été décidé, messieurs, de renvoyer tous les serviteurs inutiles. C'est ainsi qu'un chef de maison agit, n'est-ce pas? il renvoie les serviteurs dont il n'a plus besoin.

--Quand leur engagement est terminé, répliqua le docteur.

--Les employés, reprit le ministre, ne sont maintenus que durant le bon plaisir des autorités.

--Je croyais qu'un certain nombre était nommé à vie.

--Oui, sans doute, ils sont nommés à vie; c'est-à-dire qu'on leur donne avis de leur destitution, dit le ministre en riant de son affreux jeu de mots.

--Monsieur, fit le jeune docteur, n'avez-vous que cet ingénieux moyen de vous tirer d'affaire?

--Pour le bien public tout est permis; il n'y a pas d'injustice lorsque la force majeure commande.

--La question est de savoir quand il y a force majeure, répondit le professeur Duplessis. Et, s'adressant au notaire Vilbertin, il ajouta:

--Quand un contrat, même tacite, a eu lieu *bona fide* entre deux parties, est-il permis à l'une ou à l'autre des parties de l'abroger de son chef?

--Un contrat? non, s'il s'agit d'un contrat; mais il y en a tant de contrats, vous savez, il faut être explicite et bien spécifier. Il y a tant de causes qui peuvent rendre un contrat nul. Il y a, par exemple....

--Assurément, monsieur le notaire, fit le jeune docteur, vous ne l'êtes guère explicite, vous, en ce moment.

--Jeune homme, vous pataugez dans votre pilon comme vous l'entendez, c'est votre affaire, et l'on est trop poli pour vous le dire.

--Vous pataugez dans le droit, c'est notre affaire, et nous sommes assez francs pour vous en avertir, répliqua vivement le jeune homme.

Rodolphe se faisait des ennemis. Il y trouvait une âcre jouissance, parce que ces hommes qui se montraient sans coeur, il ne voulait pas les trouver sur son chemin.

--Et croyez-vous, monsieur, recommença le ministre, que ce soit par plaisir que nous renvoyons du service tant de bras cependant inutiles.

--Il ne fallait pas faire la faute de les placer d'abord. Maintenant, il n'y a qu'un moyen honnête de réparer ce mal, c'est de ne point remplir les places qui deviennent vacantes.

--Nous sommes bien obligés de faire des nominations, les députés nous les imposent.

--Ou bien vous les offrez comme prix du vote de ces députés sans conscience.

--C'en est trop, s'écria le jeune ministre. Monsieur D'Aucheron, si ce monsieur Rodolphe.... Je ne sais qui, ne me fait point d'excuses, je vous prierai de recevoir mes adieux.

--Jeune homme, demanda M. D'Aucheron avec fatuité et comme s'il eût été un vieillard, lui, vous ne refuserez pas, j'espère, de réparer l'outrage que vous avez fait à l'honorable monsieur Le Pêcheur.

--Si, par ma vivacité, j'ai blessé ici quelque personne que je ne voulais pas atteindre, je le regrette infiniment.

--Etes-vous satisfait, monsieur le ministre, demanda D'Aucheron?

--Je me contenterai de ces excuses, répondit le ministre.

--Il n'est guère difficile, dit Duplessis à son voisin, mais: «*A petit saint petite offrande.*»

Le ministre, tout triomphant, passa dans le salon. Léontine causait avec Ida de l'incident qui venait de se produire dans le fumoir, car tout ce qui se disait là s'entendait du salon. Léontine, tout en étant bien aise de voir Rodolphe donner la réplique à son rival, craignait qu'il ne se fît un ennemi de son père.

--Je crois que j'ai mal choisi mon temps pour demander une subvention plus considérable en faveur des maisons de charité et d'éducation, dit le père Duplessis.

--Et moi, répliqua Rodolphe, je ne me suis guère affermi dans les bonnes grâces de M. D'Aucheron.

--Je vous dirai monsieur le docteur que *le temps détruit tout ce qui est fait et la langue tout ce qui est à faire.*

XIII

Minuit approchait et madame D'Aucheron regardait souvent à sa pendule. Les aiguilles d'or se promenant lentement dans leur cercle fatal, marquaient sans cesse les moments de la vie que nous avons à jamais perdus, car les horloges ne sonnent que les heures passées. Une horloge c'est le plus terrible témoin de notre néant; c'est un doigt qui nous montre sans cesse la fuite irréparable du temps. Cependant pour madame D'Aucheron les aiguilles ne se hâtaient point assez. Elle était anxieuse. Les sauvages devaient entrer au coup de minuit.

L'honorable M. Le Pêcheur avait réussi, par une manoeuvre adroite, à se trouver seul avec Léontine et il était en train de lui raconter comment il avait forcé Rodolphe à lui faire des excuses. Il amplifiait un peu, et corrigeait à son avantage certains détails de la scène. Léontine le laissait dire et regardait d'un oeil distrait les méandres de la danse.

--Mon honneur de ministre et la qualité plus agréable que je dois avoir à vos yeux, mademoiselle, m'obligeaient à le traiter ainsi.

--Je ne comprends guère vos dernières paroles, monsieur, observa Léontine.

--Quelle est charmante cette modestie qui refuse de comprendre!

--Je vous assure que la modestie n'y est pour rien.

--Vous êtes merveilleusement adroite. Vous voulez que je vous dise tout et que je n'apprenne rien. Vous voulez que je vous devine. Les femmes aiment les petits mystères et elles veulent qu'on les devine, elles et leurs petits mystères.

--Je suis bien femme mais pas du tout mystérieuse. Je n'ai rien à cacher.

--Vous cachez, pourtant, l'amour que vous devez avoir pour celui qui sera bientôt votre mari.

--Il ne serait pas nécessaire de le publier tout haut, cet amour, dans le cas où il existerait.

--Non, sans doute, mais il se dit tout bas, il se montre dans un regard, il s'élance dans un soupir.... Entendez-vous?

Il poussa un long soupir:

--J'entends, fit Léontine, éclatant de rire.

--L'amour qui rit n'est pas loin d'être cruel, observa le ministre.

--Ce n'est pas mon amour qui rit.

--Ne me faites donc point souffrir davantage. Vous savez bien que j'ai eu l'honneur de solliciter votre main, et vos excellents parents m'ont donné l'assurance que mes voeux seraient comblés.

--Ils ont promis plus qu'ils ne pourront donner, peut-être.

--Comment, vous refuseriez d'unir vos destinées aux miennes?... Pourquoi donc.

--C'est mon secret.

--Je suis jeune, j'occupe une haute position, l'avenir le plus beau m'est sans doute réservé. Ah! combien de jeunes filles, dans notre brillante société canadienne, seraient heureuses de devenir la femme de l'Honorable M. Le Pêcheur.

--Alors faites donc le bonheur de l'une d'elles et laissez-moi rendre heureux un homme qui n'a pas vos étonnants avantages.

Le tête à tête fut long et animé.

Le jeune ministre venait d'essuyer un rude échec, mais il ne se tenait pas pour battu. Il avait trop haute opinion de lui-même pour cela.

Il se plaignit amèrement à monsieur et à madame D'Aucheron.

Madame D'Aucheron vint trouver sa fille et lui dit:

--Je ne veux plus que tu parles à M. Houde.

D'Aucheron vint à son tour:

--Ma volonté est ma volonté, lui dit-il, et tu seras la femme de l'honorable M. Le Pêcheur avant un mois. Agis en conséquence.

Il alla vers le jeune docteur.

--Monsieur, lui dit-il, ma fille doit épouser bientôt l'honorable M. Le Pêcheur, faites-moi le plaisir de ne plus songer à elle, et de ne plus chercher à la voir. Sinon....

--Sinon?

--Sinon je serai forcé de prendre des moyens énergiques pour faire respecter mes volontés.

--Et si votre fille m'aime, monsieur?

--Amour de jeunesse, folie! Il faudra bien qu'il s'en aille comme il est venu, cet amour... où bien elle s'en ira comme elle est venue, elle.

D'Aucheron s'animait. Il se souciait peu d'être entendu ou de ne l'être pas. Même, il n'était pas fâché que l'on sût comment il congédiait le malencontreux amoureux de sa fille.

Léontine se trouvait alors avec madame Duplessis.

--Que dois-je faire, lui demanda-t-elle?

--Laissez passer l'orage.

--Mais je ne veux pas qu'on lui fasse subir une humiliation semblable devant tout le monde. Il faut que je lui dise une parole au moins.

--Vous allez irriter vos parents et faire un éclat regrettable.

--Mais je ne tiens pas à acheter, moi, au prix que l'on y met, cette existence brillante que l'on m'offre.

--Ce n'est pas en brusquant le dénouement que vous le ferez tourner à votre avantage.

--Voyez-vous? le voilà qui part.

Rodolphe, debout dans le vestibule, se préparait à sortir.

Léontine se leva tout émue. Elle rougit puis aussitôt devint d'une pâleur singulière. Elle traversa le salon et s'avançant vers lui.

--Vous partez, monsieur Rodolphe?

--Ma présence n'est pas agréable à tout le monde, ici.

--Si tous ceux qui n'ont pas la bonne fortune de plaire à tout le monde suivaient votre exemple, d'autres partiraient aussi, vous le savez bien.

--Il y a cette différence entre les autres et moi, que l'on m'a dit à moi que je ne plaisais point.

--D'autres devraient le deviner.

Deux mains tremblantes se serrèrent bien fort.

--Mais, mon cousin, dit une voix allègre, vous n'allez pas m'oublier ici?

--Je n'oublie pas ceux que je laisse, cousine.

Il regarda Léontine en disant cela.

--Ida, je te garde jusqu'à demain, dit mademoiselle D'Aucheron; je ne veux pas que tu partes; j'ai besoin de toi; j'ai besoin de tous ceux qui m'aiment.

Rodolphe ne partit pas seul, cependant, monsieur et madame Duplessis, prétextant la fatigue, se retirèrent en même temps.

XIV

Comme ils sortaient les douze coups de minuit tombaient sur le timbre de bronze de la pendule du salon. D'Aucheron dit au ministre.

--Vous voyez qu'on y va rondement. Pas de midi à quatorze heures. La porte, voilà mon argument.

--La porte! c'est ce que nous disons aux employés récalcitrants ou inutiles. La porte! c'est la base de mon système d'économie.

On entendit rire et parler au dehors.

--Les voilà, s'écria madame D'Aucheron.

--Qui? demandèrent plusieurs voix.

--Les sauvages! vous allez voir.

On crut qu'elle devenait folle. Un instant après, on comprit bien qu'elle disait vrai quand on vit entrer au salon dix visages cuivrés.

--Que viennent faire ici ces gens? demanda le notaire à son voisin.

--Du diable! si je le devine.

--Mes amis, commença D'Aucheron, j'ai cru, ou plutôt madame D'Aucheron a pensé vous faire une agréable surprise, en vous donnant le spectacle assez rare d'une danse de guerre sauvage.

--Par des gens guère sauvages, souffla l'un des invités à son voisin.

On applaudit à outrance aux paroles de monsieur D'Aucheron.

--Alors, dit-il, permettez-moi de vous présenter mes nouveaux hôtes, des Abénaquis de Bécancour, des chasseurs distingués. Et d'abord: Metsalabanlé, le chef. Je ne sais pas les noms de chacun, mais je vous les présente tous. Il en est deux toutefois, continua-t-il, dont je puis décliner les noms magnifiques, c'est la Langue muette d'une tribu que je ne connais point et....

--C'est un nom de femme, ça, dit un malin.

--Et la Longue chevelure, un sioux. Ces deux derniers arrivent des Montagnes Rocheuses. Ils sont très féroces, ajouta-t-il en riant. Ils enlèvent la chevelure de leurs prisonniers et boivent le sang dans leur crâne.

Les femmes frémissaient tout en riant. Madame D'Aucheron reconnut l'indien dont elle avait admiré le bon goût et lui adressa le plus honnête sourire.

La Longue chevelure promena ses grands yeux noirs sur l'assistance, et les fixa un moment sur Léontine qui se trouvait par hasard assez près de lui. La jeune fille ne put s'empêcher de tressaillir sous ce regard profond. La Langue muette regardait avidement madame D'Aucheron qui s'était mise à gesticuler en parlant avec chaleur et à rire aux éclats.

Ces indiens s'étaient revêtus de leurs costumes de fête. Ils étaient couverts de verroteries, de plaques d'étain, de plumes éclatantes. C'était d'un effet curieux. Mais un seul, la Longue chevelure captiva bientôt tous les regards. Il étincelait comme un soleil. On eût dit que de ses vêtements s'échappait une poussière de feu. Il était couvert de diamants. Ce fut un cri d'admiration quand on s'aperçut de l'étonnante richesse de son costume.

Déjà certaines femmes rêvaient de feux et d'étincelles. Pas les femmes aimantes, les vaniteuses.

Madame D'Aucheron se flattait de garder un souvenir. Pas comme Didon, soyons franc.

--Quand on a tant de pierres précieuses on peut bien en donner une, pensait-elle.

Léontine admirait surtout l'étrange beauté de cet Indien, et la douceur de son regard lui plaisait mieux que l'éclat de ses diamants.

La danse fut exécutée avec grâce, souplesse, langueur ou vivacité, selon le rhythme et l'idée qui se développaient. Le chant était remarquablement juste, cadencé, les gestes, très variés. On menaçait les ennemis absents, on piétinait sur les cadavres, on scalpait les têtes, on chantait le triomphe, on pleurait les morts.

Quand ils eurent fini la salle retentit de longs applaudissements. On leur offrit à boire. On dut rester dans le grand salon, tout le monde voulant être où ils étaient.

--Quelle idée ingénieuse vous avez eue, madame D'Aucheron! affirmaient toutes les femmes. Votre bal fera époque: on en parlera longtemps.

La conversation était générale. Tout le monde parlait à la fois, mais quand un Indien prenait la parole, le silence se faisait. Il semblait que ces gens-là devaient parler autrement que les autres et dire des choses étranges.

Les Indiens sont un peu comme le commun des mortels, ils restent où ils se trouvent bien. L'heure du réveillon sonna et l'on se mit à table. La présence des sauvages amusait tellement les invités que D'Aucheron, modifiant son programme avec l'assentiment général, fit mettre dix nouveaux couverts.

Madame D'Aucheron riait toujours, parlait à tout le monde, sans trop savoir ce qu'elle disait. On l'approuvait sans trop savoir pourquoi.

L'Honorable Le Pêcheur la conduisit à la place d'honneur. La Longue chevelure offrit son bras à mademoiselle Léontine. C'est Madame D'Aucheron qui le voulut ainsi. Tout le monde prit place autour de la table somptueusement servie.

On sut manger et boire. Deux choses qu'il est pourtant fort difficile de bien faire. Il y eut des santés: A la reine, au lieutenant-gouverneur, au gouvernement, à l'hôte distingué, à la presse qui éclaire le monde, aux dames qui le charment, aux Indiens!

A la reine, on chanta God save the Queen avec accompagnement d'orchestre. L'excellente mère de famille qui règne depuis bientôt cinquante ans sur un grand peuple, dût sentir ses entrailles palpiter. Au lieutenant-gouverneur, un flatteur dit avec emphase le contraire de sa pensée; au gouvernement, le ministre répondit avec verve et s'enfonça jusqu'au cou dans une nouvelle théorie sur l'économie; à l'hôte distingué, tous les estomacs remplis voulurent témoigner leur reconnaissance; à la presse qui éclaire le monde, on prôna longuement le bien qu'elle produit, on n'eut pas le temps de signaler le mal. C'eût été trop long, du reste. L'un des journalistes les plus enthousiasmés parla de son indépendance en termes magnifiques, et, quand il eut fini, il entra en négociation avec le ministre au sujet de la vente de ses principes.... Aux dames, on dit tout le bien qu'on n'en pensait point; aux indiens, Metsalabanlé adressa quelques mots de remercîment à monsieur D'Aucheron, puis exprima l'espoir que sa tribu dispersée pourrait, grâce au gouvernement, se réunir de nouveau.

XV

L'un des invités eut l'idée de demander des récits d'aventure ou de guerre à la Longue chevelure. Ce fut une salve d'applaudissements. Le Sioux parut intimidé, cependant il reprit bientôt son assurance, et, s'exprimant dans un langage imagé, il dit:

--Il y a plus de vingt moissons, comme un filet d'eau sort d'une fontaine profonde et s'enfuit au hasard, je suis sorti de ma tribu guerrière et j'ai porté bien loin mes pas. Ce fut à la suite d'événements excessivement douloureux pour moi-même, et dont le souvenir est amer comme le fruit du masquabina. Le récit de mon infortune vous intéressera peut-être, car des blancs comme vous et que vous avez peut-être connus, furent mêlés à ces événements et pesèrent d'un grand poids dans la balance de ma destinée. Depuis, comme le hibou taciturne, j'ai vécu seul. Seul j'ai vécu dans les montagnes hautes comme les nues, seul, dans les villes bourdonnantes comme des ruches d'abeilles. C'est dans le désert que je me trouvais le moins isolé; alors j'évoquais en paix les images chéries de ma jeune femme et de ma petite fille. A nous trois nous peuplions la solitude. Dans les villes je me croyais abandonné de ces deux êtres que j'aimais, comme on aime l'ombre d'un chêne au milieu d'une plaine ensoleillée, les rayons du soleil, dans les sombres ravins des Montagnes Rocheuses. Une chance insolente m'a toujours poursuivi depuis que je n'ai plus à faire le bonheur de personne. J'ai ramassé les pierres précieuses et les diamants comme d'autres ramassent les grains d'or. J'en ai jeté à tous les vents. J'étais irrité de cette moquerie du sort. Qu'avais-je besoin de découvrir ces mines inépuisables que je ne cherchais point? Elles pouvaient rester enfouies dans le sein de la terre comme le désespoir est enfoui dans mon coeur.

Rien comme l'infortune n'inspire l'intérêt. Il ne manquait plus à la Longue chevelure pour être un héros que des chagrins profonds, et, tout à coup, il venait de dévoiler, dans un sanglot, une souffrance longue de vingt années, un désespoir qui ne finirait qu'avec sa vie. On le dévorait des yeux, on buvait ses paroles. Léontine qui souffrait depuis un instant seulement, trouvait déjà, dans cette amère parole, une vigueur nouvelle et un nouvel esprit de soumission.

Le sioux continua:

Mon père était un guerrier de la vaillante mais cruelle nation des sioux, ma mère était une fille de la brûlante Espagne. Je pris pour compagne une indienne de la Baie-des-Chaleurs, une belle jeune femme qui m'aimait beaucoup et me suivit jusqu'aux Montagnes Rocheuses. C'est là qu'habitaient les miens. Je voulais voir mon père déjà bien vieux, et qui se penchait sur sa fosse comme un tronc moussu sur un ravin noir. J'arrivai pour recevoir son dernier soupir et ses dernières volontés. Il me supplia de rester dans la tribu qu'il avait toujours tant aimée, comme le rameau doit rester après le tronc d'où il est sorti; je lui en fis la promesse solennelle, et il mourut en me bénissant. Ma mère dormait depuis longtemps à l'ombre de la croix, dans le cimetière d'un village américain. Elle m'avait enseigné la religion de son beau pays, et cette religion je l'aime jusqu'au martyre. Mes frères sioux n'ont jamais voulu en comprendre les divines beautés.

Cependant ma femme mourait d'ennui dans nos ténébreux rochers et dans nos prairies sans limites. Elle ressemblait à la grive gémissante que l'oiseleur enlève à ses bois. Elle voulait revoir le bassin de la Baie-des-Chaleurs, bleu comme un coin du ciel, et ses parents qui ne se consolaient point de son départ. Par pitié pour elle je résolus d'être infidèle à la parole donnée à mon père mourant. Au reste, je n'étais pas heureux avec les guerriers de ma nation, à cause de leur cruauté, et tout était prêt pour le départ. Or, nos préparatifs ne sont pas longs, à nous, enfants de la forêt. Nous n'emportons rien d'inutile, et nous nous contentons de fort peu de choses. Je voulus une dernière fois aller à la chasse dans ces prairies que je ne reverrais probablement jamais plus. Au lieu des troupeaux de bisons, je vis bientôt s'élancer un torrent de feu. J'allais retraiter au galop de mon coursier, quand j'aperçus, dans le lointain, deux ombres qui fuyaient devant le fléau terrible, comme deux voiles sous un souffle de tempête... C'étaient deux créatures humaines. Je.....

Un cri d'angoisse se fit alors entendre et la Longue chevelure s'interrompit. C'était madame D'Aucheron qui s'évanouissait.

--Cette pauvre madame D'Aucheron, elle est tellement sensible, disait-on....

Son mari vint à elle. Léontine courut chercher des sels. Après un instant de trouble le calme se rétablit. Elle reprenait ses sens. Cependant ses yeux hagards avaient d'étranges fixités. On eût dit qu'ils regardaient loin, loin.

--Courage, madame, ça ne sera rien, lui assurait-on. Vous êtes vraiment trop sensible.

--Me voilà remise et j'espère que mes nerfs ne me joueront plus de ces vilains tours, dit-elle en essayant de sourire.

La Longue chevelure reprit:

--Je regrette d'être la cause de cette pénible émotion, madame, mais ne prenez point d'inquiétude, les pauvres créatures que poursuivait le fléau n'ont pas été perdues. Il était temps cependant. La femme--il y avait un homme et une femme--la femme gisait paralysée par la frayeur sur le sol brûlant. C'était une jeune fille blanche enlevée à sa famille sans doute. L'homme appartenait à quelque tribu du Canada. Il était Abénaqui, je crois.

--Il y a vingt-trois ans de cela? demanda l'un des convives?

--Il y a vingt-trois ans, répondit le sioux.

--C'était peut être Sougraine avec la petite Audet; vous souvenez-vous? continua-t-il, s'adressant aux invités.

Quelqu'un répondit:

--Je me souviens en effet.

--Et moi aussi, fit un autre.... On a trouvé, le printemps suivant, à Beaumont, la femme de Sougraine noyée, avec une corde au cou. Comme il n'était point probable qu'elle se fût pendue avant de se jeter à l'eau, on en a conclu qu'elle avait été tuée.

--Est-ce que la lumière ne s'est jamais faite sur cette affaire? demanda le notaire visiblement affecté.

--Jamais. On n'a plus entendu parler de l'Abénaqui, non plus que de la jeune fille.

Madame D'Aucheron regardait fixement devant elle, pâle, immobile comme une statue. Pourtant un petit tressaillement nerveux courait parfois sur ses épaules nues.

Pendant que ces remarques s'échangeaient de part et d'autre, l'un des indiens, celui que l'on nommait la Langue muette, se tenait la tête penchée sur la table et froissait d'une façon convulsive les franges de la nappe.

--Ainsi, demanda au sioux l'un des invités désireux d'entendre la suite du récit commencé, vous les avez sauvés l'un et l'autre du feu de la prairie?

--Quand je suis arrivé près de la jeune fille, elle venait de tomber la face contre terre, je la mis en travers sur ma monture. L'homme se sauvait encore: il l'avait abandonnée. Cependant, il ne pouvait aller guère plus loin. Je le pris aussi avec moi et nous courûmes comme un tourbillon devant l'incendie. Ah! mon pauvre coursier, comme il nous emportait bien! Je conduisis sous ma tente mes deux protégés. Ils furent respectés, car chez nous l'hospitalité est la plus sacrée des choses après la tombe. Cependant l'on me reprocha de n'avoir pas apporté que deux chevelures. J'avais résolu de ramener avec moi la jeune fille afin de la rendre à ses parents, si je les pouvais rencontrer. Son séducteur devait continuer sa route vers la terre de l'or. Il suivit un parti de chasseur. Je le revis deux ans après dans la ville de Los Angeles. Depuis, je ne l'ai jamais rencontré. Pourtant j'ai traversé en tous sens les immenses régions qui bordent la grande mer où le soleil va chaque soir noyer ses feux.

Au moment où je prenais ma carabine pour franchir une dernière fois le seuil de mon wigwam avec ma femme, mon enfant et la jeune Canadienne, continua le sioux, j'appris qu'une bande de voyageurs qui revenaient des mines d'or par les gorges de nos montagnes, avait été surprise, la nuit, à deux pas de notre village, et que l'un d'eux avait été tué à la porte de la tente où dormaient ses compagnons.

--C'était Casimir Pérusse, notre voisin autrefois, dit vivement l'amie de Léontine. Ma mère m'a souvent parlé de ce tragique événement, ajouta-t-elle.

Tous les yeux se tournèrent vers mademoiselle Ida.

--Je suis bien aise, mademoiselle, lui dit la Longue chevelure, je suis bien aise d'apprendre cela. Avec votre secours je pourrai peut-être retrouver quelques uns de ceux qu'alors j'ai sauvés d'une mort certaine, et, en retour du bien que je leur ai fait, ils me diront si mon enfant a péri avec sa mère ou si elle a échappé à la fureur de la tribu.

--Ma mère vous donnera peut-être quelques renseignements, car son frère aussi se trouvait parmi les blancs que vous avez sauvés, et j'ai entendu parler d'une petite fille.....

--Où est votre mère? et son frère, où le trouverai-je? fit anxieusement le sioux dont l'espoir se réveillait plus vif que jamais.

--Ma mère est chez elle et vous la verrez quand il vous plaira.... mon oncle et ma tante sont morts.... leur fils était ici tout à l'heure, le docteur Rodolphe.....

--Tiens! pensa D'Aucheron, j'aurais dû patienter un peu, le cousin Rodolphe avait peut-être son mot à dire..... Le temps de mettre les gens à la porte c'est quand on n'a plus besoin d'eux.

--De son côté, le notaire se demandait quel pouvait bien être le nom de fille de madame Villor. Il questionna son voisin qui ne lui répondit pas. Tout le monde écoutait religieusement le sioux infortuné qui disait avec des larmes:

--Mon enfant, ma chère petite Estellina, est-elle morte ou vit-elle encore? Sait-elle que son père désolé la cherche et la pleure depuis plus de vingt hivers? Ah! si elle vit, elle ignore mon nom et mon existence! Un enfant ignorer le nom de son père! un père ne pas savoir ce qu'est devenu son enfant!.... Oh! vous ne devinez pas quel est le supplice de ma pensée, vous qui pressez sur vos coeurs les enfants que le bon Dieu vous a donnés! Vous qui sentez leurs chauds baisers sur vos fronts vous ne savez pas ce que j'endure, moi qui suis seul au monde! seul comme l'engoulevent dont l'autour a dévasté le nid! Elle n'est jamais là, ma fille, pour me sourire quand je suis désolé, pour essuyer l'eau qui coule sur mon front après de longues courses, pour me murmurer de ces paroles douces qui nous font songer aux anges. Je n'ai jamais reçu, moi, les caresses de ma fille bien aimée, de ma petite Estellina! Elle serait grande aujourd'hui, comme ces belles jeunes filles qui sont là. Elle serait jolie, j'en suis sûr, jolie et douce comme une violette qui parfume l'ombre. Elle serait bonne aussi. Je voulais qu'elle fût bonne et sçut, comme vous, mademoiselle, s'attendrir sur le sort des malheureux.

Il regardait mademoiselle D'Aucheron.

Léontine se cacha le visage dans son mouchoir et se mit à pleurer. D'autres aussi pleuraient. La Longue chevelure lui-même s'interrompit un moment, pour laisser son émotion se calmer. Il avait évoqué le passé et le passé lui était apparu dans toute son amertume.

XVI

La Longue chevelure reprit:

--Je retardai mon départ pour sauver mes semblables. Je réussis à les faire sortir de l'endroit dangereux où ils s'étaient arrêtés. Ce fut presque un miracle. Ma femme leur servit de guide à travers les montagnes. Elle portait une enfant dans une nagane. J'avais mis dans les langes de la petite, comme plus en sûreté sous la protection de l'innocence, une somme considérable, toute ma fortune alors. Je dus rester dans mon wigwam pour empêcher les soupçons de peser sur ma tête. Ce fut en vain, l'on m'accusa de trahison. Je vis que je n'échapperais point à la vengeance et je profitai des ténèbres pour fuir. J'espérais rejoindre la caravane des Visages Pâles. Un matin, à la sortie des montagnes, je m'agenouillai sur le gazon au bord d'une source limpide qui descendait joyeusement de roche en roche comme un oiseau qui saute de branche en branche, et je priai pour les fugitifs, pour ma pauvre femme, pour ma petite enfant,..... Hélas! malheureux! c'est pour moi-même qu'il eût fallu prier, c'est moi qui avais besoin du secours de la sainte Providence! En reportant mes regards sur la terre autour de moi, je découvris, à quelques pas du ruisseau, sous un feuillage épais, le corps ensanglanté d'une femme. Un frisson parcourut mes membres, un horrible pressentiment me serra le coeur. Je me levai, je fis quelques pas. O Ciel! ô douleur! je reconnus ma pauvre femme!.... Une pensée amère traversa mon esprit comme un dard traverse le coeur de l'ennemi vaincu: Les blancs que j'ai sauvés m'ont donc récompensé de mon dévouement en laissant lâchement massacrer la femme qui leur montrait le chemin du salut. J'étais injuste. Les cadavres de six traîtres sioux gisaient un peu plus loin.

--Merci, Visages pâles, mes amis, m'écriai-je, vous l'avez vengée!

Je me mis à chercher mon enfant. La nagane gisait près de l'eau. Les infâmes l'auraient-ils donc jetée dans le torrent, pensais-je? Ont-ils eu honte de leur lâcheté? Ont-ils voulu cacher leur ignominie en livrant au courant, pour qu'il l'emportât, le corps de l'innocente créature? Mes recherches furent vaines; je ne trouvai nulle part le petit ange que l'amour m'avait donné.

Je fis à ma femme une fosse profonde dans un endroit d'accès difficile, sur la pente du ravin, où fleurissait un coin de verdure, où descendait un rayon de soleil et je mis au milieu de ce tertre simple une croix formée de deux bâtons. Je tressai une couronne de lierre et de fleurs sauvages que je suspendis aux bras du divin emblème, et, après avoir prié, je redescendis au fond de la vallée. Quand je fus en bas, je vis des corbeaux qui tournoyaient en croassant au-dessus des cadavres des meurtriers de ma femme. Je souris et passai sans bruit pour ne pas les effrayer. Cependant j'eus honte de mon action. Cette parole de la prière du Christ: Pardonnez-nous nos offenses comme nous pardonnons à ceux qui nous ont offensés, me venait à l'esprit. Je retournai sur mes pas, chassai les corbeaux avec ma carabine, réunis les morts sur une même couche, et les couvris de rameaux en attendant la sépulture. Comme j'achevais ma tâche pénible, deux des anciens de la tribu survinrent. Ils venaient quérir les restes de leurs fils.

--Pourquoi, me demandèrent-ils d'une voix mal affermie, pourquoi la Longue chevelure fait-il cela?

--Pour empêcher les corbeaux de ronger les entrailles de vos enfants.

La Longue chevelure ne sait-il pas que nos enfants ont tué sa femme?

--Il le sait.

--Il le sait et ne se venge point?

--Il vous l'a dit souvent, le seul et vrai Dieu qui existe, et que j'adore, ne veut pas que l'on fasse du mal à ses ennemis.

--Nous voulons le connaître ce Dieu qui t'a dit de respecter les cadavres des guerriers qui ont massacré ton épouse....

--Les vieux guerriers savent-ils, leur demandai-je, ce qu'est devenue mon enfant?

--Ils l'ont jetée dans le torrent.

--Pauvre petite! m'écriai-je en pleurant.

--Je voulais continuer ma route et rejoindre les voyageurs afin de savoir s'ils emportaient ma petite fille, et la pensée me vint qu'une mère seule pouvait s'imposer la tâche de porter un enfant dans ses bras à travers les précipices et les rochers, sous les ardeurs du soleil, dans les déserts, pendant des mois entiers et à des distances prodigieuses. Je ne pouvais non plus me séparer sitôt de la tombe où dormait la femme que j'avais tant aimée. Je revins au campement avec les vieux sioux. La colère des guerriers était terrible à cause des pertes qu'ils avaient subies, et les paroles sages des vieillards qui m'avaient pris sous leur protection ne purent me sauver. Je fus pris, enfermé, gardé à vue. En vérité, l'aspect de la mort ne m'effrayait nullement. Je souriais à la pensée d'aller revoir les deux créatures qui faisaient tout mon bonheur. Je trouvais qu'on tardait bien à me juger. Enfin, un jour j'appris que le conseil de la nation m'avait condamné, et que j'allais être exécuté le lendemain, à l'heure où le soleil sortirait de la prairie. Le lendemain était la fête anniversaire d'une victoire sur les américains, et les jeunes gens allaient se livrer à toutes sortes d'exercices et de divertissements. On s'exercerait à tirer de l'arc, et je servirais de cible. Celui qui me porterait le coup mortel serait déclaré vainqueur.

La nuit arriva, cette nuit qui devait être la dernière pour moi. Je priai longtemps et m'endormis ensuite d'un profond sommeil. Quand je m'éveillai, je me trouvais loin du village, seul dans le ravin qu'avaient suivi les blancs pour revenir de la Californie, près du tombeau de mon père. Ma carabine était près de moi. Je me rendis au pays de l'or, sur les rives de l'océan du soir.

Plusieurs des conviés vinrent serrer la main du brave sioux, et l'assurèrent qu'ils l'aideraient de tout leur pouvoir dans ses recherches.

Madame D'Aucheron, tout à fait remise, s'essuyait avec son mouchoir de fine batiste brodé. La Langue muette rêvait toujours. On eût dit qu'il n'avait guère écouté le récit de la Longue chevelure. Il avait sournoisement mais obstinément regardé l'impressionnable madame D'Aucheron. Il venait de prendre une résolution, et quand une résolution entrait dans cette tête-là elle ne devait pas être facile à déloger.

Il avait toujours été pauvre et misérable, ce mystérieux Indien, pourquoi ne serait-il pas riche à son tour? Est-ce que l'on est nécessairement gueux toute sa vie? N'arrive-t-il pas un moment où la fortune se laisse saisir par toute main adroite ou hardie?

XVII

Après la somptueuse collation quelques uns des convives se retirèrent, d'autres revinrent au salon, pour entendre la musique et le chant, d'autres encore, les nonchalants fumeurs, se retirèrent dans la petite salle consacrée à la pipe. Ils avaient l'air, ces derniers, de dieux ou de diables siégeant dans les nuages.

Une des jolies femmes venait de chanter en regardant au plafond avec des yeux éveillés qui voulaient paraître rêveurs, elle aborda le jeune ministre.

--Je sais, dit-elle, monsieur le ministre, que vous mettez bravement à exécution votre programme... comment dirai-je? d'économe?... d'économie?... d'économiste?... Je m'y perds dans ces mots-là, et dans cette chose-là aussi. Pourtant, il faut que vous m'accordiez une faveur.

Le ministre la regarda franc dans les yeux.

--Regardez-moi si vous voulez, mais il faut que j'obtienne cette faveur.

--Vous êtes bien impatientes, vous autres, mesdames, quand vous voulez une chose.

--Et vous donc, messieurs, temporisez-vous beaucoup d'ordinaire?

--Vous nous laissez longtemps parfois dans l'antichambre.

--On ne peut pas toujours recevoir.

--On doit toujours recevoir ceux qui nous aiment....

--Non, ceux que l'on aime, peut-être....

--Eh bien! que vous faut-il donc pour être heureuse?

--Mon mari se trouve sans position.... Voyons, ne prenez pas cet air désagréable.

--Ne prenez pas cette adorable figure, vous, madame,... c'est de l'influence indue.

--Mon mari est sans position. Ce n'est point sa faute. Il faut vivre cependant; vous comprenez-ça, M. le ministre. S'il ne trouve rien à faire, il faudra prendre le chemin de l'exil.... J'appelle cela l'exil, moi, l'existence à l'étranger.

--Il serait vraiment regrettable de voir disparaître une des étoiles qui rayonnent sur notre ville.

--Etoile, comète ou planète, elle disparaîtrait bien sûr.

--Je ne puis, cependant, malgré l'extrême envie que j'en aie, vous accorder madame, tout de suite du moins, ce que vous me demandez. La chose est grave. Je m'en occuperai.

--Sérieusement? Vous ne l'oublierez pas?

--Comment l'oublier puisqu'il faudrait vous oublier en même temps?

--Que je serais heureuse!

--D'être oubliée?

--Non, que mon mari ne le fût pas.

Le reste de la nuit s'écoula rapidement, et quand les premières lueurs de l'aube, perçant les vitres des fenêtres, vinrent colorer d'un doux éclat les grands rideaux de damas, la dernière danse déroula ses gracieuses figures et l'orchestre laissa mourir ses accords. La fatigue commençait à éteindre le feu des regards et la pâleur succédait aux teintes roses sur les frais visages de la jeunesse.

Chacun reprit frileusement le chemin de sa maison, trottinant sur les trottoirs glacés.

L'honorable M. Le Pêcheur s'en allait seul, et des paroles sans suite tombaient de ses lèvres serrées par la colère.

--Me préférer un va-nu-pieds!... Elle m'aimera!... Il faut que je l'épouse.... S'il n'était pas riche comme on dit.... Tout de même elle est bien belle.

Quelqu'un le suivait de près, mais il ne s'en apercevait point, tant il était absorbé dans la pensée de mademoiselle Léontine. Il la croyait riche héritière et l'aspect de l'or qu'il voyait scintiller dans ses rêves, l'aiguillonnait comme un éperon, les flancs d'un coursier. La lutte ne lui faisait point peur; au contraire.

Il se trompait cependant. D'Aucheron s'était dit riche et le monde l'avait cru très riche. Sa fortune idéale faisait boule de neige dans le champ de l'imagination.

--Je demande pardon à mon frère l'honorable ministre, dit tout-à-coup l'individu qui le suivait, je demande pardon à mon frère si j'ose lui adresser la parole.

Le Pêcheur se retourna tout surpris et reconnut la Langue muette. Il l'interrogea sans lui parler, d'un mouvement de la tête.

--Je sais, continua l'indien que l'homme illustre à qui je parle veut épouser une belle jeune fille qui pleurait en écoutant le récit de la Longue chevelure, et j'ai bien vu que la jeune fille aimait un autre homme. Plus on persécute l'amour et plus il grandit, c'est comme un feu de la prairie que le vent attise.

--Où veux-tu en venir? demanda Le Pêcheur d'un ton brusque.

--Mon frère l'honorable ministre veut-il me dire s'il épouserait mademoiselle Léontine, quand même elle ne l'aimerait point.

--Pourquoi cette demande?

--L'indien peut être d'un grand secours à l'honorable ministre.

--Comment cela?

--C'est un secret et jamais la Langue muette ne le révélera... mais avant que huit jours soient écoulés, mon frère l'honorable ministre remarquera un changement dans les manières de la jeune demoiselle, s'il a confiance en l'homme des bois et le prend à son service.

--Es-tu sorcier?

--Mieux que cela.

--C'est bien, travaille, agis, va.

--La Langue muette est pauvre et n'est point couvert de diamants comme la Longue chevelure; il aurait besoin de quelques dollars.

--Je te comprends, mon vieux, tu fais dans le chantage.... Au large! Il fit mine de repousser l'indien et continua son chemin.

--Mon frère l'honorable ministre me juge mal, dit la Langue muette.... Je sais un secret terrible, moi, et je pourrai tenir ce que je promettrai.

--Ces sauvages, pensa le ministre, ça parle au diable. Qui sait? Combien te faut-il, face de cuivre?

--Peu de chose; dix piastres pour commencer.

--Pour commencer? Tu promets de bien finir.

--Cela dépendra du succès.

--Viens ici.

Il lui glissa dans la main un billet de dix piastres de la banque de Montréal.

--C'est toujours cela, murmura l'Indien en s'éloignant.

DEUXIÈME PARTIE

LA LANGUE MUETTE ET LA LONGUE CHEVELURE

I

Le notaire Vilbertin, assis devant son bureau chargé de papiers, écrivait d'une façon distraite les paroles sacramentelles d'un acte de vente. Il se dictait tout haut.

Affaire de routine, car sa pensée n'était pas avec lui. Il s'arrêta tout à coup.

--Après tout je suis encore jeune, pensa-t-il.... Et puis, l'âge, qu'est-ce que cela fait? Il y a des jeunes gens qui sont vieux et des vieillards qui sont jeunes. Affaire de tempérament.... C'est un fait, je n'ai pas vieilli depuis dix ans.... Je suis comme à vingt-cinq.

Il se remit à écrire:

«Et le dit acquéreur déclare bien connaître la dite propriété et en être satisfait....

La plume resta le bec dans l'encre.

--Elle est belle, murmura-t-il, oui, elle est belle. C'est drôle comme je me sens troublé....

Il écrivit encore:

«Cette vente est faite à la charge par l'acquéreur de payer, à compter de ce jour et à l'avenir....

--L'avenir!.... l'avenir!.... On fera des objections, je le sais bien. Monsieur Le Pêcheur est entré en guerre lui aussi. Un ministre contre un notaire, c'est le pot de fer contre le pot de terre. N'importe! si l'on entre en danse on dansera.... Vilbertin, tu as deux rivaux devant toi.... Tu n'es ni très jeune, ni très beau, mais tu as de l'argent; l'avantage est de ton côté. Si tu sais manoeuvrer, mon vieux, tu gagneras la partie.... Oui, l'idée de la lutte me réveille.... Comment se fait-il que je l'aie vue tant de fois cette jeune fille et que je ne me sois pas aperçu plus tôt que je l'aimais? Vieux sot! attendre si longtemps. La rose s'est entourée d'épines. On pourrait s'y piquer. N'importe, elle la vaut bien la piqûre.... Allons! soyons âpre à la curée, mais prudent. Pas de bêtise. Mettons nos adversaires sous nos pieds en les comblant de faveurs. L'idée est ingénieuse. Vilbertin, ne fais pas les choses à demi. Elle a voulu former avec moi une société de bienveillance, exploitons la société. Il va m'en coûter cher, mais si l'on ne se refait pas en espèces sonnantes, on se refera d'une autre façon. La petite sera mon obligée et la famille qu'elle protège ne pourra pas prendre les armes contre un bienfaiteur.

Il essuya sa plume, plia ses papiers, les serra dans un casier et se mit à marcher à grands pas dans son bureau. Le sang lui montait à la tête et ses joues rouges paraissaient s'arrondir encore sous leur fiévreuse ardeur.

Il sortit.

--Que l'air est bon! pensa-t-il; je ne vivrais pas dans les climats brûlants. C'est absurde de vivre là. À moins que l'on n'aime point.

Au coin de la rue du Palais il rencontra la Longue chevelure.

--L'amour aveugle, se dit-il en lui-même! Depuis hier, je n'ai songé qu'à elle.... Et pourtant j'ai des intérêts à sauvegarder. Le salut avant tout. Pas l'éternel, l'autre. Sa peau avant sa chemise; c'est vulgaire, mais c'est juste. Au reste, les deux affaires peuvent marcher de front. Donnons notre amour, mais gardons notre argent.

Il monta la rue de la Fabrique, suivit la rue Buade, descendit l'escalier qui conduit à la rue Champlain, puis entra dans le bureau de monsieur D'Aucheron, rue St. Pierre.

D'Aucheron tenait un bureau où l'on transigeait toutes sortes d'affaires. Les deux pieds sur les chenets, il lisait son journal.

--Est-ce que l'on parle de ta soirée? demanda Vilbertin.

--Un excellent compte rendu. Toute une colonne.

--De fait, le succès à dépassé ce que l'on pouvait raisonnablement attendre. L'apparition des sauvages et l'histoire du sioux principalement, ont marqué cette fête d'un cachet tout particulier.

--Cela me pose, Vilbertin, oui cela me pose.

--Certaines gens prétendent que tu n'as pas les moyens de donner ces grands bals, sais-tu ce qu'à ta place je ferais pour leur imposer silence? J'achèterais une maison sur la Grande Allée. C'est le lieu le plus en vogue aujourd'hui. Notre aristocratie y bâtit des palais. Il y a là une superbe demeure à vendre. Je te fournis l'argent. Il faut aller de l'avant ou reculer. Ne recule pas, ce serait perdre tout ce que tu as gagné depuis dix ans.

--Je te dois beaucoup déjà, et si j'allais manquer mon contrat avec le gouvernement.

--Tu ne saurais le manquer avec les influences qui militent en ta faveur.

--Tant que Léontine montrera de la froideur au ministre qui l'adore les spéculations n'avanceront guère.

La causerie fut longue entre les deux amis. D'Aucheron était vaniteux. Il savait que l'on éblouit facilement le monde et que les sots--qui comptent pour un très grand nombre--n'ont d'estime et de respect que pour les choses ou les hommes qui jettent de l'éclat. Le conseil de Vilbertin ne lui déplaisait point. Il disait qu'il songerait, qu'il en parlerait à sa femme. Le notaire, ne voulant pas avoir l'air de le pousser, lui recommanda, de ne pas se hâter et de faire de sérieuses réflexions avant de se décider. Après avoir éveillé des désirs de luxe il faisait semblant de les combattre. C'était une ruse. Toutes les passions se révoltent contre les obstacles. Il lui suggéra aussi d'acheter cette propriété au nom de mademoiselle Léontine, Quand on est dans les affaires on ne saurait être trop prudent.

En sortant de chez son ami, Vilbertin se dit en lui-même.

--Il va mordre à l'hameçon.

Il revint à la haute ville par la côte de la Montagne et malgré le froid, il avait des sueurs au front.

--Il est toujours malaisé de monter, pensait-il.

Rodolphe, grâce à la scène que lui avait faite monsieur D'Aucheron, était rentré de bonne heure chez lui. Il habitait une petite chambre bien éclairée, mais peu chauffée, dans les mansardes d'une haute maison de la rue St. George, près du grand escalier. Il n'avait pas reposé de la nuit. Le dépit, l'inquiétude, l'amour tourmentèrent son âme pendant de longues heures. Le souvenir de Léontine le consolait cependant, et les injures des D'Aucheron ne pesaient guère quand il les mettait en regard de cet ineffable délice. Les D'Aucheron, que pouvaient-ils lui faire? Il s'en moquait bien. C'est vrai; mais ils s'irriteraient contre leur fille à cause de ses résistances, et peut-être, pousseraient-ils la vilenie jusqu'à la maltraiter. Voilà ce qu'il faudrait empêcher. Comment l'enlever à son existence fastueuse cependant?... Est-ce aimer véritablement une personne que de l'obliger à renoncer à ses habitudes de bien-être? Il ne pourrait pas, lui, satisfaire toutes ses exigences, et qui sait? elle finirait peut-être par se lasser des privations qu'elle aurait à subir. N'est-ce pas une folie pour un garçon pauvre de se faire aimer d'une jeune fille riche?... Pourtant elle était si bonne!... On pouvait avoir confiance.

Toutes ces pensées le tenaient éveillé. Il s'endormit à l'heure où le jour se levait.

II

Les incidents de la soirée de madame D'Aucheron furent cause de bien des émotions, la plus surprise, la plus troublée, la plus inquiète de toutes les personnes qui s'y trouvaient fut bien madame D'Aucheron elle même. Elle avait fait un grand effort pour reprendre une apparente tranquillité, mais l'orage grondait toujours au fond de son coeur, et rien ne pouvait dissiper le sombre nuage qui l'enveloppait.

--Ces récits d'enlèvement, de brigandage, d'assassinat, disait-elle à son mari, me font une impression des plus douloureuses; J'aurais mieux aimé que ces indiens ne fussent pas venus. Rien que les voir me fait peur maintenant.... Sont ils partis?

Monsieur D'Aucheron se moqua de ses vaines frayeurs et prétendit que ce n'était qu'un jeu des nerfs.

Léontine, s'étant mise au piano, jouait des motifs aimés de Rodolphe et chantait des vers pleins de tristesse et d'amour. Le chant et la musique sont les expressions de la douleur comme de la joie.

Madame D'Aucheron pensait:

--Elle ne l'oubliera pas aisément son Rodolphe. Il faut qu'elle l'oublie cependant. Plus que jamais son mariage avec monsieur Le Pêcheur est nécessaire. On ne touche pas à la belle mère d'un ministre.

--Ma Léontine, dit-elle, tu vas être raisonnable, n'est-ce pas? tu vas obéir aux voeux de ton excellent père, de ta petite mère qui t'aiment tant; tu vas consentir à devenir madame Le Pêcheur.... Voyons, sois soumise et le bon Dieu te bénira....

La pauvre enfant ne répondit pas, mais ses doigts tremblants s'arrêtèrent sur les touches d'ivoire et la douce romance finit dans un soupir.

Madame D'Aucheron allait continuer quand la servante lui dit qu'un indien désirait la voir.

--Un indien! fit-elle avec terreur, non, je ne reçois point; je suis malade.... Dites que je suis malade, et que je ne puis voir personne....

La servante obéit.

--Mon Dieu! comme vous voilà pâle, petite mère, qu'avez-vous donc? demanda Léontine....

--Rien, ce ne sera rien.... Je vais me reposer un peu.

Elle se leva pour sortir du salon. La servante apparut de nouveau.

--L'indien insiste, madame. Il dit qu'il reviendra tantôt, demain, tous les jours s'il le faut.

--Est-ce la Longue chevelure, demanda Léontine? Vous savez? ce beau sauvage avec de grands cheveux noirs et des diamants.

--Non, mademoiselle, ce n'est pas celui-là.

--Ce n'est pas la Longue chevelure?... répéta madame D'Aucheron, qui se remit un peu.

--Non, madame, j'en suis bien certaine.

--Peut-être, après tout, que je pourrais recevoir. Pourvu qu'il ne demeure pas trop longtemps.... Eh bien! faites-le entrer.

Des pas retentirent dans l'escalier. Un individu que nous connaissons déjà se présenta dans le salon. C'était la Langue muette.

--Tiens! pensa madame D'Aucheron, mon indien. Il vient me présenter ses hommages. Il a vraiment du goût et il est bien élevé.

La Langue muette salua poliment. On lui indiqua un siège. Il s'assit en roulant dans ses mains dont il ne savait que faire, son *casque* de chat sauvage. Il avait l'air abasourdi. C'était bien la première fois qu'il se trouvait seul dans un salon aussi somptueux. Il demeura quelques instants sans parler.

--J'espère que vous ne regrettez pas d'être venu à notre soirée, demanda madame D'Aucheron.

--A ta soirée? oh non! l'on ne le regrette pas.

--Pourtant, reprit Léontine, il me semble que vous ne vous être guère amusé....

--Guère amusé...? Oh! oui, l'on s'est bien amusé.

--Laissez-vous bientôt Québec?

--Laisser bientôt Québec? l'on ne sait pas.

--Il est assez laconique, pensa la jeune fille. Il est bien nommé Langue muette.

--La Longue chevelure est-il parti? demanda madame D'Aucheron.

--La Longue chevelure? oh! non, pas encore parti, oh! non.

--Quand part-il?

--La semaine qui vient.... ou plus tard.

--Ne serait-il pas aussi intelligent que je croyais, se dit-elle? C'est sans doute la gêne.

Après une vingtaine de minutes d'une conversation par questions et par réponses, l'indien se leva pour sortir. Madame D'Aucheron, tout à fait remise de ses terreurs, s'avança vers la porte du salon pour le reconduire.

--Vous reviendrez nous voir avant de partir? dit-elle.

--Avant de partir? oh! oui. On reviendra demain, après demain, et encore....

Elle fit un pas en arrière et parut surprise.

--L'indien voudrait te voir seule, ajouta Sougraine....

--Pourquoi?

--Parce qu'il a bien des choses à te dire, vois-tu.

--Vous? mais qui êtes-vous? Je ne vous ai jamais vu.

Elle s'était remise à craindre.

--Demain l'indien te fera souvenir. L'indien n'oublie pas, lui. Il est comme l'oiseau qui revient à son nid quand la neige s'en va.

Le piano remplissait le salon de ses accords et Léontine n'entendait rien. La Langue muette sortit et madame D'Aucheron rentra dans sa chambre en proie aux plus vives inquiétudes.

III

Quand Rodolphe se fut rasé, lavé, peigné, cravaté, il était bien près de midi.

--Quelle absurdité, pensa-t-il, que de transformer le jour en nuit! On y perd son temps et sa santé. Heureusement que cela ne m'arrive pas souvent..... Je vais dîner avec ma tante et ma cousine, pour les voir d'abord, ces deux charmantes personnes, et pour savoir comment a fini cette soirée....

Il fit comme il disait.

--O mon cher cousin, s'écria la jeune Ida, quand elle le vit entrer, quel dommage que tu sois parti si tôt! tu aurais entendu un récit bien intéressant! La Longue chevelure est cet indien sioux qui sauva la vie à ton père et à ses compagnons, dans les Montagnes Rocheuses, il y a vingt ans.

Quelqu'un frappa; le silence se fit. C'était le notaire qui entrait. Madame Villor ne le connaissait pas. Ce n'est pas elle qui s'occupait de chercher des logements ou d'aller payer les termes. Elle était d'une santé fort délicate et ne sortait guère. Ida, sa fille, et l'instituteur se mettaient de bon coeur à son service et géraient fort bien les petites affaires de la maison.

--Je vous demande pardon si je suis indiscret, madame, fit Vilbertin en saluant profondément, mais j'ai cru vous faire plaisir en vous apportant cette quittance.

Il tendait à sa locataire un papier soigneusement plié.

Madame Villor prit le papier et le parcourut des yeux.

--Mon loyer est payé jusqu'au premier de mai! dit-elle, toute surprise.

--Jusqu'au premier de mai, madame.

--Est-ce M. Duplessis?...

--Non, non, c'est moi... que diable! il faut faire un peu de bien si l'on veut se sauver...... C'est peu, mais c'est cela. Et plus tard..... on verra. Je ne dis rien; cela dépendra....

Il essayait de rire, le notaire; l'effort était visible.

Madame Villor, les larmes aux yeux, se confondait en remerciements. Rodolphe se joignit à elle pour féliciter le généreux notaire. Ida pensait qu'il était bien bon, ce gros homme dont on avait tant peur.

--Vous n'étiez donc pas sérieux, l'autre jour monsieur le notaire, quand vous nous menaciez de nous mettre dehors? demanda cette dernière.

Le gros Vilbertin, un peu décontenancé, répondit cependant:

--Bah! un moment d'humeur, une parole sans réflexion. J'ai comme cela des mouvements brusques, mais c'est l'écorce qui est rude. Le coeur n'est pas mauvais. Tenez, pour vous prouver que je ne déteste point mes semblables, et que je fais ma petite somme de bien comme les autres, j'ai cherché comment je pourrais venir en aide à monsieur Rodolphe que voici, votre neveu, madame, et l'objet de votre plus tendre affection, après mademoiselle votre fille, cela se comprend.

--Et puis, qu'avez-vous trouvé? demanda Rodolphe un peu sceptique?

--Aimeriez-vous à vivre à la campagne?

--Je me plais beaucoup à la campagne. La vie des champs a ses délices. C'est une vie calme comme la nature qui vous entoure. Les pensées y sont douces, les passions, tendres. On y est plus ignoré, moins envié par conséquent. On y vit de peu. Le luxe insensé des villes n'a pas encore pénétré partout. Pour celui qui n'a point trop d'ambition, qui ne recherche point les plaisirs enivrants, qui sait lire dans les oeuvres de Dieu, il y a vraiment du bonheur à demeurer loin des villes.

--Vous avez la sagesse d'un vieillard, docteur, répliqua le notaire, et vos goûts révèlent un jeune homme vertueux. Un de mes amis qui demeure à Notre-Dame-des-Anges, tout en m'annonçant, hier, la mort du médecin de l'endroit, me demanda si je ne connaissais pas quelqu'un qui pût le remplacer. La clientèle serait considérable. Je vous engage à prendre la chose en considération.

--Notre-Dame-des-Anges ou ailleurs, cela importe peu. La campagne est à peu près la même partout. Au reste, il y a, comme distraction, la pêche et la chasse. J'avoue que je suis du nombre de ces imbéciles qui se tiennent avec patience au bout d'une perche de ligne, pendant des heures entières, pour attendre qu'un innocent poisson vienne s'accrocher à l'hameçon. Ce qui fait que la chose est agréable, c'est qu'on ignore le butin que le lac ou la rivière nous réserve. L'homme est ainsi fait que rien ne l'amuse comme d'ignorer ce qui l'attend et de pouvoir espérer toujours ce qu'il n'aura jamais.

--Alors je vous conseillerais d'aller vous établir en ces lieux. Vous aurez un vaste champ pour exercer votre art et vos talents, et vous recueillerez, j'en suis sûr, une excellente moisson de dollars.

--Et tu pourras te marier bientôt, Rodolphe, ajouta madame Villor.

Le notaire fit une grimace dont personne ne comprit la signification.

--Il est bon, continua-t-il, de ne point se hâter trop en ces matières. C'est pour longtemps qu'on se marie. Je crois, du reste, qu'il est important de mettre le pain sur la planche avant d'aller chercher des marmots pour le manger.

--A Notre-Dames-des-Anges, reprit madame Villor, c'est là que demeuraient Sougraine et Elmire Audet dont la fuite, il y a vingt trois ans, fit joliment du bruit.

--J'étais jeune alors, dit le notaire, et je ne me souviens guère de cela. Est-ce que réellement cette affaire fit beaucoup de bruit?

--Beaucoup. Vous comprenez? un enlèvement et un meurtre....

--Un meurtre? êtes-vous bien sûre qu'il y eut un meurtre?

--La rumeur le disait.... Il est vrai qu'on doit ne se fier que peu à la rumeur.

--Avez-vous connu Sougraine, vous, madame Villor?

--Oui! il a passé deux ans à Lotbinière. Sa femme était d'une extrême habileté, et nulle part on n'a vu rien de joli comme les chapeaux qu'elle façonnait. Avec des écorces de frêne teintes des plus belles couleurs, elle imitait toutes les fleurs de la nature. Ils avaient deux enfants, deux petits garçons.

--Vous avez demeuré à Lotbinière, madame Villor? reprit le notaire, sans avoir l'air d'attacher d'importance à la réponse.

--Oui, monsieur; ma famille restait près du domaine. La famille Houde. Je suis la soeur de Léon Houde qui se trouvait au nombre des voyageurs surpris par les sioux dans les Montagnes Rocheuses. Pauvre Léon! il est mort des suites des blessures qu'il reçut alors.... Rodolphe est son fils.

--Vraiment! Ah! mais.... savez-vous que cela m'intéresse fort....

Votre mère vit-elle encore? monsieur Rodolphe?

--Non, elle n'a pu survivre à son malheur, reprit Rodolphe, et ma bonne tante a pris soin de moi; je suis devenu son fils....

--J'aurais bien voulu, dit madame Villor, prendre aussi la petite fille, mais je n'étais pas riche et j'ai dû conseiller à ma belle-soeur de la placer à l'hospice, avant de mourir.

--Ah! il y avait une petite fille? vous avez donc une soeur, M. Rodolphe?

--Pas du tout, monsieur le notaire, c'est une petite fille indienne que mon père avait apportée, l'enfant de son sauveur.... paraît-il....

--Mais je ne savais pas cela, moi! exclama Ida....

--Tu l'as sans doute oublié, car j'ai dû en parler devant toi, répondit madame Villor.

Trois petits coups furent alors frappés à la porte, et un beau vieillard entra. C'était le curé.

On le connaissait bien et il connaissait tout le monde, les pauvres surtout. Il prit le siége qu'on lui présentait et s'assit sans dire un mot, lui qui abondait en paroles gaies et détestait le silence en dehors de son oratoire. Il éprouvait certainement une surprise. Madame Villor, en femme d'esprit, se hâta d'ouvrir un champ à la conversation.

--C'est en vérité une bonne journée pour moi, fit-elle: la visite de mon neveu qui m'apporte toujours un rayon de joie, la visite de mon propriétaire qui me remet gracieusement le prix de mon loyer, la visite de mon curé qui, j'en suis certaine, va me dire de bonnes paroles.

Le curé se tourna vers le notaire.

--Comment, monsieur Vilbertin, vous êtes assez bon pour remettre à madame Villor le prix de son loyer.

--Jusqu'au premier de mai prochain, répondit le notaire en s'inclinant respectueusement.

--Ecoutez maintenant les rumeurs de la rue et fiez-vous donc aux gens, continua le curé! J'avais appris que madame Villor allait être mise sur le pavé et je venais lui offrir des consolations.

--Monsieur le curé, répondit l'excellente femme, si vous ne m'aidez pas à pleurer, vous m'aiderez à bénir la Providence et à remercier comme il le mérite ce bon M. Vilbertin.

--Non, ce n'est pas la peine, dit Vilbertin, l'air tout confus, ce que je fais n'est pas grand'chose.

--Monsieur le notaire, dit le curé, vous avez comme le prêtre, par votre état, de nombreux moyens de faire du bien aux malheureux.

--Oui, monsieur le curé, vous avez raison, cent fois raison, et je commence à voir le meilleur côté de ma profession, le côté qui en fait une espèce de sacerdoce.

--Monsieur le curé, dit Rodolphe, je vais peut-être aller me fixer à Notre-Dames-des-Anges.

--Notre-Dame-des-Anges, c'est dans le comté de Portneuf, sur la rivière Batiscan, ah! je connais parfaitement cette paroisse. J'ai été à la pêche maintes fois dans les lacs et les rivières d'alentour... le lac des sables, le lac Français, la rivière à Pierre, la rivière Tawachiche. La plus belle truite que j'aie prise en ma vie, ça été dans le lac Masketsy. On péchait sur un *cajeu*, à la mouche....Quelle belle pêche! C'est le malheureux Sougraine qui nous avait conduits. Nous sommes entrés dans sa cabane, au bord de la rivière, à deux milles de l'église. Il pêchait bien la truite, le malheureux! c'est dommage qu'il se soit mis à faire une pêche moins innocente. J'ai vu aussi cette jeune fille, Elmire Audet, dont l'enlèvement a fait tant de bruit! et Clarisse Naptanne, la femme de Sougraine, une grande et grosse micmacque, laide, sale, hargneuse, toujours la pipe à la bouche, souvent le verre à la main... Et, comme ça, tu vas aller demeurer à Notre-Dame-des-Anges?

--C'est M. Vilbertin qui me le conseille.

--Il ne faudrait pas tarder, ajouta Vilbertin, les bonnes paroisses sans médecin se font rares.

La conversation roula pendant quelque temps sur différents sujets, et le notaire, prétextant des affaires pressantes, reprit le chemin de son bureau. En s'en allant il songeait:

--Trente piastres de perdues.... pour le moment, du moins, mais plus tard, on ne sait pas. Il est bon d'obliger des gens qui peuvent devenir vos juges ou vos accusateurs.... Trente piastres... Dans tous les cas, on peut fort bien élever le prix des loyers, au printemps, et reprendre sur dix locataires ce que l'on donne à l'un deux. Vilbertin, tu n'es pas un sot.... Et puis, il faut qu'il s'éloigne mon rival.... mon rival! C'est la première fois de ma vie que je prononce ce mot menaçant.... L'absence tue l'amitié. On a beau dire, il faut se voir souvent pour s'aimer longtemps. Les amoureux sont unis par une chaîne quand ils sont près l'un de l'autre, par un fil quand ils sont éloignés. Je vais peut-être me fourrer dans un guêpier. Attention! Tout de même le bien trouve toujours sa récompense. Je viens de faire une bonne action.... et me voilà dédommagé au centuple. Tu as su des choses qui te regardent de près, mon brave Vilbertin. Qui m'aurait dit que j'avais pour locataire la soeur de Léon Houde?.... Elle me paraît avoir bonne mémoire....

Et le gros notaire, allant à pas courts et drus sur les trottoirs glissants, s'entretenait ainsi avec lui-même, parlant parfois tout haut comme pour se mieux entendre.

Le curé ne pouvait comprendre quelle grâce efficace avait touché l'avare notaire. Il admirait les voies mystérieuses que le Seigneur connaît pour aller aux âmes les plus endurcies, et trouvait un nouveau motif de publier sa bonté. Le Seigneur ne lui garda pas rancune de sa méprise.

Rodolphe se livrait aux espérances les plus douces. Il se voyait avec sa jeune amie, dans une charmante maisonnette, sous les grands arbres chargés de chants et de murmures, loin du tumulte de la ville, loin des regards jaloux. Et qui sait? plus tard il descendra peut-être, à son tour, dans l'arène politique. Mais, par exemple, jamais il ne transigera avec sa conscience. Ce n'est pas lui qui vendrait ses convictions pour les deniers de Judas. Il était trop profondément chrétien. Or les hommes d'une foi vive sont les seuls qui ne se heurtent point à ces pierres d'achoppement que la politique sème sur tous les chemins.

Il partirait dans quelques jours pour aller visiter cette paroisse où son existence allait peut-être s'écouler. Il voulait revoir Léontine, d'abord, pour lui demander conseil, et s'assurer que cette vie nouvelle au milieu de la solitude ne lui serait point trop désagréable.

Ida fut chargée de porter un billet à son amie. C'est elle qui était la messagère de leurs amours. Les rencontres des jeunes fiancés se faisaient d'ordinaire à la promenade, sur la rue St-Jean, à quatre heures de l'après-midi. La rue St-Jean, si elle pouvait parler!.... Ne craignez rien, amoureux de tous les âges, de toutes les formes, de tous les genres et de toutes les conditions, elle ne redira jamais les secrets qu'elle entend alors que vous marchez serrés l'un contre l'autre, par couples interminables, depuis la porte jusqu'à la barrière, et au delà, sous les arbres épais de la banlieue; elle ne dira jamais rien, si ce n'est au poète qui, du reste, devine tout, et au romancier qui a le droit de tout savoir.

IV

Le vieil instituteur et sa femme, assis à la porte du poêle bourdonnant, causèrent aussi de la brillante soirée de madame D'Aucheron.

--O quel étalage de luxe! disait le père Duplessis, quelle dépense! "Mais bah! *Savonne bien: le savon a été pris à crédit.*" Voilà comment va le monde: Pendant que les uns gaspillent dans de vains plaisirs l'argent qu'ils amassent facilement, les autres mendient un morceau de pain; pendant que les uns chantent, dansent, se divertissent, les autres pleurent et grelottent près d'un foyer sans chaleur. Il est bon d'être témoin de la folie des riches, cela nous fait aimer les pauvres. Je me demande parfois, disait-il encore, ce qu'il en adviendrait de tous ces gens heureux si les déshérités de la terre n'avaient pas pour se consoler les promesses de la religion. L'esprit de révolte germerait dans les coeurs, la haine soufflerait sur le monde, l'envie relèverait sa tête de vipère, et, le moment favorable venu, toute l'armée des misérables se précipiterait sur les classes aisées. Ce serait le partage du butin après la bataille du luxe et de la vanité contre l'indigence incrédule ou impie. Cette bataille et ce partage épouvantables arriveront bientôt si les apôtres de la libre pensée continuent leur oeuvre diabolique.

--Le croirais-tu? ajouta le vieux professeur à sa femme, Madame D'Aucheron m'a refusé, pour les pauvres de la St. Vincent de Paul, les restes de son festin de Sardanapale.--Amenez-ici quelques affamés, m'a-t-elle répondu, et je leur donnerai à manger.--Comme s'il était bien aisé de transporter ainsi des gens qui n'ont pas même de vêtements pour se protéger contre le froid. N'importe, je vais lui en amener, et plus qu'elle ne voudrait.

Le renard est bien fin, mais celui qui le prend est encore plus fin.

V

Les indiens s'étaient rendus auprès des ministres. Ils voulaient de nouveau vivre en bourgade, à leur guise. Ils auraient leur conseil, régleraient leurs affaires sans l'intervention des blancs. Ils demandaient aussi une réserve assez considérable. La chose était prise en sérieuse considération.

Après l'entrevue, l'honorable Le Pêcheur avait accosté la Langue muette.

--Eh bien! as-tu agi? qu'as-tu fait?

--On n'a pas pu voir madame D'Aucheron seule; sa fille était là, l'indien ne pouvait pas lui dire de s'en aller.

--Prends garde à toi; si tu m'as trompé pour avoir de l'argent, tu ne m'échapperas pas.

--On le sait bien. Un ministre, c'est tout puissant.

--Quand retournes-tu chez monsieur D'Aucheron?

--On y va, là, tantôt.

Une heure ne s'était pas écoulée qu'il se dirigeait vers le haut de la rue St. Jean. Il pensait, la tête basse:

--Il ne faut pas que l'indien se prenne dans son piège.... Allons avec prudence et sans bruit. Le serpent qui rampe est plus à craindre que le serpent qui relève la tête.... Si le moyen ne réussissait pas comme on l'espère!... Elle est riche, elle a de puissants amis.... L'indien est pauvre et personne ne le protégera. Il sera poursuivi partout; on n'aura point pitié de lui. Quelle vie misérable il mène! Comme elle est heureuse, elle! Non, cela n'est pas juste, cela ne peut pas durer plus longtemps. Il faut qu'on ait de l'argent, que l'on vive à l'aise. Si elle ne veut pas tendre la main à l'indien son frère, elle verra ce qu'il peut faire.

Il rencontra, sans les voir, Rodolphe et Léontine qui marchaient lestement épaule contre épaule, l'air tout joyeux. Ils se vengeaient des souffrances de l'autre jour et bâtissaient avec des rayons leur château de Notre-Dame-des-Anges.

Il entra. Madame recevait, bien malgré elle cependant.

Le préambule fut court.

--Le sioux a raconté, l'autre soir, commença-t-il, une histoire qui t'a bien impressionnée, hein?

--C'est vrai. Je suis sensible, voyez-vous, très sensible, et nerveuse, oh! très nerveuse, répondit, avec assez d'assurance, madame D'Aucheron.

--Avais-tu peur que la jeune fille fût dévorée par le feu de la prairie?

Madame D'Aucheron ne répondit pas immédiatement.

--Le danger était grand, dit-elle enfin, et son lâche compagnon n'avait pas le courage de mourir avec elle,... avec elle qui avait tout trahi, tout abandonné pour le suivre.

A son tour l'indien resta muet. Après un assez long silence il reprit.

--On serait curieux de savoir où elle est cette jeune fille.

Madame D'Aucheron fit un mouvement des épaules.

--Tu ne pourrais pas le dire? recommença-t-il.

--Moi?... comment voulez-vous?... Est-ce que je l'ai connue?...

--Ecoute donc! cette jeune fille qui est ici avec toi, ce n'est pas la fille de ton mari, hein?

Madame D'Aucheron fut un peu surprise de cette question brutale. Elle crut cependant que l'indien ne voulait pas dire ce qu'il disait.... Il n'était pas familier avec la langue française. Elle répondit:

--Ni la fille de mon mari ni la mienne....

--Oh! elle doit être la tienne, affirma le sauvage.

--Vous oubliez que vous êtes chez une femme respectable et que vous n'avez pas le droit de la questionner, fit madame D'Aucheron avec dignité.

--L'Indien, va! ne connaît pas beaucoup les usages du monde.

--Eh bien! apprenez que vous faites là un vilain métier.

--L'indien peut bien te demander, il me semble, si ta fille est la fille de ton mari.

--C'est de l'insolence!

Elle se leva; Sougraine aussi. Il s'approcha d'elle.

--Voyons! dit-il, la jeune fille qui suivit Sougraine avouait qu'elle serait mère, hein?

--Vos paroles sont inconvenantes; retirez-vous.

--Elle s'est séparée de l'Abénaqui aux Montagnes Rocheuses? continua Sougraine.

--Demandez à ceux qui le savent.... Sortez, vous dis-je.

--Elle est revenue, le sioux l'a dit, et son enfant doit être quelque part, hein?

--Qu'est-ce que cela me fait?

--Si cela ne te fait rien, cela fait quelque chose à l'indien.

Et de la main il se touchait la poitrine afin qu'elle comprît bien qu'il s'agissait de lui même.

--A vous? balbutia-t-elle.

--Ah! oui... à moi.

Il tendit la main comme pour l'arrêter, car elle se retirait.

--Ne me touchez pas! dit-elle.

Elle tremblait. Elle pressentait un coup de foudre et n'osait plus parler. Elle sentait que chaque mot hâtait un fatal dénoûment.

--Je suis fatiguée, reprit-elle; je vous laisse.

--Attends donc, répliqua l'indien, on va parler de Sougraine.

Un frisson parcourut tout le corps de la jolie femme.

--De grâce, laissez-moi; vous reviendrez.

--Tu l'as connu?

Elle le regarda fixement pendant une seconde et devint blanche comme le marbre.

--Regarde bien, va! continua Sougraine, et dis si tu ne reconnais plus sous la vieillesse ridée de l'indien, la jeunesse de l'homme que tu as aimé l'autrefois?...

Madame D'Aucheron jeta un cri et tombant à genoux les mains jointes....

--Pour l'amour de Dieu, supplia-t-elle, Sougraine, ne me perdez point! ne trahissez point la femme qui fut coupable pour vous plaire! Oh! pitié! pitié!...

Sougraine la regardait d'un oeil curieux et un sourire méchant plissait le coin de sa bouche.

--Ne dites rien, mon bon Sougraine, je vous en conjure, ne dites rien à personne. On ne sait pas qui je suis, voyez-vous. J'ai changé mon nom autrefois.... Mon mari ignore tout. S'il allait savoir! Oh! de grâce! soyez bon, Sougraine, et souvenez-vous de notre amour passé.... Montrez-vous généreux; vous aurez votre récompense, oui vous l'aurez grande, je vous le promets.

--On va faire des conditions, répondit l'indien, avec un flegme désolant.

--Quelles conditions voulez-vous faire? Parlez! parlez vite, je serai généreuse. Vous verrez que je serai généreuse.

--Sougraine est pauvre et tu es riche, toi....

--Je ne suis pas aussi riche qu'on le dit; non je ne suis pas riche, mais je te donnerai de l'argent, Sougraine; oui je t'en donnerai, et tu vivras sans travailler le reste de tes jours; mais tu t'en iras, n'est-ce pas? tu iras loin, vivre tranquille... vivre heureux..... Ici, tu ne serais pas à l'abri toi-même. Tu sais, la justice veille toujours.

--Oh! oui, on le sait, mais on veille aussi. Sougraine n'est pas coupable après tout. Et puis, il n'a rien à perdre... qu'une vie de peines et de misères.

--Combien faut-il que je vous donne pour que vous partiez?

--Oh! l'on n'est pas prêt à partir. En attendant, il lui faudrait bien cent dollars.

--Cent dollars! c'est beaucoup.... comment les trouverai-je, moi?... Je vendrai des bijoux, s'il le faut.... Vous les aurez, mais, partez, allez loin.

--Partir? aller loin? Ecoute, il faut que ta fille... qui est peut-être la fille de l'indien....

Madame D'Aucheron fit un geste solennel.

--Il faut qu'elle épouse le ministre, tu sais. L'indien a promis cela,... et, tu comprends, il y tient; cela peut le sauver, et toi aussi.

--Je le désire de tout mon coeur, répondit madame D'Aucheron... mais elle aime un jeune médecin et ne veut entendre parler de nul autre.

--A toi de lui faire comprendre cela, écoute! sinon....

Il sortit, emportant un bon à compte sur les premiers cent dollars, et tout fier du succès de ses démarches.

VI

Léontine à son retour à la maison, trouva sa mère tout en pleurs.

--Que veut dire ce chagrin, bonne petite mère? demanda-t-elle, il n'y a pas longtemps je t'ai laissée tout à fait joyeuse.

--Puisqu'il faut te l'avouer, Léontine, c'est à ton sujet que je pleure.

--A mon sujet?

--Oui, c'est ta résistance à nos volontés qui va me faire mourir de chagrin....

--Ce n'est donc pas mon bonheur que vous cherchez?

--Tu serais heureuse avec l'honorable monsieur Le Pêcheur.... et quelle belle position tu occuperais dans la société!

--Je n'aime guère les grandeurs, et les jouissances intimes de la famille ont plus de charmes à mes yeux que l'éclat des fêtes mondaines.

--Il faut pourtant, ma fille, que ce mariage se fasse, oui, il le faut.....

--Mais! je ne l'aime point moi, cet homme.

--L'amour! une belle folie de jeunesse.... On se marie pour s'établir, pour avoir une position... C'est ton bonheur que je veux; tu le verras plus tard.

--Laissez-moi donc le chercher où mon coeur espère le trouver.

--Je t'en supplie, Léontine, obéis, fais le sacrifice de ta volonté et le bon Dieu te bénira; oui, mon enfant, il te bénira.

En parlant ainsi madame D'Aucheron entourait de ses bras le cou de sa fille et déposait un baiser sur son front pur.

--Pauvre enfant, continua-t-elle, tu serais bien récompensée de ton dévouement, va! tu sais: Père et mère tu honoreras afin de vivre longuement....

Léontine se sentait envahir par une poignante amertume. Les rêves d'or qu'elle venait de faire avec son cher Rodolphe, elle les voyait s'en aller comme la fumée sous le souffle de la tempête. Elle n'osait croire que l'ambition seule pût donner à sa mère une pareille ténacité. Elle devinait un mystère et craignait de le découvrir. N'y a-t-il pas des âmes nées pour souffrir? et ne suis-je pas un enfant de malheur pensait-elle? N'est-il pas de mon devoir de tout sacrifier, amour, joie, espérances, félicités, tout, tout, pour ceux qui m'ont comblée de biens depuis mon enfance?.... Pauvre Rodolphe!....

Elle s'échappa des étreintes de sa mère et se renferma dans sa chambre. Elle se jeta à genoux. Les mains jointes, les yeux levés vers le petit crucifix d'ivoire qui surmontait la tête de son lit blanc, elle implorait celui qui s'est sacrifiée pour sauver le monde. Pauvre enfant, comme elle souffrait! comme elle priait!

Madame D'Aucheron sourit quand elle vit l'affaissement de sa fille.

--Elle ne se révolte point, pensa-t-elle, c'est bon signe. Elle aura du chagrin, versera des larmes, mais finira par céder. Le chagrin passera, les larmes se dessécheront, et elle sera madame Le Pêcheur.

Monsieur D'Aucheron rentra vers le soir, la tête remplie de projets insensés. Il achetait une magnifique maison, des chevaux, des voitures. Il aurait des cochers en livrée, comme d'autres qui ne sont pas plus que lui. Il fallait éblouir les gens, faire parler de soi. On paierait avec les *jobs* du gouvernement. Quand on a pour gendre un ministre, on peut bien avoir sa part de la curée. Il souriait en songeant à l'étonnement des naïfs qui l'avaient vu battre la pavé jadis et qui n'avaient pas su faire leur chemin..... Vilbertin fournirait l'argent. Ce diable de notaire, il en avait bien de l'argent.... Il aurait sa part du gâteau, il entrerait dans la société. Il le savait et comptait là-dessus. Il n'avait pas une fille à jeter en pâture à une des sommités du monde politique, lui, pour en obtenir des faveurs, mais il possédait des pièces d'or et cela valait autant.

Madame D'Aucheron, qui n'était pas moins vaniteuse que son mari, approuva en tous points les projets nouveaux qu'on faisait miroiter à ses yeux, et se chargea de choisir un ameublement digne de la nouvelle demeure.

Il y a, comme cela, des gens qui ne voient jamais le revers de la médaille, et, quand ils achètent, ils n'ont pas l'air de se douter qu'il faudra payer. Ils ne veulent pas que leur plaisir soit gâté par une pensée triste.

VII

A l'heure du souper, comme on se mettait à table, le professeur Duplessis arriva avec six pauvres, des vieillards. Il entra malgré la servante qui voulait aller prendre les ordres de sa maîtresse.

--Je suis invité, dit-il, et priez madame de me pardonner si je me trouve en retard. *Au reste, les premiers à la table sont les derniers à l'ouvrage.*

Quand il était avec ses protégés il devenait hardi, presque gouailleur. Il puisait de l'audace dans le bien qu'il faisait.

Madame D'Aucheron se présenta, suivie de près par son mari. Elle était de bonne humeur à la perspective de la belle maison, des chevaux et des voitures qu'on allait acheter.

--Ce ne sont pas des convives brillants comme ceux de l'autre soir, que vous m'amenez-là, dit-elle en minaudant, mais enfin....

--Ce sont ceux-là que Notre Seigneur choisissait, repartit le père Duplessis.

--Nous sommes loin du temps de Notre Seigneur, continua madame D'Aucheron.

--Vous avez raison, madame, nous en sommes loin, trop loin.... c'est à vous, les riches, à nous aider à y revenir.... *C'est songer à soi que de secourir les malheureux.*

Elle fit passer les pauvres dans la cuisine.

--Notre Seigneur les faisait asseoir à sa table, murmura le professeur.

Il fut entendu.

D'Aucheron se frotta les mains en riant. Il était tout ragaillardi ce soir-là. Il approuva vivement:

--Pas mal donné, pas mal, mon vieux Duplessis. C'est superbe. Attrape, femme païenne!

Madame D'Aucheron répondit, en faisant une moue significative:

--Ah! bien, s'ils ne sont pas contents....

Elle acheva par un geste non moins significatif.

--Ce sont de braves gens, allez! reprit le père Duplessis.

--Braves tant que vous voudrez, croyez-vous que je vais les recevoir à ma table. Je n'ai pas déjà trop d'appétit....

--Ces pauvres en ont bien, eux, de l'appétit, je vous le jure, surtout, la vieille Marie. Une vieille qui ne fait point ses trois repas tous les jours.

--Je crois que Léontine m'a parlé de cette vieille femme. Elle vit seule?

--Toute seule dans une petite chambre mal éclairée, mal aérée, mal chauffée.... La pauvre vieille! elle est bien bonne et elle a beaucoup souffert.

--Vraiment! Il y en a tant qui ont souffert! il y en a tant qui souffrent encore!

--C'est vrai, mais celle-là plus que bien d'autres, parce qu'elle a souffert dans ses affections les plus pures: dans son mari, dans ses enfants!... Vous savez, une mère qui se voit délaissée de ses enfants, c'est cruel, allez!....

Madame D'Aucheron, qui voulait changer le sujet de la conversation, pensa à Léontine.

--Je vais appeler ma fille, dit-elle, peut-être qu'elle sera contente de voir sa vieille protégée...

Et elle courut à la chambre de la jeune fille. La porte était fermée.

--Léontine, cria-t-elle, le père Duplessis nous a amené des convives: six pauvres. Si tu aimes à les voir, descends, mon enfant. Les pauvres, tu sais, ce sont les amis du bon Dieu....

A cette dernière parole, Léontine ne put s'empêcher de sourire à travers ses larmes. Lorsqu'elles tombent de certaines lèvres les paroles les plus sacrées deviennent des plaisanteries. Mademoiselle D'Aucheron baigna dans l'eau froide son front pâle et ses yeux rougis afin de dissimuler mieux les chagrins dont elle était accablée, puis elle descendit à la salle à manger où se trouvaient ses parents et l'excellent instituteur.

--Où sont donc vos amis? M. Duplessis, demanda-t-elle, d'un air surpris.

Elle savait bien qu'ils étaient à la cuisine. Madame D'Aucheron se hâta de répondre:

--Ils sont attablés en bas. Catherine en prend soin. Ils sont bien servis.

Léontine descendit à la cuisine et prit la place de Catherine.

--C'est moi qui suis la servante des pauvres, dit-elle, laissez-moi faire.

Jamais ces déshérités de la terre ne firent un aussi bon dîner. Ils riaient, pleuraient, chantaient tour à tour ou à la fois, comme dans une orgie. L'orgie de la charité et de l'amour de Dieu. Quand ils eurent fini leur agape, Léontine les fit monter au salon, se mit au piano et trouva, pour les réjouir, des harmonies d'une suavité toute nouvelle, des chants d'une incomparable douceur. Elle était inspirée par sa profonde douleur et sa foi naïve. Les six pauvres qui l'entendaient croyaient voir la porte du paradis s'ouvrir et des vagues de mélodies célestes se précipiter vers eux.

Le professeur, monsieur et madame D'Aucheron vinrent aussi dans le salon pour être témoins des émotions de ces gens misérables à qui les délices de la terre étaient refusées.

Marie, la vieille femme, pleurait beaucoup.

--Je n'ai jamais rien entendu de si beau, disait-elle en branlant la tête, non jamais! que c'est donc beau, le ciel, puisque c'est encore plus beau que cela!

Sa voix chevrotante fit tressaillir madame D'Aucheron qui pensa:

--Je l'ai entendue quelque part.

Elle cherchait dans ses souvenirs.

--Venez souvent, fit mademoiselle D'Aucheron, venez, mère Marie. Je chanterai pour vous et pour vous je jouerai les plus belles symphonies.

--Si madame me le permet, repartit la vieille, de sa voix cassée, en regardant madame D'Aucheron, je reviendrai bien sûr; mais pas souvent peut-être, ni longtemps, car mes pieds achèvent leur course. Je me vois aller vite à la tombe. C'est aussi bon. Je n'ai plus personne qui m'aime et je suis un fardeau pour ceux qui m'entourent.

--Ne dites pas cela, mère Marie, reprit vivement Léontine, vous avez de bons amis.

--Je veux dire que je n'ai plus de famille.

--Vous avez la famille des âmes charitables, observa Duplessis, c'est la meilleure. Elle ne vous abandonnera point. *Les puits dont on tire souvent de l'eau sont rarement à sec.*

Madame D'Aucheron paraissait mal à l'aise. Elle aurait bien voulu dire quelque chose. Elle sentait qu'elle ne pouvait pas décemment garder plus longtemps le silence. Il faut au moins, quand on a des malheureux devant soi, ne pas leur refuser un mot de consolation.

--Je suis contente que ma fille vous ait prise sous sa protection, la mère, et je suis sûre qu'elle ne vous laissera manquer de rien. Je lui recommande chaque jour de bien s'informer de l'état de votre santé, de vous porter ces petites douceurs qui font tant de bien aux vieillards, et si elle vous oublie jamais, ce ne sera point ma faute.

Duplessis la regardait en souriant. Il savait bien qu'elle se vantait.

--Mon Dieu! que vous me rappelez une voix connue, chère Dame!

--Moi? fit madame D'Aucheron.

--Oh! oui, et plus vous parlez plus mon illusion est complète..... Il me semble entendre la voix de mon enfant, de ma fille.... Ah! la malheureuse, je l'aimais bien pourtant.....

Et la vieille femme fondit en larmes.

--Votre fille, demanda D'Aucheron, avec l'indifférence des âmes égoïstes, elle est morte?....

--Morte? peut-être... je n'en sais rien... Toute jeune encore elle a été enlevée par un sauvage... Je n'en ai plus entendu parler.

Madame D'Aucheron ne put retenir un cri. Elle faisait cependant un effort surhumain pour ne pas se trahir.

--Tiens! dit D'Aucheron, l'histoire du sioux qui revient. Puis il continua:

--Etes-vous la mère Audet, de Notre-Dame-des-Anges?

--Vous connaissez donc mes malheurs? répondit la vieille femme.

--L'affaire a fait du bruit dans le temps, paraît-il, et d'après ce que nous a raconté un sauvage de l'ouest, votre fille se serait séparée de son ravisseur, aux Montagnes Rocheuses, et serait revenue ici avec des voyageurs canadiens.

--L'on m'a dit cela, mais je ne l'ai jamais revue. Elle aurait dû savoir que le coeur d'une mère pardonne toujours; elle aurait dû venir se jeter dans mes bras. Oh! comme j'aurais été heureuse!...

Elle se mit à sangloter de nouveau.

--Chante donc, Léontine, ordonna madame D'Aucheron, pour se donner une contenance. La jeune fille répéta plusieurs romances dont les paroles s'adressaient à Rodolphe absent. Puis, pour ne pas abuser de l'extrême bonté des D'Aucheron, le père Duplessis ramena ses pauvres à leurs tristes réduits.

Alors madame D'Aucheron dit à sa fille:

--- Il vaut mieux que cette vieille ne revienne pas ici. A son âge, vois-tu, les émotions sont dangereuses. Tu lui porteras des secours à domicile. Sans compter qu'il y a plus de mérite à visiter les pauvres qu'à les faire venir chez soi.

Elle était contente d'avoir trouvé cette idée-là.

VIII

Dans les huit jours qui suivirent le bal, monsieur Le Pêcheur vint présenter ses hommages à madame et à mademoiselle D'Aucheron. Il était lustré, brossé, pimpant, jaseur. Il était confiant dans son étoile et croyait au pouvoir du sauvage.

Léontine l'accueillit froidement, mais sans le repousser tout à fait. Il en augura bien. Elle devait agir ainsi. C'était de bonne guerre que ne pas se livrer à la première sommation. La mélancolie répandue sur sa brune figure lui donnait un charme inaccoutumé. Il l'aimait mieux comme cela, avec une teinte de tristesse. C'était moins vulgaire. Il osa même faire allusion à l'époque du mariage. Elle pencha la tête comme une victime qui se résigne. Il aimait cela, la résignation chez une femme, et trouvait que c'était une belle vertu.

Il avait vu monsieur D'Aucheron auparavant, et monsieur D'Aucheron lui avait appris la grande nouvelle: l'achat d'une maison splendide, d'une voiture d'été, d'une voiture d'hiver, de deux chevaux.

--Vous comprenez, avait-il dit en clignant de l'oeil, c'est pour ma fille.

A son retour, il trouva Sougraine à sa porte, parmi les solliciteurs qui font pied de grue. Il le reçut assez mal, car il pensait n'avoir plus besoin de lui. Il s'était évidemment fait un travail dans l'esprit, sinon dans le coeur de sa future. Maintenant que l'onde avait pris son cours elle irait d'elle même et le sillon se creuserait davantage chaque jour. Il en était quitte à bon marché.

Sougraine insista et ses raisons n'étaient pas sans valeur.

--On peut défaire ce qu'on a fait, disait-il. Sois généreux envers ceux qui te font du bien. La reconnaissance est une belle chose, mais la vengeance est une plus belle chose encore.

Le ministre souriait.

--On verra, répétait-il, on verra. Tu demandes trop, tu n'es pas raisonnable. Tu reviendras quand je serai marié.

Il ouvrit la porte.

--Le mariage n'est pas fait, va! répondit Sougraine, en sortant.

--J'ai peut-être tort de le froisser, pensa le ministre. Il eut mieux valu attendre un peu.... Bah! qu'il aille au diable!

IX

Avant de venir à Québec la Longue chevelure avait parcouru plusieurs des villages échelonnés sur les bords du grand fleuve, demandant partout sa fille tant regrettée. Il avait visité le canton iroquois du Saut St. Louis, les indiens d'Oka, sur le lac des Deux Montagnes, les Abénaquis de la rivière Saint François. Nulle part il ne recueillit ces agréables rumeurs qui font naître l'espérance et soutiennent le courage. Il se rendit à Notre-Dame-des-Anges, sur la rivière Batiscan. Les gens de l'endroit se souvenaient à peine de l'enlèvement d'Elmire Audet. Le père de la jeune fille était mort; ses frères et ses soeurs travaillaient dans les fabriques américaines, et la mère, vieille et souffrante, s'était réfugiée l'on ne savait où. Quelques Abénaquis de la rivière Bécancour lui apprirent, aux Trois-Rivières, que Sougraine comptait des parents parmi eux. Il avait même laissé deux enfants, deux petits garçons, chez un de ses beaux-frères. L'un de ces enfants mourut fort jeune: l'autre était devenu quelqu'un, un monsieur, comme on dit à la campagne. Mais l'on ne savait plus où il demeurait. Quant à la jeune fugitive, personne n'avait eu connaissance de son retour. Il était, en différent temps, arrivé des voyageurs de l'Ouest, des pays d'en haut, de la Californie, mais on ne savait plus guère où les retrouver.

La Longue chevelure suivit ces indiens à la rivière Bécancour.

Les Abénaquis, dispersés parmi les blancs, songeaient à se réunir pour de nouveau vivre en tribu, comme par le passé. Ils désignèrent le chef Metsalabanlé, Thomas et plusieurs autres des plus considérables pour solliciter, auprès du gouvernement, l'autorisation de se réorganiser et d'aller demeurer sur des réserves. La Longue chevelure s'achemina vers Québec en leur compagnie. Il voulait se rendre jusqu'aux rives du Golfe St. Laurent. Il devait traverser en faisant la chasse, la chaîne des Alleghanys, visiter la Baie des Chaleurs, puis se diriger vers le sud, fuyant les neiges du Canada, pour retourner enfin sous les climats plus doux des Etats Américains.

Le hasard le conduisait: le hasard ou plutôt la Providence, cette force mystérieuse qui nous pousse à notre insu, par une voie étrange, vers un but que nous n'apercevons point.

Sougraine venait d'arriver. Il cherchait quelqu'un lui aussi.

Souvent le souvenir de ses enfants s'était réveillé dans son coeur. Les folles passions d'autrefois, devenues calmes aujourd'hui, n'avaient pas étouffé pour toujours, au temps de leur éclosion, la sollicitude paternelle. Pendant qu'il errait dans les montagnes de la Californie, se faisant tour à tour mineur et trappeur; pendant qu'il s'égarait dans les villes, au milieu des flots d'aventuriers apportés, comme des épaves, de tous les coins du monde, flânant au soleil ou dormant à l'ombre, vidant la choppe de bière dans les tavernes du sous sol, ou grugeant des bananes sous l'auvent des marchandes de fruits; pendant qu'il parcourait, demandant son pain au travail de la ferme, les vastes champs couverts de maïs d'or et les prairies vertes comme des mers profondes, il songeait au pays, aux parents, aux amis, aux enfants, à tout ce qu'il avait aimé, ce qui est la vie, l'espoir, le bonheur, et il se trouvait bien malheureux. Des larmes mouillaient ses paupières. Ses enfants surtout, ses deux petits garçons, comme il aimait se les rappeler! Il évoquait leur souvenir, et ils apparaissaient devant lui dans la fraîcheur de leur enfance, comme aux jours de jadis. Il les voyait babiller comme des oiseaux. Il s'imaginait entendre leur voix dans le murmure des ruisseaux, dans le gazouillement des feuillages. Il voyait encore étinceler leurs yeux noirs, rire leur bouche mutine.

Mais eux se souvenaient-ils de lui? Voulaient-ils s'en souvenir? Le croyaient-ils coupable ou savaient-ils son innocence? Ils avaient peut-être oublié son nom.... Oublier le nom de son père!.... Ah! comme il eût donné cher pour les voir, n'aurait-ce été qu'un instant. Comme ils devaient être changés! Ils étaient devenus des hommes. Oui, ses petits enfants qu'il laissa un jour, pour se sauver avec sa honte et son déshonneur, ils sont des hommes aujourd'hui.... Et que font-ils dans le monde où il les abandonna?... Ceux qui en ont pris soin les ont ils protégés fidèlement? Vivent-ils pauvres, découragés, misérables, ou bien, dominant la fortune par leur énergie, se sont-ils fait une bonne place au soleil?... Pauvres enfants!

Il les reverra. Après plus de vingt ans d'exil on peut bien retourner dans la patrie. La vengeance doit être satisfaite et l'expiation assez grande. Et puis, on n'a peut-être pas retrouvé le cadavre de sa femme.... Et, si on l'a retrouvé, il n'a peut-être pas été reconnu.... Qui peut l'accuser après tout, lui Sougraine, d'avoir tué sa femme?.... Il a été bon, trop bon, peut-être, et c'est ce qui l'a perdu. Il ne fallait pas retourner à St. Jean pour la chercher. On ne l'aurait pas accusé. Ses enfants auraient juré qu'il ne l'avait pas tuée. Ils ne savaient pas, eux, ce qu'il allait faire tout seul, la nuit, sur la rive où était restée leur mère.... Si, encore, il n'avait pas fait la sottise d'oublier sa corde au cou de la malheureuse....

Et puis Elmire dont le sioux l'avait cruellement séparé, qu'était-elle devenue?... Elle serait aujourd'hui sa femme légitime, et des rayons de félicité tomberaient sur leur existence. Il regrettait d'avoir obéi à cet impérieux étranger et de s'être séparé d'elle. Elle était la femme d'un autre aujourd'hui sans doute, et elle repoussait, comme une vision infâme, le souvenir de l'homme qu'elle avait un jour trop aimé... O châtiment! l'amour qui se change en haine.

Toutes ces pensées venaient souvent à l'esprit de Sougraine et ne lui laissaient guère de repos. Elles le fatiguaient, elles ébranlaient ses premières résolutions, comme le pic du travailleur ébranle et démolit le mur qu'il frappe incessamment.... Il résolut enfin de revenir chez les siens et de soulever le voile qui lui cachait tant de secrets.

Il s'aventurait donc maintenant comme fantôme dans les rues étroites de la ville, recueillant toutes les rumeurs qui passaient dans l'air, interrogeant rarement et discrètement. Il n'avait pas osé se rendre directement à Bécancour, crainte de quelque mésaventure. Metsalabanlé était peut-être encore le chef de la petite tribu qui vivait en cet endroit, et cet homme intelligent mais impitoyable lui faisait peur. Il fallait s'assurer auparavant des dispositions des frères indiens.

Il rencontra les délégués de la tribu et put se joindre à eux sans éveiller de soupçons. Il se fit appeler la Langue muette.

X

Ce fut au bal de madame D'Aucheron que la Longue chevelure apprit pour la première fois, les noms et la demeure de quelques uns des voyageurs qu'il avait jadis sauvés de la mort. Le lendemain, un habitant d'une paroisse éloignée l'emmena chez lui. Son voisin avait fait autrefois le voyage de la Californie. Il savait peut-être quelque chose. Vain espoir. Ce voyageur avait traversé les Montagnes Rocheuses deux ans après Houde et Pérusse. Ils les avait vus cependant, là-bas, et avait travaillé avec eux dans les mines. Leroyer revint à Québec. Il lui semblait, malgré tout, qu'un horizon nouveau, tout or et tout lumière, s'ouvrait devant ses yeux. Une confiance inaccoutumée remplissait son âme et il éprouvait d'étranges enivrements. Il lui tardait maintenait de voir madame Villor. S'il avait su, il n'aurait pas fait ce voyage inutile,... Peut-être aurait-il trouvé sa fille aujourd'hui....

Il peigna ses longs cheveux, mit un gros diamant à sa cravate, car il était cravaté comme un bourgeois, passa dans ses doigts des anneaux où scintillaient les plus belles pierres, s'enveloppa dans une large écharpe comme un seigneur espagnol, chaussa des mocassins de caribou, comme un coureur des bois, mais des mocassins garnis de vraies perles, enfonça sur sa tête un *casque* de loutre et se rendit chez Rodolphe, le jeune docteur. Il voulait s'en faire accompagner.

Rodolphe était sur le chemin de Saint Raymond.

Le professeur à l'école normale, qui ne perdait pas une occasion de faire le bien et ne souffrait pas une minute de retard dans l'exécution d'un projet, venait d'apprendre qu'on demandait un médecin en cet endroit. Saint Raymond, une belle, grande et riche paroisse, comme vous savez. Il courut chez madame Villor, qui dépêcha sa fille à Rodolphe. Il fallait faire diligence, les bonnes paroisses sont rares. Une heure après le jeune médecin était en route. Saint Raymond était bien plus avantageux que Notre-Dame-des-Anges.

La Longue chevelure pensa qu'il devait aller présenter ses hommages à madame D'Aucheron, il verrait madame Villor en revenant. Ce serait mieux, on pourrait s'attarder longtemps ici.

Quand il entra, monsieur, madame et mademoiselle D'Aucheron, assis tous trois dans le salon, en face d'un âtre flamboyant, étaient engagés dans une conversation fort animée.

Il s'agissait encore du mariage de Léontine.

--Je ne parle pas souvent, disait le chef de la famille, mais quand je parle je veux être écouté; je dois l'être. Il faut que ce mariage ait lieu prochainement. Il y va de mon honneur: j'ai engagé ma parole; il y va de ma fortune politique: l'honorable monsieur Le Pêcheur me promet une place de conseiller législatif. On dira: si jeune et déjà conseiller! Pas d'élection à subir. On se moque du peuple. C'est la couronne qui nous choisit et non pas une foule ignorante et préjugée.... Le titre d'honorable jusqu'à ce que mort s'en suive... jusqu'à la mort, je veux dire. Je deviendrai ministre. Oui Le Pêcheur me l'a dit et je le crois. Je le sais; je connais ma valeur.... Un homme qui se connaît apprend aux autres à le connaître.... Ton mari ministre, ton père ministre, ma Léontine, est-ce assez de chance comme cela?

--Et pourquoi, mon enfant, reprenait madame D'Aucheron, pourquoi serais-tu récalcitrante? ne nous dois-tu pas tout ce que tu es, tout ce que tu as?

--Exploitez-vous une industrie? demanda la jeune victime, tout-à-coup blessée, suis-je donc un objet de commerce?

--L'entends-tu? s'écria le futur conseiller législatif.

--Seigneur Dieu! fit madame D'Aucheron, la révolte dans une âme que je me suis efforcée de rendre angélique.

--Pardon, fit Léontine, je ne voulais pas oublier le respect que je vous dois.

Elle se mit à regarder jouer les flammes légères du foyer qui s'élançaient en flèches ardentes vers la cheminée; son âme aussi, dans ses brûlantes aspirations, s'élançait vers un avenir encore rempli de ténèbres.

Ce fut en ce moment que la Longue chevelure se présenta. Il s'aperçut qu'il arrivait un peu trop tôt ou un peu trop tard. Il y avait du mécontentement sur les figures, de la gêne dans les manières.

--Nous sommes heureux de vous voir, lui dit monsieur D'Aucheron.

--Ce n'est pas sûr, cela, pensa le sioux.

Quelques instants après, mademoiselle D'Aucheron, priant le visiteur d'être indulgent, lui dit qu'elle devait sortir. On l'attendait: elle était en retard déjà.

Vilbertin survint. Il parut regretter l'absence de Léontine.

Il n'était pas gêné avec D'Aucheron, le gros notaire; avec personne. Au reste, il était le plus intime ami de la maison. Il amena la causerie sur le mariage de mademoiselle D'Aucheron.

La présence du sioux ne comptait point à ses yeux....

--Ce sera un brillant mariage, dit monsieur D'Aucheron.

--Un mariage heureux, ajouta sa femme.

L'indien, surpris, questionna du regard. Il n'aurait pas osé se mêler à cette conversation.

--Elle fait bien quelques petites résistances, observa madame D'Aucheron, mais elle a trop de bon sens et elle nous aime trop pour ne pas consentir à cette splendide union.

--Ce serait un grand malheur pour moi que la rupture de ce projet, reprit le chef de la maison, en regardant La Longue chevelure.

--Je sais que dans votre société civilisée, remarqua alors le siou, il y a des mariages de convenance que l'on ne connaît pas chez nous, dans nos forêts. Vous vous mariez pour avoir de l'or, des honneurs, une position, nous nous marions pour avoir la personne que nous aimons. Vous avez souvent des chagrins intimes, nous n'en avons jamais. Il faut que le coeur aime et nulle puissance au monde ne peut l'empêcher de rechercher l'objet qu'il a choisi. S'il ne le possède pas par le mariage il le possédera malgré le mariage.

--Vous êtes naïfs, vous autres les indiens, dit en riant l'homme d'affaire, et vous placez encore l'amour parmi les choses sérieuses. Il y a longtemps que la civilisation l'a mis à sa place. C'est l'égoïsme qui prime tout, mais un égoïsme revu et corrigé: le soin de son bien-être. Vous comprenez? Ne pas souffrir. C'est moi qui ai trouvé ce mot. C'est très large et très juste. Songez-y. L'amour! c'est un passe-temps, une distraction, quelquefois une malice. C'est moi qui ai trouvé ce mot-là aussi. Il a son application.

--Mademoiselle votre fille ne me semble pas partager votre manière de voir, fit l'indien, qui se leva pour prendre congé.

--Elle est jeune, répondit D'Aucheron, et la jeunesse donne encore dans les vieilles idées, laissez-la vieillir, elle acceptera bien les nouvelles.

Vilbertin ne trouvait pas fort rassurantes les dispositions de son ami. Il se mit à parler affaires. L'achat de la maison de la Grande allée était chose faite. On ne le regrettait point. On paierait cela comme le reste, d'un coup de dé. Tous les spéculateurs ont des veines de chance; on l'attendait avec assurance, la veine, et les yeux fermés. Il y en a comme cela qui ferment les yeux pour ne pas voir leur folie.

Leroyer se fit conduire rue Richelieu et monta chez madame Villor. Mademoiselle D'Aucheron venait d'entrer. Madame Villor tenait une lettre à la main et paraissait toute troublée. La Longue chevelure exposa le motif de sa visite. Il était tellement ému que sa voix tremblait comme celle d'un vieillard.

Léontine et Ida disaient:

--S'il pouvait retrouver son enfant!

A la grande surprise des jeunes filles, madame Villor balbutia, parut chercher des paroles, s'efforcer de se souvenir. Elle portait la main à son front. Ida pensait:

--Maman est-elle malade? Elle n'est pas comme de coutume.

La Longue chevelure semblait découragé.

--Qu'est-ce donc que cette lettre que tu viens de recevoir, petite mère? demanda mademoiselle Ida.

--Je ne sais pas, fit madame Villor, agitée par une émotion étrange.

--Mon Dieu! tu me fais peur, reprit la jeune fille.

--Rodolphe!... exclama Léontine, qui ne pensait qu'à son ami.... Serait-ce un malheur?

Et elle devint toute livide.

Madame Villor fit signe que non.

--Tu nous caches un secret... j'ai peur... montre cette lettre, mère. Voyons, il faut tout savoir, continua Ida.

Elle prit la lettre d'une main fiévreuse et lut vivement à haute voix.

"Malheur à vous! malheur à votre fille! malheur à Rodolphe! si jamais vous dites un mot à qui que ce soit, vous entendez bien? à qui que ce soit, au sujet de la petite fille sauvage amenée des Montagnes Rocheuses, par votre frère, il y a vingt-trois ans. On prouvera que vous avez eu votre part de l'argent...."

La figure d'Ida qui s'était colorée tout à l'heure, sous les coups de fouet du sang, devint d'une pâleur extrême à la lecture de cette dernière ligne. Ida l'avait lue tout d'un trait, sans y regarder d'avance. Elle était blessée au coeur. L'oeil de madame Villor étincelait.

--J'ai pris ma part de l'argent, dit-elle lentement, ma part de l'argent.... Mensonge! horreur!

Les deux jeunes filles se levèrent spontanément tout heureuses de cette énergique protestation. Elles savaient bien que Madame Villor était une femme d'une grande probité, et il leur était pénible de voir sa vertu subir les morsures de la calomnie. Mais si madame Villor n'avait rien à craindre de cette lâche accusation, elle pouvait bien parler. C'est ce qui vint à leur pensée. La pauvre femme comprit cela aussi.

--La jeune enfant, commença-t-elle, je l'ai... elle a....

Sa langue tout à coup embarrassée balbutia des mots incohérents.

--Qu'avez-vous donc, mère, s'écria la jeune Ida, qu'avez-vous donc?

Madame Villor venait de s'affaisser. Elle n'avait pu soutenir le choc des émotions. La surprise, la peur, le pressentiment d'une sourde persécution, la pensée de voir des malheurs inconnus tomber sur sa fille chérie, tous ces fantômes qui se précipitent, à certaines heures, dans les imaginations vives et bouleversent les tempéraments faibles, l'avaient brisée de même que l'orage brise une plante délicate, et elle gisait là comme dans une agonie cruelle. Les jeunes filles tout en pleurs crièrent au secours. Les voisins accoururent. On appela le prêtre et le médecin.

La Longue chevelure sortit désolé. Y avait-il eu un drame sur le berceau de sa fille comme sur la tombe de sa femme?

XII

Le notaire Vilbertin, de retour à son étude, se livrait aux charmes de la rêverie. L'exercice était nouveau pour lui. Il n'avait jamais songé qu'à grossir son trésor, à bien arrondir sa fortune, et cela tenait de la prose plutôt que de la poésie. C'était un travail, non une récréation. Aujourd'hui un nouveau rêve hantait son esprit. Il se sentait dominer par une mystérieuse puissance, il y avait un envahissement de tout son être par une passion étrange, et il eût voulu s'endormir dans cet enivrement des sens. Il redoutait le réveil. L'image de mademoiselle D'Aucheron passait et repassait sans cesse devant ses yeux fermés. On voit mieux sa pensée quand on ferme les yeux. On dirait qu'on regarde en dedans.

Il n'était pourtant pas sans inquiétude, le gros notaire, et plus il devenait amoureux plus il avait peur de ne pouvoir saisir l'objet de ses désirs. Le ministre était un rival formidable. D'Aucheron le laissait bien voir. Il était jeune, élégant, galant, sur la voie de la fortune, arrivé aux honneurs. Rodolphe, l'autre rival, serait moins difficile à supplanter. Il ne le redoutait guère, celui-là. Il comptait un peu sur la chance et jouait en aveugle. Il ne faudrait cependant pas tarder longtemps à se mettre sur les rangs; il ne fallait pas non plus brusquer une déclaration. N'importe le moyen, il l'aurait cette belle jeune fille. Il sentait maintenant un vide énorme dans son existence. Il ne s'était jamais vu seul comme cela. Oh! comme il l'aimerait, comme il la traiterait avec bonté! Il aurait du plaisir à satisfaire ses caprices, car elle en aurait des caprices; toutes les jeunes femmes en ont. Il ne vieillirait plus! non, il aurait tant de soin de lui-même que les années glisseraient, glisseraient sans laisser de traces sur son front.... Les rides--il était quelque peu ridé--les rides s'effaceraient sous les baisers de la jeunesse.

Il se leva. Le feu qui le mordait au coeur mettait des reflets pourpres sur sa face ronde.

--O amour! amour! soupira-t-il.

Et sa main cherchait à comprimer les battements de son coeur.

Une voiture attelée de deux chevaux fringants s'arrêta devant sa porte et une dame enveloppée de riches fourrures descendit aussitôt.

Les rêves couleur de rose du gros notaire s'envolèrent comme des oiseaux qu'épouvante un coup de foudre, et des pensées plus pratiques arrivèrent alors.

--Mon ami D'Aucheron n'a pas perdu de temps, pensa-t-il. Il donne dans le panneau comme un poisson dans le filet. La maison de la Grande allée, 15,000 dollars, l'ameublement, 5,000, cela fait 20,000; les voitures, les chevaux, les harnais, une couple de mille encore, cela fait bien 22,000 dollars. Et pour payer tout cela, il faut faite un emprunt.

Il n'eut pas le temps de piétiner davantage sur l'amitié de son intime, la visiteuse entrait.

--Comment vous portez-vous, depuis tantôt, mon cher notaire?

--A merveille, madame,... à merveille! En vérité, je vous le dis, on rajeunit; ma parole, on rajeunit.

--Que vous êtes heureux, vous!

--Et comment, belle dame, vous n'allez pas vous plaindre des rigueurs du temps, je l'espère. Vous êtes demeurée jeune, fraîche, aimable comme à dix-huit ans.

--Vous êtes trop flatteur pour être vrai. Dans tous les cas si j'ai eu du bonheur dans le passé, j'ai du chagrin aujourd'hui; oui, j'ai du chagrin.

--Vous paraissiez pourtant bien heureuse tout à l'heure... vite, contez-moi çà. Vous savez, le notaire c'est comme le confesseur.

--Je vais vous le dire mon secret. J'ai besoin d'un peu d'argent. Il me faudrait cent piastres et je ne voudrais pas les demander à mon mari. C'est une surprise que je veux lui faire.... Il faudrait garder la chose secrète, bien secrète. Je vous rendrai moi-même cette somme avant longtemps...

--Eh! juste ciel! chère madame, voilà pourquoi vous n'êtes pas heureuse, vous, parce qu'il vous faut cent dollars?

--Oh! non, il y a autre chose. Ce n'est pas un secret, du reste, et mon mari vous en a parlé il y a un instant. Il s'agit de ma fille, de Léontine. Elle est d'un entêtement ridicule. Elle s'obstine à repousser l'honorable M. Le Pêcheur. C'est vraiment décourageant. Il faudra bien qu'elle cède cependant. Je l'ai dans la tête, son père aussi. Elle s'est éprise de ce petit docteur. Heureusement qu'il va s'établir à la campagne, loin d'ici. Ils ne se verront pas souvent et finiront par s'oublier.

--C'est ce que je crois, ajouta le notaire; c'est aussi ce que j'espère. Et ce mariage avec le ministre se ferait bientôt?

--Le plus tôt possible.

--Allons, mon petit, pensa Velbertin, joue serré. Madame, ajouta-t-il tout haut, ma bourse est à votre disposition. Je ferai, pour vous être agréable, tout ce qu'il est possible à un galant homme de faire, et je serai discret par dessus le marché! mais si un jour j'ai besoin de vous, vous m'aiderez, n'est-ce pas?

--Comptez sur moi, monsieur le notaire.

Madame D'Aucheron sourit mais avec amertume.

--Savez-vous que madame Villor est bien mal, reprit-elle.

--Non? comment cela?

--Après la lecture d'une lettre, paraît-il, elle s'est évanouie, puis elle a été frappée de paralysie. Elle ne peut plus parler.

--Et que disait cette lettre?

--Cette lettre? je ne le sais pas.

--Pauvre femme! Je lui ai fait remise de son loyer... c'est peut-être la joie....

Madame D'Aucheron retourna chez elle dans son magnifique sleigh attelé de deux chevaux. Le cocher, un énorme bonnet de peau de loup sur le chef, un paletot à trois collets sur le dos, conduisait fièrement l'attelage. Il semblait né cocher, car il y en a qui naissent pour conduire comme d'autres pour être conduits. Secret du destin.

XIII

La Langue muette venait souvent chez les D'Aucheron et cela pouvait éveiller la curiosité. La curiosité éveille le soupçon, et le soupçon est le plus obstiné comme le plus sournois de tous les dénicheurs de choses louches. Il ne désirait qu'une chose: aller vivre et mourir tranquille, à l'abri de toute crainte, en quelqu'endroit éloigné. Pour arriver à ce terme heureux de sa destinée il avait besoin d'argent, et son ancienne amie lui en donnait à pleines mains. Il le fallait bien. Elle était à sa merci. Il n'avait qu'à dire un mot et tout était fini pour elle: Honneur, respect, plaisir, fortune, amour, tout! Pauvre femme! elle payait cher ses faiblesses de jadis. Elle eût voulu le charger d'or, ce monstre qui la poursuivait, le gorger de richesses, pourvu qu'il s'éloignât, pourvu qu'il disparût à jamais.... Ses nuits se passaient dans d'affreuses songeries. Le jour, elle pouvait se distraire un peu. Elle recevait ses amies, sortait pour faire admirer ses belles toilettes, et le bruit, les plaisirs l'étourdissaient un peu. Elle oubliait. La nuit, quand tout se taisait autour d'elle, les cris de sa conscience devenaient terribles. Il lui semblait que tout le monde pouvait les entendre. Mille pensées lugubres l'absorbaient. Ses amies se raconteraient son histoire. Comment trouvez-vous l'histoire de la D'Aucheron? diraient-elles, et elles éclateraient de rire. Des sueurs froides mouillaient son corps convulsivement agité. Son sommeil avait quelque chose de plus pénible encore, car elle ne pouvait point chasser les sombres visions qu'il lui apportait.

Elle remit à Sougraine les cent dollars qu'elle venait d'emprunter au notaire.

--Voyons, dit-elle, sois généreux enfin, pars, ne me condamne pas à un plus long supplice; j'en mourrai, bien sûr.

--Ecoute, tu ne veux pas dire à l'indien où est son enfant.... As-tu peur qu'il l'enlève comme il t'a enlevée autrefois?... Si c'est Léontine on la laissera ici pour qu'elle vive dans les plaisirs.... Oh! va! on l'aimera assez pour ne pas troubler son bonheur.... Avoir un enfant et ne pas pouvoir lui dire: moi, je suis ton père... et ne pas pouvoir mettre un baiser sur son front, et ne pas avoir le droit de lui demander une petite place dans son coeur! tu comprends, c'est affreux cela... Non, non, l'indien ne s'en ira pas ainsi!... Il ne dira rien, il ne fera rien, mais il ne s'en ira pas... Et puis, les deux garçons, tu sais? il faut qu'on les retrouve eux aussi....

--Je vous l'ai déjà dit, Sougraine, je ne sais pas ce qu'est devenu notre enfant. Je ne l'ai jamais vu... Nous avons pris à l'hospice des soeurs de la charité la jeune fille que vous voyez avec nous.

--Eh bien! écoute, l'indien ne partira pas, excepté si tu lui donnes encore de l'argent, beaucoup d'argent.

Le mal répugne d'abord à toute personne, quelque perverse qu'elle soit, parce qu'il est de sa nature opposé à Dieu. L'âme est faite pour Dieu et son premier mouvement doit être pour le bien. La lutte s'engage bientôt à cause de notre liberté d'action. Nous succombons souvent parce que nous écoutons nos sens, et c'est par eux que nous sommes vaincus. Les considérations supérieures de l'esprit ne valent pas, aux yeux de la foule grossière, les ivresses de la chair.

L'on cherche naturellement à se débarrasser de l'ennemi qui nous persécute. Madame D'Aucheron songeait à se défaire de Sougraine et se mettait l'esprit à la torture pour trouver le moyen d'y arriver. Elle n'aurait pas voulu commettre un crime, mais elle ne pouvait cependant pas supporter toujours cet affreux état de chose.

XIV

Rodolphe s'en revenait tout joyeux de St. Raymond. Sur la côte élevée qui domine le village, au sud, il s'arrêta pour embrasser d'un coup d'oeil les jolies maisons groupées dans la vallée, sur le bord de la rivière. Le clocher de l'Eglise étincelait au soleil et cent colonnes de fumée montaient en ondoyant dans le ciel d'azur.

--Léontine aimera bien ce poétique endroit, pensa-t-il; comme nous serons heureux ici!

Le cheval se mit au trot sur le chemin de neige qui serpentait comme un ruban d'argent à travers les montagnes bleues, et les grelots éveillés tintèrent joyeusement dans la vaste solitude des Laurentides, comme des chants d'oiseaux quand le printemps fleurit.

--Ce bon M. Duplessis, pensait encore Rodolphe, il me rend véritablement heureux. Je n'aurais pas songé à venir planter ma tente dans cette ravissante oasis. Mon vieux Québec je ne te regretterai guère. Le rêve de mon enfance va donc se réaliser: une retraite paisible sous les bois, une chaumière sur le bord d'un ruisseau, une femme adorée près de moi.

Il lui tardait de voir Léontine pour lui dire comme ils auraient du bonheur là-bas.... Et sa bonne tante et sa charmante cousine, il pourrait sans doute leur trouver un petit coin dans son nouveau paradis.

Il entra dans la ville qu'il trouva bien sombre et fit arrêter la voiture à la porte de madame Villor. Il monta. Sa cousine vint ouvrir. Il l'embrassa, couvrant d'un frimas léger ses lèvres roses.

--Ma tante? dit-il, ou est ma tante? Bonne nouvelle, va, cousine, bonne nouvelle.

--Triste nouvelle, cousin répondit-elle, et elle se mit à pleurer.

Rodolphe fut saisi de crainte.... Il devina.

--Ma tante est malade, Ida? Ma tante est malade? Dis, parle....

--Bien malade, mon cher Rodolphe.

Et elle le conduisit au lit de sa mère.

La pauvre malade eut un redoublement d'angoisses à la vue de son neveu, et des larmes remplirent ses grands yeux souffrants.

--La paralysie, fit le jeune médecin en branlant la tête.

Ida n'osait parler.

--Dis-moi tout, cousine, dis-moi comment cela est survenu; il faut que je le sache.... Il est plus facile de guérir une maladie quand l'on en connaît les causes.

Ida lui raconta comment l'accident était arrivé, car c'était bien comme un accident, cette maladie subite.

Rodolphe ne pouvait revenir de son étonnement. D'où partait le coup? Qui avait intérêt à cacher l'existence de cette enfant sauvage? Il devait y avoir une question d'argent au fond de cela. On trouverait sans doute en cherchant un peu. Il ne manquait pas de gens qui se souvenaient de son père, à lui, et de la petite fille toute jeune qu'il avait amenée de la Californie. Pour lui, il ne se souvenait de rien. Si sa tante pouvait parler! Il faudra bien qu'elle parle....

Le jeune médecin fit appel à toutes ses connaissances. Il commençait à livrer une guerre sans merci au mal qui tuait sa tante.

XV

Les D'Aucheron étaient venus habiter leur maison nouvelle de la Grande Allée; les visiteurs affluaient. Duplessis disait avec un peu de malice en voyant la splendide demeure: *Quand on taille dans le cuir des autres on peut faire large courroie.* L'Honorable monsieur Le Pêcheur ne manqua pas une si belle occasion d'aller visiter ce qu'il croyait être sa future propriété. D'Aucheron l'avait dit, c'était pour Léontine. Or, ce qui était pour elle était pour lui, n'est-ce pas? puisqu'elle allait devenir sa femme.

--Je suis née pour le malheur, pensait Léontine, inutile de chercher à fuir ma destinée, je serai malheureuse.

Elle devenait fataliste. Il n'y a pas de destinée absolument nécessaire. S'il y en avait une il n'y aurait point de liberté, par conséquent point de responsabilité; donc ni bien, ni mal. Il y a une destinée que l'on est libre de suivre ou de ne pas suivre. On est poussé vers cette destinée, mais on peut résister; on est sollicité, mais l'on discute les motifs.

Son amour pour Rodolphe ne faisait que grandir devant les obstacles, mais sa raison aussi parlait plus haut, et son coeur saignait à la pensée de causer une peine mortelle à des personnes dont l'affection pour elle avait été si profonde. A l'aspect de la douleur de sa mère, elle se sentait ébranlée dans ses résolutions et trouvait naturel le sacrifice de sa personne.

Voici comment, presque tout à coup, elle en était venue à cet état d'abnégation ou d'anéantissement moral.

Elle avait remarqué les visites fréquentes de la Langue muette et le trouble que la présence de cet étranger jetait dans l'esprit de sa mère adoptive. Sans chercher des mystères que sa naïve innocence ne soupçonnait point, elle voyait bien qu'il y avait quelque chose d'insolite dans cette obstination du sauvage à revenir sans cesse dans une maison où on le connaissait à peine. Elle ne songeait pas à scruter ce secret, et elle serait demeurée indifférente à ce qui se passait autour d'elle, si le hasard, ce terrible instrument de la providence qui y voit plus clair que nous, n'était venu lui montrer un abîme où pouvaient rouler, d'une minute à l'autre, les personnes qui lui tenaient lieu de père et de mère.

De retour de sa promenade, se rendant à sa chambre, elle passa devant la salle à manger dont la porte était fermée. Une voix suppliante frappa son oreille. C'était la voix de sa mère.

--Je t'en supplie, disait-elle, ne trahis point notre secret. Va-t-en pour ne plus jamais revenir....

Etonnée, elle s'arrêta instinctivement.

--L'indien veut encore de l'argent, dit une autre voix, une voix d'homme.

--Je n'en ai plus: je ne trouve plus personne qui veuille m'en prêter.

--Je resterai.

--Sougraine, je t'en conjure, ne me perds point.... Au nom de notre ancien amour! Pour le bonheur de notre fille!....

--Notre fille! hein! que dis-tu?..... Notre fille! Léontine est la fille de Sougraine?.... de Sougraine? Sa fille? oh! dis, c'est bien vrai?

--C'est vrai... mais sauve-la! sauve-nous...

Un flot de sang monta à la figure de Léontine. Elle crut qu'elle allait mourir. Elle s'appuya sur le mur, tenant son front dans ses mains crispées comme pour en arracher une pensée affreuse, puis elles se traîna jusqu'à sa chambre et tomba au pied de son crucifix. La prière, c'est le seul refuge efficace des vraies douleurs.

Sougraine! Sougraine! ce nom qu'elle ne connaissait que depuis quelques jours tintait comme un glas funèbre à ses oreilles!

Sougraine! Sougraine! c'était le chant de mort de ses amours et de ses espérances!

Sougraine! Sougraine! Toujours il revenait ce nom fatal, et rien, rien ne pouvait le chasser. Il se liait au nom de sa mère.... ils devenaient inséparables, ces deux noms, comme deux serpents qui s'entrelacent et mêlent leurs orbes dans l'amour ou la haine....

Elle demeura longtemps au pied de la croix, dans un inexprimable abattement et ne parut pas au souper. Sa mère, fort agitée elle même, remarqua peu son absence. Cependant elle était plus gaie que d'ordinaire et elle s'applaudissait de l'heureuse idée qu'elle avait eue. M. D'Aucheron n'avait pas seul le monopole des idées heureuses. Pourquoi n'avoir pas pensé à cela plus tôt? Que de persécutions et de soucis elle se serait exemptés!... Sougraine aurait été son esclave au lieu de se faire son tyran! Il ne lui demanderait plus d'argent, maintenant, pour garder l'horrible secret. Il ne voudrait jamais rien faire qui pût troubler la douce quiétude de son enfant.... Son enfant!

Léontine venait de prendre aux pieds du Christ l'héroïque résolution de s'offrir en victime pour le salut de sa mère. Elle avait besoin du secours de la Foi pour ne pas faiblir. Ce qui l'effrayait surtout, c'était la pensée que Rodolphe, atteint dans ses affections les plus pures, déçu dans ses plus chères espérances, finirait peut-être par le mépriser. Il ne saurait pas, lui, les motifs impérieux et sacrés qui la faisaient agir; il ne les saurait jamais. Elle en mourrait probablement. On meurt de chagrin; les peines de l'âme minent et détruisent le corps. On dit: une maladie de langueur emporte cette jeune fille, cette jeune femme; oui, mais cette langueur est née de quelque grande douleur.

Les personnes énergiques n'aiment point les atermoiements et vont droit au but; l'incertitude les irrite; elles veulent des situations claires et bien dessinées. Pas de tergiversations! Aussi, Léontine se rendit immédiatement chez son amie, pour lui apprendre la pénible décision qu'elle avait prise tout à coup et lui demander de la soutenir dans le combat terrible qu'elle se livrait à elle même. Ce serait pour Ida un triste devoir à remplir. L'amitié en a souvent. Elle était si bonne, Ida, qu'elle ne s'arrêterait pas une minute à la pensée qu'on pouvait vendre son amour ou le sacrifier à des motifs de vanités. Elle soupçonnerait une raison, sans jamais deviner le terrible secret.

Ida fut péniblement affectée de la résolution de son amie. Elle en fut presque choquée. Mais quand elle vit pleurer la malheureuse jeune fille elle se laissa attendrir et se mit à pleurer elle-même.

Rodolphe, qui ne laissait guère sa tante malade, arriva sur les entrefaites. Il crut que les jeunes filles pleuraient à cause de la maladie de madame Villor et s'efforça de les consoler en leur disant qu'il y avait du mieux, un mieux sensible.

--O ma Léontine, fit-il, que nous serons heureux là-bas, dans le nid que nous allons construire, sous les bois, comme les oiseaux!... St. Raymond est une charmante paroisse. C'est en été qu'il fera bon d'y séjourner. De la verdure à foison, des arbres superbes, deux rivières qui luttent de limpidité et font au village une ceinture gracieuse, des côtes d'une hauteur prodigieuse et d'où les yeux plongent en des horizons d'or et d'azur!

Léontine, pâle, la douleur peinte sur la figure, le regardait à travers ses larmes et ne disait rien.

--Rodolphe, dit Ida, c'est un rêve que tu fais là... ce n'est qu'un rêve.

Léontine se cacha le visage dans ses deux mains et fit entendre un sanglot.

--Un rêve que je fais? reprit Rodolphe, un rêve qui va se réaliser, n'est-ce pas, Léontine?

Il avait peur de la réponse, malgré son air d'assurance.

Mademoiselle D'Aucheron branla la tête lentement à deux reprises et ne répondit point. C'était une réponse que ce silence, une réponse douloureuse que le jeune homme ne comprit que trop.

--Comment, vous trompez ainsi mes plus chères espérances, s'écria-t-il? vous ne m'aimez donc plus?....

--Rodolphe, je vous aime plus que jamais, Dieu m'en est témoin... et pourtant il faut que nous nous oubliions....

--Moi, vous oublier?..... Les femmes qui se vantent de leur tendresse infinie et de leur éternelle fidélité peuvent, dans l'espace d'un jour, mentir à leurs serments, oublier leur amour, mais les hommes ne sont pas ainsi, dit Rodolphe avec amertume.

--Rodolphe, je vous en supplie, fit Léontine, joignant les mains et regardant son fiancé avec l'expression de la plus affreuse douleur, ne me jugez pas, vous me jugeriez mal! ayez pitié de moi, je suis la plus infortunée des femmes! ne me méprisez point, je ne suis point coupable!

--Alors expliquez votre conduite et faites-moi connaître au moins le pouvoir occulte auquel vous obéissez.

--Impossible. Le secret qui me lie n'est pas le mien et je n'ai pas le droit de le révéler.... Ce serait un crime. Dieu seul peut le dévoiler. Rodolphe, il est un homme qui saura tout parce que cet homme prend la place de Dieu, c'est le prêtre. Je lui dirai tout; je lui ouvrirai mon coeur; il y verra tout l'amour que j'ai pour vous, toutes les angoisses qui me torturent. Il vous dira ensuite si je suis digne de mépris ou de pitié.....

Rodolphe réfléchit un instant puis il reprit d'une voix grave et brisée.....

--Léontine, ce que vous faites doit être bien, malgré le mal que j'en ressens. Vous m'aimez et vous me sacrifiez à un devoir plus saint que l'amour, que Dieu soutienne votre courage. Je serais indigne de vous si je ne respectais point votre secret ou si je suspectais vos motifs.

--Rodolphe, je n'ai plus qu'un espoir...... mourir bientôt......

Quand mademoiselle D'Aucheron fut sortie, Rodolphe et sa cousine, profondément attristés, cherchèrent longtemps, mais en vain, qu'elle pouvait être la cause de cette détermination subite.

--O mes beaux rêves! ô mes doux espoirs! ô félicités divinement entrevues!... adieu! adieu! dit à la fin le jeune docteur, et son front resta longtemps appuyé sur sa main. Un souffle avait passé et l'édifice de sa félicité n'était plus qu'une ruine.

XVI

Madame D'Aucheron, certaine maintenant que son ancien amant ne la trahirait point, se livrait à des accès de folle gaîté, riait, se moquait de la peur qu'elle avait eue, s'apostrophait à cause de sa sottise. Elle voulait se dédommager de ses angoisses. Elle s'attendait si peu à ce retour de la fortune. Les bonheurs vont deux par deux comme les malheurs. Quel allait être l'autre? Elle ne tarda pas à le savoir et faillit, dans sa joie inopinée, gâter sa délicieuse quiétude par une parole imprudente. Elle était dans son boudoir, voluptueusement enfoncée dans une berceuse de velours, rappelant avec délice les amertumes qu'elle avait bues, quand sa fille entra, se mit à genoux devant elle, l'entoura de ses deux bras et, l'embrassant avec une fiévreuse ardeur, lui dit:

--Mère, je n'apporte plus de résistance à tes volontés; je suis ton enfant soumise.

Madame D'Aucheron était sa véritable mère, il fallait donc qu'elle fût sa véritable fille. C'est ce qu'elle pensait. L'amour filial qui se réveillait tout à coup au fond de son coeur la transformait et lui donnait une grande force pour supporter les afflictions. On ne dit jamais au calice: Passe loin de moi! quand, en le vidant jusqu'à la lie, on peut arracher à la douleur le coeur d'une mère.

Madame D'Aucheron ne se mit pas en peine de savoir d'où venait un pareil changement dans les dispositions de sa fille. Elle crut y voir le travail de la vanité. Elle ne connaissait guère d'autre mobile aux actions, la pauvre femme.

--Chère enfant, dit-elle, comme tu me fais plaisir!... comme ton père va t'aimer! comme monsieur le ministre, ton futur mari, éprouvera de joie et de reconnaissance! Tu seras une grande dame. La femme de l'honorable monsieur Le Pêcheur! Il y en a qui ne trouvent point ce nom-là de leur goût, mais cela sonne bien; surtout avec le titre d'honorable. Tu vas faire des jalouses, ma petite, tu es bien heureuse. Et moi, quand je dirai: ma fille, madame la *ministresse*... Il m'en passe des frissons.... J'ai de l'orgueil, vois-tu. Une mère est toujours orgueilleuse de ses enfants.... C'est comme si tu étais ma propre file..... Je t'aime autant.....

Léontine, la tête appuyée sur sa mère, était navrée par l'émotion. Elle se releva subitement, à cette dernière parole, et son regard interrogea madame D'Aucheron qui ne comprit pas.

--Ma mère rougit de moi, pensa-t-elle, et j'irais dire à un homme: prends moi pour ta femme, je suis digne de toi!... jamais! oh! jamais! La honte de ma naissance sera le châtiment de celui qui m'achète.....

Elle alla plus tard, comme elle l'avait dit, épancher son coeur dans le sein de son directeur. Elle avait besoin de s'appuyer sur quelqu'un pour marcher dans cette voie douloureuse où elle venait d'entrer. L'étonnement du prêtre fut grand; grande aussi fut son admiration pour le dévouement sublime de l'enfant. Cependant il ne trouva pas qu'il y avait lieu de se hâter d'accomplir le sacrifice. On pouvait temporiser. Le danger ne semblait pas imminent. Que d'incidents pouvaient surgir et modifier la situation. Puis il fallait toujours espérer en Dieu, même contre toute espérance. C'est quand les hommes de bonne foi ont perdu leur voie et se sont égarés dans des ténèbres les plus profondes, que la Providence fait rayonner son étoile pour diriger leur pas.

Léontine revint consolée, fortifiée, et comme bercée par l'espérance d'une mystérieuse protection.

XVII

Les jours passaient.

Sougraine était content. S'il ne pouvait sans danger chercher ses deux garçons il pouvait, au moins, voir sa fille. Il pourrait un jour se faire connaître à elle, car par sa position elle le protégerait.... Elle allait se marier avec un homme puissant!... Quelle chance! Après tout, son affaire n'aurait pas si mal tourné.... Il entra dans un hôtel et but un peu sec. Il fallait saluer la bonne fortune. Quand il sortit il rencontra Leroyer.

--Viens prendre un verre de vin, lui dit-il, la Langue muette a la joie au coeur, et puis il a de l'argent.

Il montra un rouleau de billets de banque.

La Longue chevelure le regarda tout surpris.

--Je ne te croyais pas si riche, Langue muette, lui dit-il....

--Riche et heureux!... On n'a pas dit le dernier mot.

La Langue muette, grisé par le vin, par la satisfaction d'avoir extorqué une bonne poignée de dollars et le bonheur d'avoir retrouvé, dans une position fort honorable, un enfant qu'il n'avait jamais connu, s'abandonnait aux délices du moment. De taciturne qu'il avait été il devenait jovial, de méfiant il se faisait expansif. La Longue chevelure suivait avec une certaine curiosité les phases de son ivresse. L'homme qui boit perd tout contrôle sur lui-même et devient indiscret. Il ne voit plus les choses telles qu'elles sont, mais transformées de mille façons selon les caprices de son imagination ou l'humeur de son caractère. Il se croit plus fort et plus roué que tous les hommes ensemble et ne craint plus de les provoquer. Il se vante et ne souffre pas qu'on le mette en parallèle avec d'autres. Ce qu'il fait, nul ne le ferait mieux, ce qu'il ne fait pas, on aurait tort de le tenter. Il trahit souvent ceux qui ont mis en lui leur confiance et il se trahit lui-même.

--Mon frère La Langue muette a peut-être assez bu, observa La Longue chevelure.

--La Langue muette peut boire encore et garder toujours la prudence du serpent, répondit Sougraine. Il n'a que des amis, et des amis puissants.

--Il est bon d'avoir des amis, surtout de savoir les garder, répliqua La Longue chevelure.

--L'amitié de la Langue muette est recherchée comme un trésor et sa puissance est grande, répondit avec ostentation, l'Abénaqui.

Il ouvrait la porte aux confidences. La Longue chevelure profita de l'occasion.

--Ton influence et ton amitié sont bien payées si j'en juge par ce que je vois, dit-il.

--La Langue muette n'a qu'à parler et l'or tombe dans ses mains comme une pluie. La Langue muette a ses secrets. Il tient dans ses mains la destinée de plusieurs. Mais il ne parlera pas.

--La Langue muette n'était ni si riche, ni si puissant il y a quelques jours, alors qu'il me demandait quelques misérables écus pour faire le voyage de Québec à Bécancour.

--La Longue chevelure était bien pauvre la veille du jour où il trouva des diamants bruts dans les Montagnes-Noires....

--Qui t'a dit cela? Langue muette.

--La Longue chevelure, lui-même, à Los Angeles.

Le sioux s'approcha de l'Abénaqui et le regarda fixement dans les yeux.

L'Abénaqui perdait contenance. Il s'apercevait tout à coup qu'il n'avait pas eu la prudence du serpent.

--Tu as bien vieilli depuis vingt-ans, Sougraine, mais tu n'as pas acquis la sagesse. Je t'ai dit que tu buvais trop....

Sougraine fut un instant abasourdi.

--Si la Longue chevelure a reconnu Sougraine, qu'il ne le trahisse point, supplia-t-il.

--La Longue chevelure n'est pas un traître!... mais d'où te vient tant d'argent et tant de gaieté?...

--Sougraine a retrouvé un enfant.... Tu sais? l'enfant de la jeune canadienne qui le suivit aux Montagnes Rocheuses.... C'est une fille. Tu l'as vue, tu la connais. Elle est belle, elle est riche, elle va épouser un ministre, monsieur Le Pêcheur.

--Que dis-tu là, Langue muette? Mademoiselle Léontine est ton enfant?... Tu ne te moques pas de moi?... Mais comment sais-tu cela?...

--Voilà ce que la Langue muette aura la sagesse de taire.

Un éclair traversa l'esprit du siou; c'était un souvenir limpide de certains incidents de la soirée de madame D'Aucheron.

--Sougraine, sois prudent. Je te quitte, mais pour te revoir bientôt.

Il voulait avoir le coeur net de cette affaire mystérieuse, le beau siou, et il se rendit chez madame D'Aucheron. Le Pêcheur prenait justement congé des dames. Elles se tenaient debout près de la porte où s'engouffrait un petit vent froid qui les faisait frissonner sous leur châles de laine.

--Au revoir, ma charmante amie, disait-il à Léontine. A bientôt, pour ne plus jamais vous quitter.

--Tu y vas un peu vite, toi, pensa le siou. C'est la fille de Sougraine. Eh bien! nous allons voir; c'est une partie à deux....

Il entra.

Tout en causant il envisageait madame D'Aucheron qui, sous son regard perçant, rougissait comme une jeune fille. Elle ne soupçonnait plus aucun danger. Elle croyait que l'heure redoutable était passée. En cherchant un peu on trouve toujours, sous l'empreinte de l'âge, quelques traces de la jeunesse. Le voile épais que les années étendent sur nos fronts devient transparent et nous apercevons tout à coup les traits que nous avions oubliés.

La Longue chevelure se dit à part lui:

--C'est bien elle.

Il profita des paroles qu'il avait entendues en arrivant, pour amener la conversation sur le mariage de mademoiselle Léontine, et, malgré les protestations de madame D'Aucheron, il n'eut pas de peine à comprendre le rôle de victime de la pauvre enfant. Son coeur n'était pas là. Elle ne l'avait pas repris. Elle savait peut-être le triste secret de sa mère, et s'offrait en expiation.

XVIII

Léontine se rendit chez le vieil instituteur, afin de se faire accompagner de l'excellente madame Duplessis, dans sa visite aux pauvres du quartier.

--Savez-vous une chose, lui dit le bonhomme, ne vous mariez pas maintenant, *bien qu'il faille manger le poisson frais et marier les filles jeunes.* Attendez après les élections. On ne sait pas ce qui arrivera. Il peut être battu ce ministre de contrebande, et s'il tombe ça sera pour longtemps. Ces hommes-là n'ont pas deux chances en leur vie. C'est déjà trop d'une. *Les gouvernements sont établis par Dieu, mais les gouvernants appartiennent souvent au diable.* Vous me pardonnerez ma franchise si je parle ainsi de celui dont vous porterez peut-être le nom. Je sais que l'on vous offre en holocauste. Il va éprouver une rude contestation. Quand il ne sera ni ministre, ni député, il ne sera plus rien du tout, alors je ne crois pas qu'on s'obstine à vous le faire épouser. *La mort des loups est le salut des brebis.*

Le Pêcheur, lui, voulait épouser le plus tôt possible en prévision d'un échec. Avec une fortune on flotte toujours sur la mer politique.... D'Aucheron opinait aussi pour un mariage immédiat. Sa réputation d'homme d'affaire était intacte, et sa fortune, énorme dans l'imagination de tout le monde. Comment faire une alliance brillante quand les prétendants, au lieu d'une dot princière, n'auraient à recueillir que des titres inutiles et des comptes en souffrance?

Lorsque Léontine revint à la maison elle vit un rassemblement au coin de la côte Ste Geneviève et de la rue D'Aiguillon. Elle fut un peu effrayée parce que l'on y parlait fort. C'était un grand gaillard, à l'air intelligent, qui s'escrimait de la langue et des poings. Il était mécontent, indigné, furieux. On l'écoutait avec curiosité; plusieurs même l'applaudissaient....

--Oui, disait-il, on m'a jeté sur le pavé avec ma famille, sous prétexte d'économie, moi un vieux serviteur, un serviteur fidèle.... Que puis-je faire maintenant pour donner du pain à mes enfants? Vais-je, à l'âge de cinquante ans, apprendre un métier ou défricher une terre? Ah! l'on n'a plus besoin de moi!... Monsieur Le Pêcheur peut se dispenser de mes services. A nous deux, monsieur Le Pêcheur. Vous n'êtes pas encore élu.

--Savez-vous, demanda quelqu'un, l'heureux mortel qui vous remplace?

--Est-ce que je suis remplacé?... ce serait trop canaille par exemple....

--Tu n'as pas vu papillonner une jolie femme autour de l'honorable ministre? demanda un petit vieillard, d'un air narquois.

--Eh bien! ensuite? Cela ne veut rien dire. Les femmes papillonnent un peu partout....

--Où il y a de la lumière et quelque chose à butiner, ajouta quelqu'un.

--Et elles se brûlent les ailes, cria un autre.

Léontine, qui marchait toujours, n'en entendit pas plus long. Elle eut une pensée de mépris pour monsieur Le Pêcheur, et, comme elle s'était quelque peu habituée à l'idée qu'il serait son mari, elle ne put se défendre d'une légère atteinte de jalousie.

XIX

D'Aucheron jouait à la bourse. Il spéculait, achetant et vendant par l'intermédiaire d'un courtier, sans rien en posséder jamais, des actions de toutes les compagnies: compagnies de chemins de fer, de bateaux à vapeur, de canaux, de mines, et comme tous les spéculateurs, il s'éveillait quelquefois au chant de la hausse et souvent au gémissement de la baisse. Vilbertin lui prêtait les fonds et touchait les meilleurs bénéfices. Ce jeu de bascule avait des enivrements indicibles. Ceux qui risquent, sur le caprice des cartes, l'argent dont ils semblent embarrassés, peuvent avoir un aperçu du délire de ces grands joueurs aux millions, quand la partie s'engage à cent endroit divers et contre mille joueurs différents. Il y a, comme aux cartes, des trucs formidables, des coups d'une hardiesse folle, des succès inespérés, des pertes inouïes. Les lutteurs sont aux aguets; ils écoutent toutes les rumeurs, pèsent toutes les probabilités, questionnent continuellement les sentinelles qui se tiennent à l'affût. Le télégraphe parle partout à la fois à ces terribles hommes de proie, et chaque minute peut apporter un nouveau malheur ou une chance nouvelle....

D'Aucheron venait d'entrer chez le notaire. Il était très pâle, très énervé.

--Mauvaises nouvelles, dit-il. Les actions de la compagnie minière ont encore baissé tout à coup d'une façon désolante.... Elles sont descendues à cinquante-sept.

--Le notaire eut envie de sourire, mais il s'observa.

--C'est le temps d'acheter, répondit-il.

--Oui, mais il faut payer... j'en ai acheté trois cents sur marge, il y a un mois, à soixante-sept; c'est une perte énorme.

--C'est un peu lourd, en effet, dit le notaire.

--Il faut que je paie, cependant; j'attendrai ensuite que la hausse revienne; cela ne peut pas durer longtemps.

--J'espère que non, fit le notaire.

--Tu as été bien inspiré, toi, de ne pas acheter; tu croyais cependant qu'il n'y avait pas de danger.

--Je risquais ailleurs pendant ce temps-là....

--Vas-tu me fournir l'argent dont j'ai besoin?

--Je t'avoue que tu me mets un peu dans l'embarras.

--Il y va de mon honneur, tu sais, Vilbertin, ne va pas me lâcher....

--Veux-tu faire une belle spéculation? demanda le notaire.

--Je ne guette que l'occasion... et je trouve qu'elle tarde beaucoup....

--Cette fois, tu n'as pas de baisse à craindre; c'est un coup d'as... la plus belle affaire de ta vie....

--Comment se fait-il que tu ne la gardes pas pour toi, cette affaire, si elle est si bonne?

--J'y ai de grands intérêts.

--Vraiment? Alors, parle.

--Assieds-toi, là; écoute bien: j'ai envie de me remarier.

--C'est une idée.

--Très drôle, je l'avoue.

--Je croyais que tu avais fait voeu d'éternel veuvage.

--Oui, mais c'est la vertu personnifiée que j'adore en secret....

--A la bonne heure! Et c'est en secret que tu l'aimes?

--Oui, tu es le premier à qui je le dis.

--Sait-elle au moins, cette vertu, que tu existes et que tu peux devenir son protecteur légal?

--Elle ne le sait pas, mais tu vas te charger de le lui apprendre.

--Moi? est-ce que je la connais?

--Oh! parfaitement, c'est mademoiselle Léontine, ta fille. Quand je dis: ta fille....

D'Aucheron fit un bond.

--Tu plaisantes, dit-il... tu sais bien qu'elle est promise à Le Pêcheur, et que le mariage doit avoir lieu prochainement.

--Un mariage, c'est facile à rompre cela, surtout quand il n'est pas fait. Voyons, songes-y, la chose en vaut la peine. Je mets, dans la corbeille de noces, la maison que tu viens d'acheter avec mon argent et d'autres bagatelles encore.

D'Aucheron était ahuri. Les dollars se livraient devant ses yeux à une danse macabre des plus étourdissantes. C'était un tourbillon de pièces blanches qui sonnaient un carillon d'enfer en se heurtant dans leurs élans insensés. Une objection jeta du froid dans son imagination.

--Les dons que tu feras à ma fille, dit-il, te reviendront avec elle. Le risque n'est pas fort de ton côté....

--Tu n'auras toujours pas à les payer, toi, et c'est bien quelque chose, ce me semble.

--C'est à dire que je serai gros Jean comme ci-devant.

--Tu seras toujours mieux que maintenant, puisque d'un signe je puis décréter ta ruine....

D'Aucheron courba la tête.

--Je suis tombé dans un piège, pensa-t-il, cet ami-là est mon plus redoutable ennemi.

Il dit tout haut et d'un ton indécis:

--Je songerai à cela; j'y songerai.

--Je songerai, moi aussi, à la demande que tu m'as faite tout à l'heure, riposta Vilbertin.

--Voilà l'argument par excellence, pensa D'Aucheron; évidemment, je vais en sortir--si j'en sors--joliment déchiqueté.

Puis, il dit:

--Il faut toujours bien que je parle de cela à ma femme. Je prévois une opposition sérieuse.

--Ta femme sera plus accommodante que tu ne le supposes... tu peux m'en croire.

Il pouvait la compromettre. Une femme qui emprunte de l'argent à l'insu de son mari n'aime guère à rendre ses comptes. C'est ce que pensait le notaire Vilbertin.

Quand D'Aucheron fut sorti, il se frotta les mains avec une satisfaction évidente:

--Je l'aurai, se dit-il, en ricanant, je l'aurai! Et son gros ventre sautait, sautait si bien que tout son coeur semblait y être descendu.

D'Aucheron grommelait en marchant. Il voyait bien qu'il pouvait retirer quelque bénéfice du mariage de Vilbertin avec Léontine, mais il était un peu tard pour songer à cette union. La spéculation serait peut-être meilleure qu'avec monsieur Le Pêcheur. S'il avait parlé plus tôt, lui, le notaire, on aurait pu s'entendre et monter une excellente affaire. Il s'était mis dans un beau pétrin avec ses emprunts inconsidérés et ses spéculations hasardeuses. Et, qu'allait dire le ministre, le fiancé tant adulé? Que deviendraient ses contrats avec le gouvernement et toutes ces intéressantes annexes qu'on appelle le tour du bâton?...

Il sentait des chaleurs lui monter au visage et trouvait le vent tiède. Il se faisait une lutte terrible en son âme et cette lutte le fatiguait. Il ne pouvait pas résister au notaire, il le sentait bien, puisqu'il le ruinerait sur le champ. Ruiné, pourrait-il encore offrir sa fille à l'honorable monsieur Le Pêcheur et le ministre voudrait-il l'épouser? Mais qu'allait dire Léontine de ce changement à vue dans les sentiments et les calculs de son père? Se résignerait-elle encore? Ne finirait-elle point par se révolter et par traiter comme ils le mériteraient les caprices de ses bons parents. Pour lui, il comprenait bien son devoir; il n'y avait plus à balancer....

Il arriva chez lui sans avoir vu, sur sa route, nombre de ses connaissances qui le saluèrent. Seulement comme il mettait le pied sur le seuil de sa maison, il aperçut, à quelques pas, deux ministres qui lui firent des signes amicaux. Il était trop tard pour entrer; il dut subir leurs compliments.

--Nos félicitations, monsieur D'Aucheron, lui dirent-ils, en lui tendant la main. Il n'est bruit dans la ville que du prochain mariage de notre collègue avec mademoiselle votre fille....

--Ce n'est qu'une rumeur, répondit D'Aucheron embarrassé; les rumeurs ne sont pas toujours vraies.

--Oh! monsieur Le Pêcheur lui-même vient de confirmer l'heureuse nouvelle. Il est chanceux. Une jeune personne d'une beauté remarquable et d'une vertu plus remarquable encore, dit-on... et puis, ce qui ne gâte rien, une petite part des écus du papa.

Ils se mirent à rire.

D'Aucheron rongeait son frein: une colère sourde bouillonnait au fond de son coeur.

--Le mariage n'est pas du tout décidé, je vous le jure, répliqua-t-il. Vous savez, il faut toujours un peu consulter le goût et les sentiments de ces chères petites créatures... et parfois elles ont des caprices, toutes bonnes et toutes vertueuses qu'elles soient.

--En tout cas, présentez à la future nos hommages respectueux et nos voeux les plus sincères pour son bonheur.

--Je n'y manquerai pas, dit D'Aucheron en ouvrant la porte.

--Madame D'Aucheron est-elle sortie, demanda-t-il à la servante?

--Elle est dans sa chambre, monsieur, lui fut-il répondu.

Il monta. Madame D'Aucheron remarqua son air un peu singulier.

Il entra sans préambule dans le coeur du sujet.

--Tiens-tu beaucoup au mariage de Léontine avec monsieur Le Pêcheur?

--Pourquoi cette question? tu le sais bien que j'y tiens. Tu t'es donné bien du mal pour nous faire comprendre que cette alliance nous sauvait pour toujours, nous élevait au-dessus des autres, et je l'ai compris, et Léontine a fini par le comprendre aussi. Il me tarde qu'il soit accompli, ce mariage.

--Il ne s'accomplira pas cependant.

--Ce n'est pas sérieusement que tu parles?

--Très sérieusement.

--D'où vient ce changement d'idées? As-tu ton bon sens, mon mari?

--Nous sommes à la merci d'un excellent ami qui joue avec nous comme le chat avec la souris. Il faut en passer par ses volontés.

--Quel peut être ce tyran?

--C'est mon ami le notaire Vilbertin.

--Vilbertin? A-t-il quelque chose contre monsieur Le Pêcheur? A-t-il songé qu'en se vengeant de lui, c'est nous qu'il allait atteindre? Ce n'est pas possible qu'il nous fasse tant de mal, lui un ami cent fois éprouvé, non ce n'est pas possible.

--Ce n'est pas possible, si tu veux, mais c'est comme cela.

--Et pourquoi agit-il de la sorte? quelle raison donne-t-il?...

--C'est tout simplement une substitution qu'il veut faire...

--Une substitution? qu'est-ce que cela veut dire?

--Cela veut dire que Léontine aura toujours un épouseur quand même.

--Un épouseur? qui? Un autre ministre?...

--Non, pas un ministre...

--Un député au moins?

--Pas un député, non plus...

--Mon Dieu! mon Dieu! où s'en vont mes rêves?

Elle poussa un long soupir, puis elle demanda d'une voix inquiète:

--Est-il riche, au moins?

--Riche, veuf, assez jeune encore...

Elle poussa un autre soupir, un soupir de satisfaction, cette fois.

Elle avait pensé voir s'écrouler sa magnifique demeure, disparaître ses équipages, ses toilettes, toutes les délices de sa vanité. Cependant une ombre traversa cette lueur: le spectre de Sougraine. Si l'Indien allait tenir pour le ministre? Ils sont entêtés ces sauvages. Il ne voudrait pourtant pas troubler le repos de celle qu'il croyait être sa fille.

Madame D'Aucheron était très agitée; elle se sentait menacée de nouveau. Ça ne finirait donc jamais cette alternative de quiétude et de terreur? Elle regrettait bien d'avoir adopté cette enfant. C'est à cause d'elle qu'elle se voyait en butte à tous ces ennuis, à cause d'elle qu'un passé coupable se dressait tout à coup. Faites du bien maintenant, voilà la récompense. Elle avait presque envie de la haïr, cette jeune fille qui troublait sa sécurité et faisait sourdre des remords éteints.

--Enfin, reprit-elle, avec l'accent du dépit, où est-il cet homme qu'il faut accepter à la place de l'honorable monsieur Le Pêcheur?

--Tu ne le divines point? cela m'étonne.

--Ce n'est toujours pas le notaire Vilbertin.

--C'est là ton erreur: c'est précisément le gros, le rond, mais le riche notaire.....

--Le notaire Vilbertin! exclama madame D'Aucheron! Va-t-il se montrer généreux au moins?

--Comme tous les avares qui sont mordus au coeur par l'amour. Il fera des folies sublimes.... Et si nous sommes intraitables, il nous ruinera complètement.

Ils firent demander Léontine. La jeune fille, qui cherchait dans la musique un adoucissement à ses douleurs, fit, en se levant, glisser ses doigts agiles sur le clavier et les gammes s'élancèrent comme des fusées d'harmonie. Elle entra dans la chambre de ses parents adoptifs et attendit, debout, ce qu'on lui voulait.

--La nouvelle que j'ai à t'apprendre, mon enfant, commença madame D'Aucheron, va te surprendre un peu, beaucoup même, mais elle ne te causera pas de peine, j'en suis sûre.

--Parlez, mère.

--Ma fille, tu n'épouseras pas monsieur Le Pêcheur.

--Vraiment! fit Léontine en joignant les mains, que vous êtes bons, chers parents! Que je suis heureuse.

Les D'Aucheron sentirent qu'ils n'étaient pas si bons que cela. La joie naïve de leur fille leur fit mal. Ils se regardèrent un moment sans rien dire... A la fin, comme il valait mieux en finir tout de suite, D'Aucheron ajouta:

--Il se présente un autre parti,.... un homme riche, très riche même, et jeune encore. Il t'aime à la folie.... c'est un notaire.... Une profession très digne, le notariat. Il va te faire une corbeille de noces splendide..... et il m'aidera à sortir de mes embarras financiers..... Il vaut autant l'avouer, j'ai des embarras financiers. Tout le monde en a.

Léontine avait pâli et sa tête s'était inclinée sur sa poitrine. Elle ne répondit pas.

--Tu comprends, continua D'Aucheron, je ne te donnerais pas à un homme qui ne serait point honorable, bien posé dans le monde. Je tiens à ce que tu vives en grande dame. Vilbertin est mon ami d'enfance.....

--Vilbertin! s'écria Léontine, le notaire Vilbertin! Consommons vite le sacrifice, ô mon Dieu! car l'autre prétendant qui suivrait serait peut-être pire encore.

Son désespoir s'armait d'ironie.

--N'est-ce pas que tu vas te montrer soumise... comme toujours, mon enfant? murmura madame D'Aucheron, avec l'accent de la prière....

--Ne suis-je pas votre chose?.... vendez-moi donc au plus haut enchérisseur, répliqua Léontine en les regardant avec fierté.

Les D'Aucheron furent étonnés de cette sanglante réplique et courbèrent le front, à leur tour, sous le regard étincelant de la jeune fille.

--Vilbertin te rendra heureuse; il me l'a bien promis, reprit D'Aucheron, et, tu sais, ces gens là--il allait dire les avares--quand ils aiment, c'est une fureur, une folie.....

--Enfin, décidez de moi comme il vous plaira; répliqua Léontine, vous me trouverez toujours soumise.

Elle songeait maintenant au secret de sa mère et cela lui donnait l'esprit d'abnégation. Elle se retira. Quand elle fut sortie, monsieur D'Aucheron dit à sa femme.

--Ça n'a pas été, après tout, aussi malaisé que nous le supposions.

XX

L'amour du notaire pour Léontine allait en grandissant de jour en jour. Les passions qui s'éveillent tard gagnent en intensité ce qu'elles ont perdu en durée. Il lui tardait de se jeter aux genoux de cette enfant pour lui demander pardon d'avoir osé l'aimer, pour la supplier d'avoir pitié de lui. Il serait assez éloquent pour l'attendrir. On ne résiste pas à un amour comme le sien. Il crut bon, toutefois, de mettre mademoiselle Ida Villor dans ses intérêts. Il la savait l'intime amie de Léontine. Il quitta donc son bureau et se rendit chez madame Villor. On le reçut cordialement. Un bienfaiteur!.... Il fit comprendre à mademoiselle Ida qu'elle et sa mère lui devait un peu de reconnaissance. Six mois de loyer, c'était quelque chose..... Il ne demandait rien, en retour, si non un léger service, une parole seulement. Parler, c'est facile et ça ne coûte pas cher... Il faudrait voir mademoiselle Léontine et lui dire, sans faire semblant de rien, qu'il avait un bon coeur, lui Vilbertin, qu'il rendrait certainement une femme heureuse..... qu'il était riche, avec cela pas égoïste comme il y en avait tant...... qu'il n'était pas sans pitié pour les pauvres; au contraire. Ida le remercia avec effusion de ce qu'il faisait si généreusement pour elle et sa mère, mais elle lui rappela que Rodolphe était son cousin à elle, presque son frère, et qu'elle ne pouvait pas détacher de lui la seule femme qu'il eut jamais aimée.... c'eût été une trahison.

Le notaire, dans son aveuglement, avait oublié que Rodolphe était le cousin d'Ida. Il s'en revint tout penaud, jurant qu'on ne le reprendrait plus à faire des remises de loyer.... Il cherchait un moyen de se venger. Les âmes basses ne manient bien que cette arme: la vengeance. Elle est à la portée de tous les lâches.

Quand il fut dans son étude il rédigea cette affiche originale:

GENS PAUVRES

Un philanthrope
Vous offre un logement gratis

Pour l'année prochaine.
Allez au No. 444, rue Richelieu.

Il paya quelques centins pour faire coller cette affiche sur les murs de la porte St. Jean, dans l'escalier de la rue Buade, à la salle Jacques Cartier, et sur la clôture du terrain vacant, près de l'Eglise du-Faubourg St. Jean. Tous les passants lisaient et se sentaient pris de curiosité.

Le lendemain il se présenta chez D'Aucheron. Mademoiselle Léontine ne recevait point: elle était souffrante.

Il revint chez lui, écrivit une longue lettre toute de feu, mais dans le style du parfait notaire, et la fit porter à l'objet de sa passion. Il demandait une réponse et se mourait en l'attendant. La réponse ne vint pas.... la mort non plus.

Il fut plus heureux le lendemain. Il la vit, cette adorable créature dont il raffolait. Il se jeta à ses genoux. Il avait vu quelque part, au théâtre peut-être, que cela se faisait dans les grandes passions. Il voulut lui embrasser les mains, il ne réussit qu'à effleurer le velours de sa robe. C'était déjà quelque chose. Elle fut tentée d'appeler au secours.

--Si vous saviez comme je vous aime! lui disait-il, et sa voix rauque avait des pleurs de lubricité... Je suis riche et ma fortune est à vos pieds. Pour vous je donnerais la terre entière, si je la possédais; je donnerais toutes les félicités du ciel.

--Si vous le possédiez, ajouta Léontine qui s'était tout à coup décidée à rire de cette étrange passion, afin de la mieux désarmer. Il n'y a rien comme le rire pour tuer l'amour.

--Avec vous je le posséderais, le ciel! oui, et je n'en voudrais pas d'autre, continua-t-il..... Depuis que je vous ai vue, au bal, l'autre jour, je n'ai pas eu de repos. Votre souvenir m'a poursuivi partout, la nuit, le jour, au travail, à la promenade, toujours, toujours! Je voulais vous oublier d'abord: je pensais bien que vous ne m'aimeriez pas. Je ne suis ni beau, ni jeune. Vous en aimiez un autre! Vous étiez promise... Je me faisais toutes les objections. Je savais que j'étais fou. Et cependant c'était inutile, je ne pouvais éteindre cette flamme étrange. Je me délectais dans mon désespoir. Elle ne peut toujours pas m'empêcher de la voir en rêve, me disais-je, m'empêcher de songer à elle?

Oh! que je voudrais être plus jeune! plus beau, plus riche! plus renommé! Mais mon amour suppléera à tout ce qui me manque; daignez, ô daignez m'accorder votre main! Je serai le plus dévoué des maris. Vos moindres désirs seront pour moi des ordres; je ne vivrai que pour vous. Vous puiserez dans ma bourse pour vos pauvres... vos pauvres que vous aimez tant! Vous leur donnerez tout ce que vous ne voudrez pas garder pour vous même... quel besoin aurai-je des biens et des richesses, moi, quand je vous posséderai? Vous serez tout mon bien, toute ma vie, toute ma richesse! Oh! par pitié, mademoiselle laissez-vous attendrir.

Il était épuisé. Il poussa un énorme soupir qui retentit dans les quatre coins du salon, et s'essuya le front avec son mouchoir.

Léontine l'avait trouvée joliment grotesque cette éloquence de notaire.

--Relevez-vous, dit-elle, en souriant d'un air sardonique, je vous pardonne.

Il se releva. Son enthousiasme était quelque peu tombé. Seulement il avait dans les paupières des éclairs de chaleur qui indiquaient un orage. Il acheva par où il eût dû commencer.

--Votre père vous a dit, n'est-ce pas, que je sollicitais votre main.

--C'est vrai, mais vous n'êtes pas généreux; vous menacez mes parents de toutes sortes de malheurs si je résiste à vos instances.

--Je vous aime tant que je ne reculerai devant rien pour vous obtenir....

--Ce n'est pas moi que vous aimez alors, c'est vous même.

--C'est vous, mais parce que vous devez être à moi. N'est-ce pas toujours ainsi?

Mademoiselle D'Aucheron lui fit comprendre qu'elle ne pouvait pas décemment rompre avec l'autre et s'engager avec lui en une minute. Elle passerait pour une étourdie. Elle eût mieux aimé ne point se marier; cependant s'il fallait faire cet acte de dévoûment pour sauver ceux qui avaient eu soin de son enfance, elle se sentait capable de le faire. Mais celui qui l'épouserait serait bien sot de prendre une femme incapable de l'aimer. Elle ne serait que sa servante dans sa maison, car une femme qui n'aime point son mari ne fait plus dans sa maison que le rôle d'une servante.

Léontine venait d'échapper à une union détestable, mais ce n'était que pour subir une humiliation plus profonde, et pour accomplir un sacrifice plus pénible encore... Le bon Dieu n'avait donc point pitié d'elle. Cette fois il n'y aurait plus de délai. L'épée était suspendue par un fil sur la tête de ses parents. Vilbertin n'avait qu'à le vouloir et le fil se romprait.

Ne vaudrait-il pas mieux, cependant, laisser se consommer la ruine des D'Aucheron plutôt que son malheur à elle?... Ah! si comme elle le croyait, il n'y avait pas longtemps encore, elle n'était pas la fille de madame D'Aucheron, ce serait bien aisé de laisser faire les événements, de se tenir à l'écart.... Elle avait assez souffert, déjà, pour payer les faveurs dont on l'avait comblée.... Mais ce n'était plus cela. Madame D'Aucheron était sa mère.... Elle l'avait avoué à Sougraine.... Ce ne pouvait pas être un mensonge. Pourquoi un mensonge? Pour se débarrasser des importunités de l'Indien, peut-être. Qui sait? Oh! si elle savait! si elle pouvait savoir? Elle avait envie de se jeter aux pieds de sa mère et de lui demander la vérité, toute la vérité, si affreuse qu'elle pût être. Mais quelle honte pour sa mère! Non, ce serait trop cruel de la faire souffrir ainsi: Dieu arrangerait cela.

XXI

La Longue chevelure s'était plu à voir mademoiselle D'Aucheron et à causer avec elle. Rien ne le charmait comme la fraîcheur de sa voix, la naïveté de son esprit, l'éclat de son oeil noir. Il gémissait avec elle car il avait souffert aussi lui, et ceux-là seuls savent compatir aux douleurs des autres, qui ont bu le calice des amertumes. Il avait voulu s'assurer qu'elle aimait toujours le jeune docteur et qu'elle n'aimerait jamais que lui. Alors il revint trouver l'Abéna qui. Il l'avait averti qu'il le reverrait bientôt.

--Sougraine, lui dit-il, tu sais que ta fille n'aime pas le ministre.

--Cela ne fait rien.

--Sougraine, tu sais que ta fille aime un jeune médecin.

--Cela se peut bien....

--Sougraine, si tu tiens à ta tête tu vas donner ta fille à celui qu'elle aime.

La Langue muette fit un bond, regarda la Longue chevelure avec terreur et dit en suppliant:

--La Longue chevelure a le coeur trop bon pour forcer Sougraine à rompre une union qui va faire sa fille riche... et heureuse....

--Tu mens, ta fille en mourra de chagrin.

--C'est que, vois-tu, le mariage est décidé. Tout est arrangé.... Le ministre se fâchera. On ne sait pas ce qu'il peut faire....

--Je sais bien ce que je ferai, moi, si tu ne m'obéis point....

XXII

Le directeur de mademoiselle Léontine fit une visite au notaire Vilbertin. Il fut très bien accueilli. On parla politique, religion, instruction, entreprises. Le notaire y mit beaucoup de bonne volonté. Rarement il se montrait si loquace. Il était probablement heureux; on est aimable envers tout le monde quand on est heureux. L'abbé lui demanda, en se levant pour prendre congé, s'il était vrai qu'il allait bientôt épouser une jeune et jolie fille.... Le notaire, gonflé de joie, n'osa pas nier.

--Je ne doute pas que cette jeune fille ne vous apporte son amour, lui dit-il avec intention.

Le notaire eut un soupçon et répondit froidement:

--Quand on se marie c'est signe que l'on aime.

L'abbé lui fit observer que malheureusement le contraire arrivait quelquefois et qu'alors la bénédiction divine ne descendait pas sur ces mariages. Il n'y avait que des peines au foyer, des remords, des reproches.

--Je ne parle pas pour vous, disait-il, car je suppose que vous êtes aimé....

Et il continuait à faire une peinture redoutable des tortures de toutes sortes qui sont réservées à ceux qu'un amour sincère n'a pas réunis.

Le notaire écoutait tout rêveur. Il sentait bien qu'il disait vrai et c'était pour cela qu'il souffrait de l'entendre.... Peu à peu et graduellement le prêtre en vint jusqu'à le supplier de renoncer à ce projet de mariage, au nom de sa tranquillité, de son bonheur à lui, au nom de la paix et de la félicité de cette jeune fille qui s'immolait par dévouement filial...

--Vous auriez pu commencer par la fin, répondit froidement le notaire, cela vous aurait ménagé du temps, et à moi aussi.

Puis il s'assit à son bureau et se mit à écrire. A la vérité il ne savait pas du tout ce qu'il écrivait. Il voulait faire comprendre à son visiteur qu'il ne faisait aucun cas de ses observations.

--Monsieur le notaire a sans doute de nouvelles affiches à rédiger, je lui demande mille pardons et me retire, dit malicieusement l'abbé en sortant.

Le notaire lui lança un regard foudroyant.

--Ces calotins! grogna-t-il, de quoi se mêlent-ils donc? est-ce qu'on va les déranger dans leurs douce solitude?... Ils veulent tout régenter. Laissons faire, ils verront bientôt qu'on peut naître et mourir sans eux... et surtout qu'on, peut se marier sans leur consentement. Quand donc aurons-nous l'esprit de nos cousins de France et surtout leur courage? Voyons, ajouta-t-il, se parlant à lui-même, ne nous excitons pas trop, mon petit ami, tu sais que le sang te monte au cerveau, et c'est dangereux. L'apoplexie te guette; évite-la. On a toujours le temps de faire le plongeon. Qui peut dire après tout ce qui nous attend là-bas, dans cette maudite tombe?..... Si c'était vrai ce qu'ils nous enseignent de Dieu et de la religion, les prêtres!..... Voyons! j'ai trop d'esprit pour perdre mon temps à scruter ces mystères. Et puis le bon Dieu aura pitié de nous. Il sait bien qu'il n'y pas de malice. Est-ce notre faute si nous sommes ignorants? Au bout la fin! soyons homme; pas de crainte chimérique, pas de courbettes. Renoncer à mon amour! renoncer à la posséder, elle, cette belle jeune fille que je vois dans mes rêves, que je désire de toutes les ardeurs de mon âme, oh! il est fou!..... Il ne sait donc pas ce que c'est qu'aimer?... Mon coeur qui se reposait depuis longtemps ne s'est pas réveillé pour rien. Je le sens battre, je le sens brûler. J'ai du feu dans les veines.... Et l'on veut que tout cela se refroidisse soudain, que tout cela se taise et meure sans retour! Allons donc! je suis plein de vie, et je veux aimer, et je veux jouir des délices de l'amour, et je briserai tout ceux qui me feront obstacle.... Je me moque bien, moi, d'un ciel qui vient trop tard et d'un enfer qui brûle moins que mes sens! Je veux me plonger dans un océan de voluptés, je veux mourir d'ivresse!

Après cette élucubration érotique le notaire se baigna le front dans l'eau glacée. Il avait toujours peur de l'apoplexie.

L'allusion qu'avait faite en partant le jeune abbé n'avait pas, comme on le voit, manqué son effet.

Les passants lurent cette affiche singulière qui promettait un logement pour rien. Plusieurs rirent de cela, mais beaucoup s'imaginèrent que c'était un truc de la charité. La charité fait souvent le bien comme la haine, le mal, en se cachant. Ils se dirigèrent vers la rue Richelieu. On pouvait toujours voir.

Madame Villor ne connaissait rien de l'affaire et comprit que c'était une mystification. Ida devina d'où le coup partait. Rodolphe alla en parler à Duplessis le vieil instituteur. A chaque instant on entendait monter, puis frapper à la porte. On voulait voir ce logement. Il ne manque pas de gens qui seraient heureux d'être hébergés gratis...... C'était un va-et-vient étourdissant dans les escaliers. La maison toujours ouverte, faisait entrer le vent et le froid. On gelait. La malade empirait. Réellement il y avait une persécution atroce.

Le père Duplessis dit à Rodolphe qui lui demandait un conseil:

--Il manque un mot à l'affiche; vous êtes jeune, courez l'écrire.

--Qu'est-ce donc?

--On est prié de s'adresser au notaire Vilbertin, rue du Palais.

Rodolphe courut dans tous les coins de la ville où les malheureuses affiches avaient été placardées et fit la correction suggérée par le professeur.

La foule prit alors le chemin de l'étude du notaire. Ce fut une véritable avalanche. Le notaire ahuri donnait à tous les diables les malencontreux qui le venaient déranger ainsi. Il n'y avait pas écrit sur l'affiche de s'adresser à lui. Il savait bien qu'il n'avait pas mis cela... Au reste, il affirmait qu'il n'était pas l'auteur de cette annonce ridicule. Les gens venaient, venaient toujours comme en procession. Chacun craignant d'arriver trop tard, on se pressait, on se bousculait pour entrer, on criait du dehors, on se réservait un petit coin, n'importe lequel. Et lui, frappait sur son pupitre avec son poing fermé, ordonnait de sortir, menaçait d'appeler la police... Jamais de sa vie il n'avait éprouvé une pareille contrariété; il en voulait à tout le monde... surtout à cette famille Villor qu'il gardait par charité dans cette excellente maison dont il aurait pu tirer un bon profit.

Il se vit dans l'obligation de fermer son étude pendant quelques jours. L'idée lui vint d'aller relire son placard pour voir si l'on était justifiable de venir ainsi le troubler. Il poussa un cri de malédiction quand il lut: Adressez-vous au notaire Vilbertin, rue du Palais.

--Ce ne peut-être que ce freluquet de médecin, pensa-t-il... le neveu de la Villor. Gredin, va! tu me le paieras.

Il donna quelques sous à un gamin pour faire déchirer toutes ces affiches. Afin de calmer un peu son esprit irrité, il se mit à songer à son prochain mariage. Tout s'effaçait devant l'enivrante effluve de volupté que lui apportait le souvenir de Léontine. Il se grisait de folles espérances comme d'autres se grisent de désespoirs insensés. Tout son regret, c'était d'avoir perdu tant de jours qu'il aurait pu dépenser dans les jouissances exquises de l'amour. Comme il passait vis-à-vis l'école des frères, il vit quelques personnes entrer dans l'église du faubourg St. Jean.

--Les hypocrites! murmura-t-il. Ne vaudrait-il pas mieux travailler que de venir pleurnicher devant des images? Quoi d'étonnant qu'il y ait tant de pauvres! Les protestants prient moins et travaillent plus, aussi, comme ils font de l'argent!... Ah! mais, c'est elle! ajouta-t-il, c'est elle! et une étrange émotion serra sa poitrine.

Mademoiselle D'Aucheron entrait dans l'église.

Les riches, les heureux de la terre sentent peu, sans doute, le besoin de prier. La prière, c'est la supplication, c'est l'humiliation dans la poussière; les malheureux seuls savent bien prier. C'est à eux aussi que la bonté divine se manifeste davantage.

Le notaire suivit la jeune fille. L'église avait un charme inconnu maintenant. Ce n'est pas Dieu qu'il venait y chercher, cet homme sensuel et impie, c'était une ivresse toute charnelle. Il s'assit dans un banc, en arrière de l'église, et après avoir porté des regards sceptiques sur les tableaux qui ornaient les murailles, sur les statues dorées rangées autour de l'abside, sur la lampe d'argent qui brûlait dans l'ombre comme une âme chaste, il les arrêta sur la jeune fille à genoux devant l'autel et se mit à penser:

--Tu perds ton temps et tes peines, car le bon Dieu ne s'enferme pas comme un bijou dans une boîte dorée.....

Il se disait encore:

--Si je croyais, je ne dirais pas cela. Je n'ai pas l'intention d'offenser Dieu. Ce n'est pas ma faute, à moi, si je n'ai point la foi.

Il avait peur; la couardise et l'impiété se tiennent par la main.

--Qu'on me la donne, la foi, on m'a bien donné la vie sans ma permission.

Il était de ces âmes lâches qui ne cherchent point la vérité, se complaisent dans l'ignorance, et ne veulent pas être troublées dans leur fausse quiétude.... Elles ne savent pas que Dieu se révèle aux humbles et qu'il se cache aux orgueilleux. La religion du Christ étant une religion d'amour et d'humilité, c'est par l'amour et l'humilité qu'on arrive à la connaître.

Mademoiselle Léontine se leva. Le notaire se précipita à genoux et se cacha le visage dans ses mains. Il écoutait le bruit des pas légers qui glissaient sur les dalles sonores, dont chaque son se répercutait dans son coeur. Quand elle passa près de lui, il la regarda furtivement.

--Comme elle est belle! fit-il... Au moins, j'espère qu'elle m'a vu.... Elle va me croire dévot..... C'est une bonne idée que j'ai eue là...

Il sortit avec l'intention de la rejoindre. Comme il en approchait, Rodolphe débouchait de la rue Ste Marie, et les deux jeunes gens se donnèrent une poignée de main longue et forte qui fut comme un serrement de tenailles pour l'âme du notaire. Il ralentit le pas, car il ne voulait point être vu. Nulle situation n'est pénible comme celle d'un amoureux qui se trouve en présence de l'objet de son amour et d'un rival fortuné.

Rodolphe dit à Léontine qu'il partait pour St Raymond. Il allait emmener sa tante et sa cousine. Ils vivraient tous trois ensemble. La tante était mieux; elle pouvait supporter le voyage. Léontine savait déjà le projet du jeune homme. Elle dit qu'elle allait bien s'ennuyer de se voir seule, abandonnée en quelque sorte de ceux qu'elle aimait le plus au monde, mais qu'elle irait les voir. Oui, elle irait bien sûr..... Et ils viendraient eux aussi; ils viendraient souvent, le chemin de fer serait construit bientôt; ce serait facile.

XXIII

Dans le même temps Sougraine entrait chez monsieur Le Pêcheur.

--Tu n'as pas voulu y mettre le prix, monsieur le ministre, dit-il après les salutations d'usage, eh bien! tu ne l'auras pas. La Langue muette te l'a dit, il est tout puissant dans cette maison, et il a décidé que mademoiselle Léontine donnerait sa fortune et sa main au docteur Rodolphe.

--Ne viens pas m'ahurir avec tes chansons démodées, répliqua le ministre. Sais-tu que le métier que tu fais peut te conduire en prison. On appelle cela du chantage. C'est un vol déguisé, mais c'est un vol.

--L'Indien fait payer un grand service, voilà tout, il n'y a rien de blâmable en cela, monsieur le ministre.... Il aurait pu te faire épouser une jeune fille belle et riche; tu as pensé l'avoir sans lui, c'est ton affaire. Je viens te déclarer que tu ne l'auras point.

Sors d'ici, dit Le Pêcheur qui commençait à perdre patience.

L'Indien ne se le fit point répéter. Il sortit.

--Voilà une affaire réglée, se dit-il, en cheminant. Le ministre et l'indien ne naviguent plus dans les mêmes eaux. Il faut voir l'ancienne maintenant.

L'ancienne, c'était madame D'Aucheron. Il n'y avait pas à reculer; le sioux aux longs cheveux n'entendait pas badinage, et il ne fallait point s'exposer à être livré à la justice des hommes.

Madame D'Aucheron fit remarquer à Sougraine que ses visites étaient trop fréquentes, cela semblait inexplicable aux gens de la maison.

--L'Indien est forcé d'agir, répondit Sougraine; il a le couteau sur la gorge; il est reconnu....

--Reconnu! exclama madame D'Aucheron en pâlissant....

166/291

Une peur effroyable s'emparait d'elle....

--Il n'y a pas encore de danger, reprit l'indien, car celui qui sait notre secret le gardera bien, mais à une condition....

--Qui est-il donc cet homme? à quelle condition? demanda fièvreusement la pauvre femme.

--C'est la Longue chevelure.....

--Mon Dieu! mon Dieu! qu'il ne dise rien.

--Il ne parlera pas; il me l'a juré, et sa parole est irrévocable. Mais.....

--Quelle condition met-il à son silence?

--Le mariage de notre fille avec le docteur Rodolphe.

--Le mariage de notre fille!..... notre....

Elle ne savait plus que dire, avait envie de défaire ce qu'elle avait fait, de jurer que Léontine n'était pas sa fille..... qu'elle ne savait rien après tout..... qu'elle avait été folle longtemps dans sa maladie..... qu'elle n'avait jamais vu son enfant... qu'on lui avait dit que c'était un garçon.... Mais à quoi cela servirait-il? Si le sioux voulait ce mariage, il faudrait bien le faire tout de suite... Il pourrait parler, le siou. Il dirait: Voici Sougraine, prenez-le, car c'est un ravisseur de jeunes filles, c'est peut-être un meurtrier.... Un meurtrier! Il ne l'était point..... mais les apparences seraient contre lui... Sougraine, pour se venger crierait à son tour: Voici Elmire Audet, mon ancienne maîtresse, ma complice!... C'est cette belle dame qui se promène avec un magnifique attelage, chaque jour, dans les rues de Québec. C'est madame D'Aucheron. Oh! malheur!

Jamais madame D'Aucheron n'avait éprouvé une pareille terreur. Elle se sentait devenir folle. Elle tenait sa tête à deux mains et criait: Mon Dieu! mon Dieu! qu'allons nous devenir?....

--Allons! Elmire, dit Sougraine avec douceur, courage! prudence! rien n'est perdu....

--Rien n'est perdu? rien n'est perdu? mais la fortune que Vilbertin nous promettait!... Vilbertin allait épouser Léontine. Il est riche, Vilbertin, très riche! Il aime notre fille à la folie... il donnerait toute sa fortune pour l'avoir. Il la veut, il a juré qu'il l'aurait. Tout est arrangé, conclu. Léontine a consenti..... Et puis les affaires vont mal. Nous avons fait des pertes. Si Vilbertin nous abandonne nous sommes perdus.... Nous lui devons beaucoup à ce gros notaire que vous avez vu ici, au bal.... à notre grand bal.... Ah! le malheureux bal!.... Et s'il épouse notre fille, le notaire, il nous fait remise complète de ce que nous lui devons.... Si elle en épouse un autre, il nous ruine; il l'a dit l'autre jour...... Oh! quelle affreuse situation! qui donc nous tirera de cet horrible abîme?

--C'est beau de l'or, c'est commode de l'argent, répondit Sougraine, lentement, scandant chaque mot, mais l'indien aime mieux sa tête.... Et toi?

Madame D'Aucheron eut un frémissement. Non! elle le voyait bien, il n'y avait pas à lutter. Ce serait l'écrasement du ver par le talon. La richesse, c'est une belle chose, mais l'honneur, mais la vie, ce sont des biens qui ne se paient ni ne se remplacent. La fortune perdue se retrouve quelquefois, l'honneur, la vie, jamais!....

Cependant ce mot lugubre: ruiné! ruiné! tintait à ses oreilles comme un glas des morts. Cela voulait dire: plus de demeure somptueuse, plus de vêtements magnifiques, plus de brillants équipages, plus de serviteurs! Ruinés, les D'Aucheron, ruinés! Comme leurs amis en feraient des gorges chaudes! Ce sont toujours les amis qui s'amusent le plus de nos infortunes. Quand ils passeraient à pied sur les trottoirs, eux les D'Aucheron, ils se feraient éclabousser à leur tour. On ne se rangerait plus pour les laisser passer. On n'écrirait plus leur nom avec une apostrophe et un grand A. Et puis comment expliquerait-on leur éclat d'un jour suivi d'une aussi horrible obscurité?... Voilà donc comme vont les choses de la vie! Des songes vermeils et des réveils épouvantables, des coups de soleil et des bourrasques terribles.

Et c'était bien vrai cela! Mais pourquoi l'intervention de la Longue chevelure dans leurs affaires? N'était-ce pas un accès de folie qu'elle avait tout à coup, elle, madame D'Aucheron? Peut-être que tout cela se dissiperait tout à l'heure, comme un nuage emporté par le vent, et que le calme reviendrait. C'était peut-être une fantaisie de Sougraine pour l'effrayer. Il en était bien capable. Elle verrait le beau sioux et lui ferait entendre raison. Il ne résisterait pas à ses larmes. Elle se jetterait à ses genoux..... Un homme résiste-t-il aux larmes d'une femme? Mais comment annoncer la chose à monsieur D'Aucheron? Il ne voudrait rien entendre. Il ne saurait pas la raison de ce changement d'idée, il ne pourrait pas la savoir, et cependant il faudrait le convaincre.....

Quand elle se retira dans sa chambre, elle passa devant une image de la Ste Vierge au pied de la croix, mais elle ne comprit rien à la douleur de cette autre femme qui fut la plus grande des martyrs, et ne songea même pas à lui demander le secours divin qui n'est jamais refusé aux âmes souffrantes. Elle n'avait pas l'habitude des mystiques entretiens, et ne cherchait ses consolations que dans les frivolités du monde. Le monde allait lui manquer et elle se trouverait seule avec elle-même: ce serait le désespoir. Le ciel ne manque jamais à ceux qui l'invoquent, et c'est pourquoi les hommes de foi n'ont jamais de ces lâches défaillances qui cherchent un refuge dans la mort.

Vers le soir Léontine rentra. Elle venait de laisser Rodolphe et le bonheur rayonnait encore dans son coeur. Elle voulait parler de la mère Audet, sa grand'mère peut-être, à madame D'Aucheron, et elle éprouvait un serrement de coeur inexprimable. Elle avait peur d'être indiscrète, d'éveiller des souvenirs trop pénibles. Cependant il le fallait bien.

--Tu te rappelles, mère, commença-t-elle, la bonne vieille que monsieur Duplessis a amenée souper ici l'autre jour?

--Eh bien! fit madame D'Aucheron qui avait tâché de se remettre un peu et de faire disparaître les traces de ses dernières larmes.

--On vient de la renvoyer dans sa paroisse.

--Madame D'Aucheron respira plus à l'aise.

--On a bien fait, dit-elle. Il est mieux d'aller mourir avec les siens.

--Elle ne semble pas prête à mourir. Elle se porte à merveille maintenant que son garçon est revenu et qu'il lui a témoigné le désir de ne plus se séparer d'elle.

--Son garçon est revenu? oh! il est revenu? quand cela?

--Il était ici hier. C'est lui qui emmène la bonne vieille. Croiriez-vous qu'elle pleurait en nous disant adieu?.... Ces pauvres gens, comme ils exagèrent le bien qu'on leur fait!

--Est-ce qu'elle retourne dans sa maison, au huitième portage?

--Au huitième portage? qu'est-ce que cela veut dire?

Madame D'Aucheron s'aperçut qu'elle avait lâché un mot de trop.....

--J'ai entendu dire cela, qu'elle demeurait au huitième portage.... je ne sais pas ce que c'est.

Léontine n'eut plus de doute, madame D'Aucheron était bien la fille de la mère Audet.... mais elle, était-elle vraiment la fille de madame D'Aucheron?..... Pourquoi alors l'hospice des enfants trouvés? Ah! pourquoi?.... sa candeur se troublait; cette question était pleine d'épouvantement.

--Tiens! chère enfant, reprit madame D'Aucheron avec des airs câlins, j'ai à t'annoncer une chose qui va faire battre de joie ton petit coeur.

--Ah! rien ne peut me réjouir maintenant.... vous le savez bien.

--Ces enfants, comme ils se découragent vite! on dirait qu'ils n'ont pas l'avenir pour eux.... Ecoute-moi bien. Je ne suis pas une femme sans pitié comme tu pourrais le croire. J'ai un coeur de mère.... et si j'ai contrarié tes desseins et tes voeux c'était pour avoir la paix avec mon mari. Une femme doit obéir aux volontés de son époux... Cependant, après des réflexions profondes, j'ai compris que je devais te protéger. La fortune, les honneurs, les plaisirs, c'est beau sans doute et cela rend la vie attrayante; mais quand il faut acheter ces divers biens au prix du bonheur de son enfant, une mère a raison de se dresser devant la volonté cruelle du maître, et de s'écrier: Frappe-moi, mais épargne l'innocente créature qui nous a voué ses plus pures affections....

Léontine, pendant ce préambule prétentieux, éprouvait de curieuses sensations: des rayons d'espoir traversaient les ténèbres de son âme comme des étoiles filantes sillonnent, à certaines époques, le ciel obscur, puis des craintes, des appréhensions suivaient. Elle était assaillie de mille sentiments divers, mais elle eut une joie intense, elle poussa un cri de surprise lorsque sa mère ajouta:

--Moi je désire que tu donnes ta main à celui qui possède ton coeur. Aimes-tu toujours monsieur Rodolphe?

--Si je l'aime! mère, que tu es bonne! que tu me rends heureuse.

Et elle se mit à pleurer, à pleurer comme si elle avait eu quelque grande douleur. Chose singulière les larmes sont la plus haute expression du bonheur et le rire la plus grande preuve du plus profond désespoir.

--Tu sais, mon enfant, disait toujours madame D'Aucheron, je fais un grand sacrifice, mais n'importe, tu seras heureuse, je ne désire rien de plus. Nous serons ruinés,.... nous serons pauvres.... comme les pauvres que tu vas visiter avec tant d'amour,.... mais tu seras heureuse, toi..... Peut-être me donneras-tu une petite place, là-bas, dans ton humble maison, au milieu des champs... Ah! je n'ai plus d'ambition..... oui j'en ai une: l'ambition de faire ton bonheur.....

Léontine lui jetant ses bras autour du cou l'embrassa avec une inexprimable effusion.

XXIV

D'Aucheron avait dû se rendre auprès de monsieur Le Pêcheur pour lui déclarer que des raisons d'une extrême gravité le forçaient à décliner l'honneur de l'avoir pour gendre. Il en était extrêmement mortifié et ne s'en consolerait point. Il avait tant caressé cette espérance: avoir dans sa famille, dans sa maison, un homme politique, un membre du cabinet. Il savait bien ce qu'il perdait en rompant ce mariage et ne se faisait point illusion.

Le ministre qui l'avait d'abord accueilli avec une affabilité toute particulière, prit un air digne. Lui aussi il voyait tomber ses illusions. Il ne put s'empêcher de songer à l'indien. Ce maudit sauvage était-il donc réellement pour quelque chose dans le désagrément qui lui arrivait? Il faudrait éclaircir ce mystère et.... gare à lui!... il lui apprendrait à ne pas se mêler des affaires des autres...

Il sortit pour secouer un peu sa torpeur morale et dissiper l'essaim de ses pensées noires. Il rencontra un ami qui lui dit à brûle pourpoint:

--A quand ton mariage?

--Va au diable avec tes questions indiscrètes! pensa-t-il.

Il en rencontra un autre qui lui apprit que la belle mademoiselle D'Aucheron épousait le notaire Vilbertin. Un mariage d'intérêt.....

Il devint blême et une sourde colère gronda dans son âme.

--Est-ce bien vrai, ce que tu dis-là? demanda-t-il en tremblant.

L'ami ne remarqua pas son émotion et répondit.

--C'est absolument vrai. D'Aucheron donne sa fille pour sauver sa fortune. Il a des relations d'affaire très intimes avec le notaire.....

L'Honorable monsieur Le Pêcheur continua sa promenade la tête basse, l'esprit très préoccupé. Il s'expliquait la volte-face exécutée si prestement par D'Aucheron, et se consolait en songeant que la capture n'eut pas été alors excessivement importante. Mais il aperçut le notaire qui venait avec la Langue muette, et la jalousie lui darda ses aiguillons dans le coeur.

--C'est pour laisser entrer ce ballon que l'on me prie d'évacuer la place, grommela-t-il? ce n'est pas flatteur pour moi,.... un ministre!.... Et toi, face jaune, te voilà encore sur mon chemin, ajouta-t-il, en pensant à l'indien, es-tu donc mon mauvais génie?..... Tu viens à moi, mon mariage s'arrange; tu t'éloignes pour en aborder un autre, mon mariage se rompt et ma future passe dans les bras de cet autre.... Il y a du diable là-dessous: Es-tu sorcier?..... Il faut que je te déniche, mon hibou de mauvais augure!.....

Ils passèrent près de lui et le saluèrent en souriant....

XXV

Jamais D'Aucheron n'entra chez lui le coeur plus gai et l'esprit plus alerte que le jour où madame son épouse, pressée par Sougraine, promit de donner sa fille à Rodolphe le jeune médecin. Il avait vu de nouveau son ami Vilbertin qui s'était montré fort accommodant, généreux même. Les affaires allaient se relever. Il n'y aurait pas d'effondrement scandaleux. Il se souciait bien du jeune ministre qui ne serait peut-être plus rien demain. Ce qu'il fallait avant tout, c'était de l'argent. Les honneurs qui ne rapportent rien deviennent un embarras. Il était bien bon, ce Vilbertin, de payer si cher la possession d'une fille pauvre. Elle était belle, c'est vrai, mais il n'en manque pas de belles filles à Québec.

Il trouva que sa femme le recevait un peu froidement. En tenait-elle encore pour monsieur Le Pêcheur? Non pourtant. Elle n'était toujours pas d'une humeur gaie. Après tout, une femme ne comprend pas les affaires comme un homme. Les combinaisons du coeur la touchent plus que les calculs de l'esprit.

--Notre gendre agit royalement, commença D'Aucheron. Il m'a donné un fameux coup d'épaule.

--Notre gendre? demanda ingénument madame D'Aucheron, lequel?

--Lequel? Comment? nous n'en avons qu'un, nous n'en aurons jamais qu'un seul... Vilbertin, le brave notaire Vilbertin.

Madame D'Aucheron ne savait trop comment engager cette dernière lutte, la plus terrible de toutes. Comment faire croire à son mari qu'il devait tout sacrifier, sa réputation d'homme d'affaires et sa fortune entière, au caprice, à l'inclination d'une enfant trouvée?.... On ne pouvait pas reculer, cependant. Il y avait en jeu quelque chose de plus important qu'une fortune et une réputation d'habileté en affaires........ quelque chose qu'il ignorait, lui D'Aucheron, mais qu'elle ne savait que trop, elle, la malheureuse femme.

--Depuis quelque temps j'ai réfléchi profondément, commença-t-elle, et j'ai des remords, oui des remords qui me rongent le coeur.

D'Aucheron craignit une révélation mortelle. Quelquefois cela arrive qu'une femme bourrelée de remords fasse l'aveu d'une grande faute. Ce fut en tremblant qu'il demanda:

--Pourquoi ces remords? qu'as-tu donc fait?...

--Rien. C'est cette pauvre Léontine. Elle change à vue d'oeil, mon mari; la voilà pâle comme une morte....

--Le mariage la ramènera, ma chère femme.

--Pas le mariage avec le notaire Vilbertin, toujours.

--Comment, pas le mariage avec le notaire Vilbertin? que veux-tu dire? je ne te comprends plus....

--Est-ce que cela ne te fait pas de la peine de la voir se donner ainsi pour nous plaire à un homme qu'elle n'aime pas, quand elle pourrait être si heureuse avec son Rodolphe?

--Ne me parle pas de Rodolphe, s'écria D'Aucheron, qui s'emportait.... est-ce que tu perds la tête?

--Tu n'as pas un coeur de mère, toi?....

--On dirait vraiment qu'elle est ton enfant, cette petite fille du hasard!... Crois-tu que nous l'aurons nourrie, élevée, vêtue, instruite pour rien, ou pour qu'elle nous cause de la peine? Ce serait un peu fort. Tu peux en prendre ton parti, cette fois, c'est irrévocablement déterminé. Vilbertin la veut, il l'aura.

--Tu la vends?

--Madame, mêlez-vous de ce qui vous regarde c'est pour vous conserver votre superbe demeure, vos chevaux, vos voitures, vos meubles somptueux, vos habits magnifiques, que je la vends, comme vous dites.

--Des habits magnifiques, des meubles somptueux, des voitures, des chevaux, une superbe demeure, je n'en veux plus!....

D'Aucheron fut tellement étonné de cette réplique qu'il resta muet pendant une minute...

--Qu'ai-je entendu fit-il enfin? Est-ce vous qui parlez ainsi, madame?

--Oui, monsieur, c'est moi.

--Vous êtes folle.

--Je le deviendrai, bien sûr, si vous donnez suite à vos projets.

--Rien au monde ne me fera changer d'avis...

--Si je vous disais que des malheurs plus grands que ceux que vous redoutez tomberont sur nous si vous ne m'écoutez point....

--D'Aucheron éclata de rire, cette fois.

--Vous voulez vous moquer de moi. Allons! est-ce que je suis un enfant qu'on effraie avec des menaces ridicules.

--Mon mari, je t'en supplie! continua madame D'Aucheron.

Elle avait une expression singulièrement touchante. Sa figure se transformait. Ses mains jointes se serraient convulsivement.

--Caprice de femme! bêtise, bêtise!.... répondit-il.

Elle tomba à ses genoux.....

--Pour l'amour de moi! gémit-elle, pour l'amour de toi! oui, pour l'amour de toi!

--Mais, malheureuse, c'est ma ruine...

--Nous vivrons bien quand même.... Dieu qui donne aux petits oiseaux leur nourriture.

--De la poésie! diable! où prends-tu cela? La première fois de ta vie. Mieux vaut tard que jamais..... Et tu crois, comme cela, que Dieu qui donne aux petits oiseaux leur nourriture.... Ensuite qu'est-ce que c'est?.... fit-il en se moquant.

--Oh! reprit madame D'Aucheron toujours à genoux, ne ris point, je suis horriblement malheureuse.....

--Elle est folle, pensa-t-il tout haut.

--Non, je ne suis point folle, mon mari,.... je t'en supplie, écoute-moi. Tu sais bien que je t'ai toujours aimé. Nous n'avons eu que du bonheur ensemble, continuons à vivre heureux. Pour cela nous n'avons besoin que d'une chose: la santé, la santé pour travailler. Je travaillerai tant que tu voudras.... Je ne te serai pas à charge. Le travail ne me coûte pas; non il ne me coûte pas. Tu sais bien que je ne suis pas une paresseuse.... C'est vrai que j'aimais un peu le luxe, mais c'était quand je croyais pouvoir me donner ces mille choses de la vanité, sans te gêner dans tes spéculations.....

--Tu savais bien, au contraire, que j'empruntais cet argent que tu dépensais si bien....

--Oui, je le savais bien, mon cher mari, je le savais bien; mais je me disais: il est habile mon mari, il réussira; tout cela se paiera d'un coup de dé....

--Oui, eh bien! le coup de dé, le voici, je l'ai tiré et j'ai gagné.... C'est le mariage de Léontine avec Vilbertin. Entends-tu?....

--Non, non, il ne se fera pas ce mariage, il ne peut se faire, cria-t-elle en se tordant les bras... s'il se fait, je disparaîtrai; tu me reverras jamais...

D'Aucheron finit par s'émouvoir et par soupçonner qu'il y avait là quelque chose d'extraordinaire....

--Si elle n'est pas folle, pensa-t-il, elle me cache un secret.

Puis il ajouta tout haut:

--Dis-moi avec franchise, au moins, la raison de la position que tu viens de prendre à l'égard de Léontine et de Vilbertin....

--Je ne veux pas que ma fille meure de chagrin..... je l'aime trop pour supporter plus longtemps cette pensée.... et je sens en moi l'idée d'un grand devoir à remplir.

--Ce n'est pas vrai, répondit-il avec aigreur, et il sortit, la laissant seule à genoux sur le parquet.

XXVI

Ce fut un beau moment pour Rodolphe que celui où, des lèvres mêmes de Léontine, il apprit que le ciel se laissait attendrir et que l'espoir leur était encore permis. Ils renouèrent le fil brisé de leurs doux projets, refirent leur retraite paisible et chaste avec les oiseaux chanteurs et les arbres fleuris, s'abandonnèrent à toutes les délices nouvelles qui reviennent en foule, comme un essaim de bourdonnantes abeilles, au coeur qui se reprend à croire et à espérer, après un deuil qui devait être éternel.

Rodolphe partit donc ivre de bonheur pour sa paroisse d'adoption. Le village où l'on demeure, c'est la patrie dans la patrie. On l'aime plus que tous les autres, comme on aime plus que tous les autres, aussi, le pays où l'on est né.

Il emmenait avec lui sa tante et sa cousine.

Vilbertin s'était souvent informé de la santé de madame Villor, et quand il apprit son départ pour St. Raymond, il en témoigna beaucoup de plaisir, disant qu'elle y serait mieux qu'en ville, et que l'air pur des champs ne manquerait pas d'avoir sur elle un effet merveilleux. Il loua son logement aussitôt, et ce fut un double plaisir, car il regrettait bien la sottise qu'il avait faite dans un moment d'erreur. Il avait mal calculé. Le secours n'était pas venu de ce côté-là. Enfin tout allait pour le mieux maintenant.

Il était assis, les jambes allongées, les bras derrière la tête, repassant, avec un raffinement de satisfaction, les derniers incidents de sa vie, et surtout les dernières phases si nouvelles et si pleines d'agréables surprises..... Il fumait un cigare, et des meilleurs..... Il faisait des folies tant il était heureux. Il regardait la fumée bleue qui montait en orbes odorantes vers le plafond noirci par le temps et la poussière, et pensait:

--Il y a des hommes dont les espérances s'envolent et se dissipent comme cette ondoyante fumée. Je les plains. Des maladroits, des malchanceux, des sots, des gens nés sous une mauvaise étoile!... Elle brille mon étoile, à moi.... Elle vaut l'étoile des mages.

Un coup fut frappé à la porte.

--Allons quel malvenu me dérange ainsi dans mes rêveries?

Il eut envie de ne pas répondre. On frappa de nouveau. Il opéra un demi-tour et se trouva convenablement placé devant son écritoire, tel que doit être un notaire sérieux, et cria:

--Entrez!

Sougraine parut.

--On ne te dérange pas trop, j'espère, monsieur le notaire? fit-il en saluant.

--Non, non, répondit Vilbertin, qui pensait tout le contraire.

C'est la coutume, on ment pour ne pas être impoli.

--L'indien vient pour une affaire sérieuse, qui concerne monsieur le notaire.

--Alors explique-toi.

--Tu aimes mademoiselle D'Aucheron?

--De quel droit me poses-tu ces questions?

--La chose n'est pas inutile...

--Je n'ai pas de temps à perdre, mon ami, va droit au but et sois convenable.

--L'indien sait ce qu'il fait, il est prêt à se retirer, mais tu aurais lieu de te repentir de ton impatience.

--Que me veux-tu?

--Tu aimes mademoiselle D'Aucheron?

--Eh bien! oui. Après?

--Tu espères l'épouser?

--Oui!

--Tu ne l'épouseras pas.

--Le notaire éclata de rire.

--Est-ce toi, prophète de malheur, qui m'empêcheras de l'épouser?

--C'est un homme plus fort que nous deux.

--Qui?

--La Longue chevelure.

--La Longue chevelure? ce beau sioux tout couvert de diamants que j'ai vu au bal de madame D'Aucheron?

--Celui-là même.

-Mais comment cet étranger peut-il disposer de la main de mademoiselle D'Aucheron?

--La Langue muette ne peut pas répondre à cette question, mais il affirme que tant que la Longue chevelure vivra, le notaire Vilbertin n'épousera point mademoiselle D'Aucheron. C'est le docteur Rodolphe qui aura la jeune beauté que ton coeur désire.

La jalousie brûla comme un fer rouge le coeur voluptueux du notaire et un éclat sinistre fit étinceler ses yeux.

--Le diable m'emportera, s'écria-t-il, avant qu'un autre possède cette femme qui m'est promise.

--Le diable, dit l'indien, t'emportera peut-être, mais, à coup sûr, tu ne l'auras point.....

--Je voudrais bien savoir, par exemple, si ce drôle-là, va s'immiscer plus longtemps dans mes affaires. Il va voir ce que peut un homme que l'amour influence et que le sentiment de la conservation dirige.... Mais si tu me trompes, toi, tu me le paieras cher.....O mes rêves d'or! fit-il en soupirant, en aparté, ô mes suaves espérances! ô mes divines amours!

Il faisait le fanfaron, mais il était effrayé. Peu accoutumé à la lutte, il s'irritait d'être forcé de descendre dans l'arène. Sa défense à lui, comme ses moyens d'attaque, c'était l'argent. Son coeur saignait un peu sans doute quand il fallait déposer en holocauste, sur l'autel de quelque dieu puissant, d'adorables pièces d'or; mais le sacrifice n'était jamais offert en vain, et les nouvelles jouissances faisaient oublier les déchirements qu'elles avaient coûtés. Ce riche sioux se moquerait sans doute des offres d'argent qu'on lui ferait. Il ne fallait pas songer à le vaincre avec cette arme pourtant triomphante.

--Que faut-il donc faire? demanda-t-il à Sougraine.

--L'indien n'en sait rien. Si le notaire trouve quelque chose, lui, l'indien sera bien aise et il agira.

--Il faut que je voie la famille D'Aucheron d'abord. J'aimerais aussi à rencontrer le siou. Peut-être, après tout, qu'il n'est pas si redoutable que tu le dis. Ou peut le rouler. Vilbertin en a déjà vu d'autres!....

Comme il se laissait emporter agréablement par ses pensées de forfanterie, la Longue chevelure, après avoir frappé à la porte, entra marchant d'un pas majestueux, les cheveux sur le cou, revêtu d'un riche capot de loutre.

--M. Vilbertin? fit-il.

--C'est moi, monsieur, répondit le notaire, dont les pensées vaniteuses s'envolèrent comme des flocons de neige sous la bourrasque....

La Longue chevelure salua aussi la Langue muette.

--Le notaire va bien voir, pensa celui-ci, que la Langue muette ne le trompait pas, et que la Longue chevelure est un ami bien dangereux.... pour nous deux....

Le notaire approcha un siège et pria le sioux de s'asseoir. Il était devenu d'une exquise politesse, le notaire.

--Je suis bien heureux de faire plus intime connaissance, dit-il, avec le chef distingué qui nous a tant émerveillé l'autre soir, chez monsieur D'Aucheron.

--Monsieur, fit le sioux en saluant, je viens vous dire qu'une jeune fille à laquelle je porte beaucoup d'intérêt, désire épouser un homme qu'elle aime, comme la fleur du nénuphar aime le soleil qui baigne sa corolle. Cette jeune fille vous la connaissez, c'est mademoiselle D'Aucheron..... Vous la recherchez vous-même, je le sais, comme le chasseur altéré recherche la fontaine d'eau vive. Elle vous estime et vous respecte sans doute, mais elle ne vous aime point. Je vous supplie d'être généreux et de l'oublier, comme le voyageur oublie l'ombre où il s'est reposé.

--Je ne comprends pas, monsieur, que vous me parliez de la sorte. Etes-vous envoyé par mademoiselle D'Aucheron ou par quelqu'un de sa famille?

--Je ne suis l'envoyé de personne et je n'obéis qu'à un sentiment de compassion et d'humanité.

--Alors permettez-moi de vous dire que je suis à un âge où l'on agit d'ordinaire après des réflexions suffisantes.

--Vous êtes à un âge où l'on fait des folies, parce que l'on en fait toujours, et toujours en se croyant sage.

--Dans tous les cas, monsieur le sioux des Montagnes Rocheuses, vous admettrez sans peine que vous jouez un rôle un peu singulier. Nous ne sommes plus au moyen âge, et c'est en vain que vous voudriez imiter les galants chevaliers qui galopaient, allant de château en château pour défendre les belles châtelaines et s'en faire aimer.

--Je ne suis qu'un père malheureux qui cherche depuis plus de vingt neiges son enfant perdue. J'ai rencontré par hasard une jeune fille remplie de charmes et de vertus. Elle est douce comme la gazelle. Un malheur la menace comme la serre de l'épervier menace la fauvette, et je m'efforce de la protéger.

--Vous êtes vraiment généreux; elle vous devra de la reconnaissance.... Mais laissez faire ce que vous ne pouvez empêcher.

--J'empêcherai ce que je ne dois pas laisser faire, répondit la Longue chevelure avec fermeté, puis il sortit.

Quand il fut dehors le notaire dit à Sougraine:

--Est-ce un complot?

--Ce n'est pas un complot, répondit Sougraine, et l'indien donnerait beaucoup pour voir cet homme loin.... bien loin....

--Si c'est une affaire entre vous, reprit Vilbertin, cela ne me regarde pas; arrangez-vous ensemble, moi je tiens à mon mariage.

Il se remettait à peine de son émotion que madame D'Aucheron, survint à son tour. Elle était plus pâle que d'habitude et l'on voyait, à ses yeux rougis, qu'elle avait beaucoup pleuré. Le notaire la fit entrer dans son bureau particulier, s'excusa auprès de l'indien et s'enferma avec elle.

--Mon cher notaire, commença-t-elle--et sa main droite cherchait à comprimer les battements de son coeur--mon cher notaire, il faut renoncer à notre projet, notre doux projet....! Une force majeure.... quelque chose d'inexplicable et de terrible est survenu qui nous force à retirer notre parole.... Léontine ne peut point vous épouser. Mon cher notaire, soyez indulgent: soyez bon comme toujours! Ce n'est point notre faute à nous, non, je vous l'assure....

Le notaire l'écoutait tout ébahi.

--Quel est ce mystère? dit-il à la fin.... Ma tête s'égare.... je deviens fou, ma foi! c'est à devenir fou... l'Abénaqui arrive et me dit: Vous ne vous marierez point. Le sioux le suit et me conjugue le même verbe. Vous survenez et c'est encore la même chanson... Vous me direz toujours bien pourquoi je n'épouserai votre fille, et pourquoi, dans ce cas-là, je ne vous ruinerais point, et ne vous jetterais point sur le pavé.

Il était en fureur, le notaire, et ne pesait plus ses paroles....

--Pourquoi! oh! pourquoi vous vengeriez-vous ainsi? ce n'est pas notre faute, je vous l'ai dit; nous sommes sous un talon de fer....

--Et mon talon à moi, croyez vous que vous ne le trouverez pas dur?

--Ce ne sera toujours que la ruine, répondit madame D'Aucheron, d'un air résigné....

--Que la ruine! comme vous en prenez votre parti, remarqua le notaire de plus en plus stupéfait..., l'autre chose qui vous menace est donc bien redoutable. Ce serait curieux cela, ajouta-t-il avec ironie.

Pendant que le notaire et madame D'Aucheron échangeaient ainsi des prières contre des imprécations, des supplications contre des moqueries, un monsieur entra dans l'étude.

--Le notaire est-il engagé? demanda-t-il à l'Indien.

--Il y a une dame avec lui dans l'autre chambre, là....

Et il montrait du doigt la porte du petit bureau.

--Ne le dérangeons pas, alors, fit le survenant.

L'abénaqui pensait à part lui:

--Ça va être drôle tout à l'heure.

Au bout d'une vingtaine de minutes qui parurent bien longues à celui qui attendait, la porte du bureau s'ouvrit et madame D'Aucheron parut. Elle était bouleversée et ses yeux avaient quelque chose de vague, de hagard à faire peur.

--Vous ici madame? fit le dernier arrivé.

C'était monsieur D'Aucheron. Sa femme fit un pas en arrière et ne répondit rien.

--Vous avez voulu prendre les devants, madame, continua D'Aucheron, mais vous n'arriverez pas plus vite pour cela.... Elle vous a supplié, sans doute, de renoncer à la main de notre fille?

demanda-t-il, en s'adressant au notaire, n'allez pas l'écouter: elle divague.

Le notaire poussa un soupir de soulagement comme un homme qui revient du fond de l'eau. L'abénaqui sourit en entendant D'Aucheron appeler Léontine sa fille.

--Il me semblait, répondit Vilbertin que tu ne pouvais pas renoncer aux immenses avantages que t'assure mon mariage.

--Jamais! répliqua fermement D'Aucheron. Est-ce que je me ruinerais pour les caprices d'une femme, la mienne? Ce mariage aura lieu, je le veux.... Mais j'oublie que nous sommes en présence d'un étranger, remarqua-t-il en faisant allusion à Sougraine, passons donc de l'autre côté; nous allons, une fois pour toutes en finir avec cette affaire....

--Il paraît, répondit Vilbertin, que cet indien n'est pas de trop. Il est du complot; le siou aussi. Ils sont venus ici avant madame D'Aucheron pour me sommer, s'il vous plaît, rien que cela! de renoncer à mademoiselle Léontine.... Dis-moi donc ce qu'ils ont à voir, ces individus-là, dans nos projets.... Y comprends-tu quelque chose?

--Ces deux étrangers, ces deux sauvages sont venus te dire de renoncer à la main de ma fille?

--Comme j'ai l'honneur de te l'affirmer....

--Quelle insolence! quelle....

--Ce n'est pas cela, fit l'abénaqui, d'une voix étrangement douce, c'est la nécessité.... une affreuse nécessité....

--Allez donc vous promener, avec vos nécessités, cria D'Aucheron qui s'emportait...

--C'est pour sauver la paix de ta maison, l'honneur de ton nom, et plus que cela encore, continua l'abénaqui.

--Tu mens.

--L'indien dit la vérité.... Tout cela pourrait s'arranger pourtant, oui tout cela pourrait s'arranger, et le mariage de monsieur Vilbertin aurait lieu comme vous le désirez tous, si un homme s'éloignait.

--Comment cela? quel est cet homme? demanda D'Aucheron.

--C'est la Longue chevelure, répondit l'abénaqui. Il nous tient tous sous son pied, et il nous peut tous écraser comme des vers de terre.

--Quant à moi, continua D'Aucheron, je ne vois pas ce qu'il peut me faire....

--L'indien le sait, lui, et c'est terrible, va!

--Si le sioux disparaissait, demanda le notaire, tout s'arrangerait? Il n'y aurait plus d'obstacles à mon mariage?.... La paix de tout le monde serait respectée?

--Oui! s'écrièrent à la fois Sougraine et madame D'Aucheron.

--Comment peut-il se faire, demandait D'Aucheron, qu'un homme qui ne nous connaît que depuis quelques jours, qui a passé toute sa vie loin de nous, qui est parfaitement étranger à nos relations et à nos projets, devienne tout à coup l'arbitre de nos destinées, nous oblige à faire ce que nous ne voulons pas, et à nous désister de ce que nous voudrions faire. Parlez donc, vous autres qui connaissez ses motifs et qui vous montrez les esclaves de ses volontés, parlez donc! Quand on saura ce qu'il est, ce qu'il médite, ce qu'il ose on pourra déjouer ses desseins. Rencontrons-le face à face. Avons-nous peur d'engager la lutte? Encore une fois, que peut-il nous faire? Nous n'avons rien à cacher dans notre existence. Aurions-nous quelque chose, que ce ne serait pas lui, cet étranger, qui feuilletterait le livre de notre vie? Vous a-t-il achetés avec ses diamants? Quel intérêt a-t-il à empêcher le mariage de Léontine avec M. Vilbertin?...

Madame D'Aucheron écoutait la tête basse, l'abénaqui paraissait distrait. Il cherchait à oublier le danger dont il était menacé.

La position que prenait D'Aucheron n'avait rien de bien rassurant pour lui.

--Voilà du singulier, ajouta D'Aucheron. Il faudra toujours bien que j'aille au fond de ce mystère.

Il regardait sa femme avec une certaine cruauté. Elle vit bien qu'il était résolu de découvrir le secret qu'elle cachait avec tant de soin.

--Si la Longue chevelure disparaissait, pensait-elle.... Je n'aurais plus rien à craindre.

XXVII

Les élections générales approchaient. On entendait une rumeur sourde et profonde comme le grondement d'un orage encore lointain. On fourbissait dans l'ombre des armes qui promettaient d'être mortelles. Chaque parti faisait la revue de ses forces et préparait les machines qui devaient détruire le camp ennemi. Les futurs candidats se montraient d'une politesse exquise envers tout le monde, serraient avec effusion la main de l'ouvrier, saluaient avec le sourire sur la bouche le laitier, le bottier et le regrattier, libres et indépendants électeurs, dont le vote pouvait faire pencher la balance, et le regrattier, le bottier et le laitier, tous gens honnêtes et madrés, se disaient: On a souvent besoin de plus petit que soi....

L'un des plus actifs, des plus polis, des plus affables, des plus populaciers, c'était M. Le Pêcheur. Il entendait bien se faire réélire et garder encore son portefeuille si doux à porter. Il allait de maison en maison solliciter les suffrages. On le recevait bien, mais on se disait à part soi:

--L'on verra. Le scrutin a été donné pour cacher son vote, on s'en servira, du scrutin....

L'adversaire du jeune ministre serait probablement l'employé qu'il avait destitué par économie et remplacé par galanterie. Le peuple est naturellement sensible, honnête, compatissant. Les actes tyranniques ou injustes le révoltent. Il protège les victimes et flagelle les bourreaux. Le peuple inclinait vers monsieur Préchon, la victime. D'autant plus que Préchon avait des capacités, n'était pas sot du tout et se montrait bon chrétien. On a beau dire, cela ne nuit pas aux choses temporelles d'aller à la messe le dimanche et à confesse plus souvent qu'à Pâques. Préchon avait bien menacé M. Le Pêcheur, c'est vrai, dans un mouvement de colère dont il n'avait pu se défendre, mais aujourd'hui, il ne tenait plus à se servir de cela pour discréditer son adversaire. Et qu'importe l'origine d'un homme, dans notre monde et dans notre siècle? Ce qui importe, c'est le caractère de cet homme. Qu'il sorte d'un palais ou d'une chaumière, qu'il soit l'enfant de l'amour chaste ou du crime, on le jugera d'après ses oeuvres. C'est ainsi que Dieu lui-même le juge. L'humanité, longtemps aveugle ou lâchement avilie, avait oublié ce suprême jugement du Créateur et se prosternait souvent devant un homme ignare ou méchant, voluptueux ou sot, parce que l'un de ses aïeux avait fait une belle action, son devoir probablement, et rangeait du pied le nouveau venu plein de sciences, de talents ou de vertus qui n'avait point de noblesse ou de famille. Aujourd'hui, une lumière plus pure éclaire les hommes, un sentiment plus juste les anime, un motif plus noble les conseille. Ce n'est pas le souffle jaloux et dangereux de l'égalité qui passe sur la terre pour raser les têtes qui s'élèvent... c'est la colère de Jésus qui maudit et jette au feu les arbres qui ne portent point de fruits.

TROISIÈME PARTIE

LES ASSISES CRIMINELLES

I

La chasse aux caribous n'est pas un frivole amusement, certes! et chaque hiver on voit sortir de nos murs, pour se diriger vers la chaîne des Laurentides, plus d'un chasseur bien emmitouflé, le fusil à l'épaule, l'imagination pleine de fantastiques panaches qui dansent sur des têtes effarées. Les neiges sont hautes, les chemins, durs, le froid, piquant, et il est bon d'aspirer l'air vivifiant de nos climats rigoureux. La glace, sous son éblouissant et incorruptible manteau, tient dans une impuissance absolue toutes les souillures du sol.

Aux reflets du soleil les cristaux de la neige étincellent comme une poussière de diamants, et sur les plaines d'une blancheur éclatante se déroule sans fin l'azur foncé d'un ciel pur...

Le notaire Vilbertin et D'Aucheron, son ami, traversaient la ville dans une carriole mollement rembourrée. D'autres suivaient. C'étaient Dupotain, Landau, Griflard, la Longue chevelure. Puis une voiture remplie de provisions de toutes sortes fermait le cortège. Ceux qui connaissaient la coutume du notaire et son goût pour la chasse n'eurent pas de peine à deviner qu'il s'en allait relancer le caribou dans nos montagnes pittoresques.

Le parti de chasseur descendit la côte d'Abraham, traversa St. Sauveur et suivit le chemin de la petite rivière. Il passa par Lorette, St. Augustin, le Pont Rouge, entra dans la chaîne des Laurentides, laissa derrière lui Ste Catherine, atteignit et dépassa St. Raymond, au fond de sa charmante vallée, sur les bords de la rivière Ste Anne....

La dernière habitation disparut derrière un coteau de neige, au bout des terrains à demi-défrichés, et les chasseurs s'enfoncèrent dans la forêt sombre, infinie, où les montagnes, les rochers, les lacs et les vallons se succèdent toujours, toujours jusqu'aux défrichements du lac St. Jean et, par de là, jusqu'à la mer de glace. Les grands sapins, les pruches, les épinettes avec leurs larges palmes vert sombre couvertes de blancs flocons, ressemblaient à ces vieux rois du nord que nous montrent les légendes scandinaves--vieux rois drapés dans leurs manteaux sombres garnis d'hermine, et couronnés de chevelures d'argent. Les chasseurs marchaient à la file et les raquettes laissaient sur la neige molle une empreinte qu'on eût dit produite par le pied d'un animal énorme ou le sillage d'un vaisseau dans une mer d'écume. Sougraine conduisait la marche. Il connaissait bien ces lieux qu'il avait mille fois parcourus. La Longue chevelure, alerte et souple comme un cerf, le suivait. Puis les chasseurs de la ville, Vilbertin, D'Aucheron, Landau, Dupotain, Griflard. Puis encore les hommes de peine, ceux qui emmenaient le bagage sur des traînes sauvages, ou le portaient sur leur dos. Le soir, on dressait la tente, on allumait le feu, on faisait des lits de sapins, sur lesquels on étendaient de chaudes couvertes de laine, et, après avoir bu un peu sec et mangé avec appétit, on s'endormait profondément.

On découvrit après quelques jours un superbe *ravage*, et l'on but à la santé de l'animal complaisant dont la piste allait être un guide sûr. La marche dura plusieurs heures encore avant que l'on pût apercevoir un superbe caribou.

Il était couché sous un magnifique sapin, et s'amusait à mordre les petites branches vertes qui pendaient comme des guirlandes au-dessus de lui. A l'approche de la caravane il dressa l'oreille et tourna la tête. Il flaira le danger et son oeil doux s'alluma subitement. Il se leva tremblant. Une clameur fit retentir les bois; les chasseurs étaient presque à portée du fusil. Alors, rapide comme l'éclair, rejetant, son panache mobile afin de ne point s'embarrasser dans les rameaux des arbres, il s'élança à travers les couches mouvantes de la neige. Une poursuite acharnée et sans trêve commença. La Longue chevelure, avait pris les devants. C'était lui, au reste, qui devait tirer le premier. Vilbertin, l'on ne savait pourquoi, avait demandé qu'il en fût ainsi. Sougraine le suivait. Le caribou distança d'abord ses ennemis, mais la fatigue le gagna peu à peu dans cette course sans merci, sur ces neiges molles et profondes....

Les chasseurs s'aperçurent, aux traces irrégulières qu'il laissait maintenant, que ses forces le trahissaient, et qu'il faiblissait par instant pour reprendre aussitôt courage. Eux-mêmes aussi se sentaient gagner par la fatigue, et l'espoir seul d'un prochain triomphe animait leur courage. Tout à coup deux détonations retentirent; elles furent suivies de deux gémissements. Puis la forêt sonore, réveillée un instant comme en sursaut, retomba dans son morne silence.

Le caribou était tombé, mais non loin de lui, quelques pas en arrière, celui qui l'avait blessé gisait aussi grièvement atteint.

Les chasseurs arrivèrent tour à tour en poussant des cris de joie; mais à la vue de la Longue chevelure affaissé sur la neige et couvert de sang, leurs joyeuses clameurs se changèrent en lamentations.

--Comment cet accident est-il arrivé demanda l'un des chasseurs?

--C'est ma carabine répondit Sougraine. L'indien ne sait pas comment, par exemple. Il courait, il courait.... il y a tant de petites branches.... Tu sais.

--On n'est jamais assez prudent à la chasse, reprit, en forme de maxime, le gros notaire qui arrivait tout essoufflé.

Et il échangea avec Sougraine un regard mystérieux.

La balle était entrée en plein corps un peu au-dessus de la hanche. Le siou, malgré la douleur que lui faisait éprouver sa blessure, n'avait pas perdu connaissance. On le coucha bien enveloppé dans de chaudes couvertures de laine, sur des branches molles au-dessous d'un arbre épais qui lui faisait un excellent abri, en attendant la *traîne* aux provisions sur laquelle on le mettrait pour le ramener aux plus prochaines habitations.

Le caribou gisait à quelques pas plus loin. Quand les chasseurs l'entourèrent il voulut se lever pour fuir encore, mais sa tête retomba sur la neige ensanglantée, et ses grands yeux doux s'arrêtèrent sur eux pleins de larmes. Qui peut deviner à quoi songe la bête, au moment où elle se sent expirer sous les coups de l'homme? Ne pouvant raisonner sa douleur, ni s'en expliquer la cause, elle doit en souffrir davantage. L'homme, parfois, domine par la force de sa volonté, les souffrances qui le tuent. Sa pensée l'emporte dans une région supérieure. L'esprit impose silence à la matière.

Le retour fut long et pénible. Sur une *traîne*, la Longue chevelure, sur l'autre le caribou. Et les hommes peinaient à tirer parmi les broussailles, à travers les arbres de ces régions désertes, par dessus les montagnes, ou à travers les vallons les deux longues *traînes sauvages*.

On laissa le malade à St. Raymond, dans la première maison que l'on trouva. Puis on fit avertir le médecin qui accourut aussitôt. Le médecin, c'était Rodolphe Houde. Le notaire avait insisté pour qu'on transportât le blessé à Québec, sous prétexte qu'il y serait mieux soigné, mais les autres furent d'avis qu'il ne supporterait pas un plus long voyage et que ce serait très imprudent de l'exposer à de nouvelles fatigues. Le notaire céda. Il supplia Rodolphe de lui envoyer des nouvelles chaque jour, si c'était possible. Il était bien chagrin, le bon notaire, de ce qu'un pareil accident fût arrivé dans une partie de plaisir commencée sous d'aussi heureux auspices. Il croyait bien que jamais il ne retournerait à la chasse. Cela lui faisait prendre en aversion l'amusement le plus cher de sa vie. La vie d'un homme, il faut y songer, c'est d'un grand prix.

II

La partie de chasse avait été organisée par le notaire et Sougraine.

Ils en parlèrent à la Longue chevelure qui n'y vit qu'un agréable délassement. Il avait été entendu qu'il aurait l'honneur de tirer le premier. Il passerait devant, alors, et... l'on ne sait pas ce qui pourrait arriver ensuite.

Madame D'Aucheron fut mise au courant de ces petits arrangements, bien inoffensifs en apparence, et elle trouva que le notaire et Sougraine ne manquaient pas d'imagination. Elle attendait avec une impatience fébrile le retour de ses amis. Comme elle semblait préoccupée plus que de raison, Léontine, toute pétulante, toute joyeuse, lui parlait de sa félicité prochaine, pour la distraire un peu. Mais moins attendrie que les jours précédents, cette femme rusée disait qu'il ne fallait pas trop compter sur les promesses du bonheur; qu'il n'y avait rien de changeant comme la fortune; que souvent la félicité nous échappait au moment où l'on en portait la coupe à ses lèvres. Ces paroles jetaient du froid sur l'enthousiasme de la jeune fille et faisaient renaître de vagues craintes un moment oubliées. Elles produisaient l'effet du brouillard glacé qui s'abat sur le frissonnement amoureux des fleurs de la prairie, le soir d'une chaude journée.

Léontine reçut une lettre de mademoiselle Ida Villor. Elle en dévora les pages charmantes. Jamais sa bonne amie n'avait écrit avec autant d'abandon. Elle lui parlait de Rodolphe, son cher Rodolphe!... Comme il t'aime! disait-elle, et comme tu seras heureuse avec lui! Il est bon, va! Il a bien soin de nous.... La clientèle est belle.... On vient de loin le chercher. Notre humble demeure, près de l'église, s'ouvre à chaque instant du jour et de la nuit. C'est un peu fatigant, mais cela chasse l'ennuie.

Madame Villor allait mieux. Le voyage ne l'avait pas trop fatiguée. Elle articulait quelques mots maintenant. Quand le printemps serait revenu avec ses brises chargées de parfums, ses chaudes buées, son éclatant soleil, ses chants d'oiseaux, les murmures des feuilles, les tressaillements nouveaux des champs et des forêts à leur réveil, elle aussi sans doute se ranimerait tout-à-fait et renaîtrait à la vie. Une bonne, une grande nouvelle, pour terminer, ajoutait-elle. On veut que je fasse l'école. J'aurais dit oui, déjà... s'il ne me fallait pour cela négliger un peu, beaucoup même, ma bonne mère et mon cher cousin. On m'offre un joli salaire, et je n'aurai guère à me déranger. Une petite promenade seulement. J'ai bien envie de dire: oui. Si je me décide, tu me verras tomber dans tes bras, car il faudra que j'aille à la ville. Tu reviendras avec moi, c'est Rodolphe qui le veut.

Ces dernières paroles firent longtemps rêver mademoiselle D'Aucheron. Elle ferait bien de se livrer à l'enseignement, pensait-elle, et si j'étais là je lui conseillerais de ne point se fermer une carrière aussi intéressante pour soi-même qu'utile pour les autres.

Comme elle s'abandonnait à l'espoir de voir arriver son amie, et de partir avec elle sans doute, on vint lui dire qu'une jeune personne l'attendait au salon. Elle accourut.

--Ida!

--Léontine!

Les deux noms retentirent à la fois et les deux amies s'embrassèrent dans une douce étreinte.

--J'achevais de lire ta lettre, dit Léontine; un peu plus et tu la précédais.....

--Nous n'avons pas le service de la malle tous les jours, vois-tu, là-bas, dans nos forêts.....

--Non, mais vous avez la paix, le calme, le bonheur..... n'est-ce pas?

--Tous les jours, ma bonne Léontine.... Viens voir cela.

Mademoiselle Villor fit une bonne provision de livres de classe, alla prendre conseil du Surintendant de l'Instruction publique, et se remit en route pour St. Raymond. Léontine l'accompagnait.

Madame D'Aucheron, qui ne détestait pas d'être seule, vu la disposition d'esprit où elle se trouvait et l'attente des nouvelles qui devaient venir, ne fit aucune objection à son départ.

Quand la voiture qui les emmenait fut sur le monticule qui domine le village, Ida chercha des yeux la maison de Rodolphe, et la montrant du doigt à Léontine.

--Là-bas, par de là l'église, sous les grands pins noirs..... Vois-tu?

Léontine ne voyait pas, des larmes voilaient ses regards. On descendit la côte escarpée et on traversa le village au grand trot du cheval. Une voisine que mademoiselle Ida avait laissée avec sa mère vint ouvrir en souriant.

--Tout va bien ici puisque vous souriez, mademoiselle Clémence, observa l'amie de Léontine.

Clémence, c'était la voisine, une vieille fille qui n'avait jamais aimé que les chats et jamais raconté que des nouvelles vraies.

--Oui, mademoiselle, tout va bien ici, mais ça ne va pas bien partout.

--Non? qu'y a-t-il donc?....

--Entrez toujours; déshabillez-vous, mesdemoiselles, vous devez être fatiguées, vous devez avoir froid; on vous contera tout cela.

Elle n'était pas pressée de dire la nouvelle parce qu'elle ne craignait pas d'être devancée par d'autres. Elle était seule avec la malade. Elle l'eût racontée à la porte, au risque de contracter une fluxion de poitrine, s'il se fût trouvé quelqu'un dans la maison pour lui faire concurrence.

Les jeunes filles embrassèrent la malade.

--Où est Rodolphe? demanda Ida.

A ce nom un doux tressaillement agita Léontine et une vive rougeur parut sur ses joues encore froides des baisers du vent.

--Voilà la nouvelle, s'écria Clémence; chaque chose arrive en son temps. On est venu le quérir il y a dix minutes, à bride abattue, pour un sauvage qui s'est fait tuer à la chasse.....

Léontine pâlit tout à coup; une angoisse inexplicable l'oppressait.

--Quand je dis: tuer, reprit Clémence, ce n'est pas tout à fait exact; mais blessé gravement.

--Quel est le nom de ce sauvage? demanda mademoiselle Ida.

--Un drôle de nom, répondit Clémence qui ne se hâtait plus.

--Encore, quel est-il? insista Léontine, qui faisait un effort pour se remettre.

--La chevelure longue, je crois, ou quelque chose comme ça....

--La Longue chevelure! s'écria Léontine.... est-il possible? mon Dieu!...

--C'est cela, la Longue chevelure!.........

Est-ce que vous le connaissez, mademoiselle? demanda la voisine.

--Depuis peu de temps seulement, mais je l'estime beaucoup.... Il est si bon.... Si tu veux, Ida, nous irons le voir?

--Nous le ferons transporter ici, Léontine, et nous le sauverons si c'est possible....

Les jeunes filles attendirent avec une grande impatience le retour du médecin. Il ne revint que le soir. Elles veillaient en causant près du poêle où la flamme bourdonnait gaiement. Quand le cheval qui ramenait Rodolphe s'arrêta devant la porte, couvert de frimas et secouant sa longue crinière et ses grelots au son argentin, elles coururent ouvrir.

Il y eut un moment d'égoïste bonheur: le blessé fut oublié pendant une minute. Que ceux qui n'ont pas aimé jettent la première pierre.....

Après les premiers épanchements on parla du malheureux siou.

--Il est en danger, remarqua Rodolphe, et j'ai mandé un médecin de la ville en consultation... Il n'y a cependant point de parties essentielles de lésées, car la mort serait déjà survenue... Il y a les complications à redouter... les inflammations.

--Sais-tu, cousin, reprit Ida, que nous voudrions l'avoir ici pour le soigner, Léontine et moi.

--S'il est possible de l'amener, nous le ferons de grand coeur. Je tiens à l'avoir sous mes yeux, afin de suivre mieux les phases du mal.

Ensuite Rodolphe raconta comment l'accident était arrivé. Il n'y avait rien de bien surprenant en cela. Les accidents de chasse sont si fréquents.

Cependant une pensée amère, atroce peut-être, entrait dans l'esprit de Léontine. Elle voulait s'en débarrasser, la chasser comme un mauvais rêve, comme un cauchemar, et elle revenait toujours, comme l'onde que l'on repousse avec un aviron.

III

Les chasseurs, Vilbertin en tête, rentrèrent dans la ville, avec le caribou qu'ils avaient tué, étendu sur un traîneau. La nouvelle de l'accident se répandit vite. Ce fut toute une journée le sujet de la conversation.

--Il me semblait, disait le notaire, que je ne pouvais pas être toujours heureux à la chasse; j'avais comme un pressentiment de ce qui devait arriver, et je crois que je ne serais point parti, si les autres ne m'avaient entraîné...

Il disait encore:

--Un accident est vite arrivé. Nous venions d'apercevoir le caribou. Ce fut un cri général. Le sioux prit les devants, l'Abénaqui suivait en imprimant à sa carabine un mouvement de va-et-vient dangereux. Je le voyais bien et j'allais lui dire de faire attention. Tout à coup. Vlan! Vlan! deux détonations. Une branche probablement avait fait partir la gâchette... C'est dommage, la chasse promettait, et c'est si plaisant de courir les bois en hiver!.... Pourtant, je crois bien que je n'y retournerai plus... Après un malheur comme celui-là... Si le pauvre diable pouvait en revenir!

Le soir il y eut réunion des chasseurs chez D'Aucheron. On parla beaucoup de l'accident. Madame D'Aucheron demanda discrètement au notaire s'il pensait le sioux mortellement atteint. Il répondit de même que les apparences le faisaient croire. La malheureuse reprenait, comme malgré elle, ses rêves de vanité, d'ambition de richesses, de luxe.... et sa fille redevenait une chose à exploiter......

La Longue chevelure fut amené chez le docteur Rodolphe. Il éprouva d'abord un mieux sensible puis une rechute. Une fièvre brûlante s'empara de lui. Il eut le délire.

Léontine se tenait à son chevet, et quand Ida revenait de sa classe, elle remplaçait son amie pour lui permettre de se reposer un peu. Le soir, elles veillaient toutes deux avec un dévouement d'enfants pour un père bien-aimé. Tour à tour, avec des linges imbibés d'eau froide, elles lavaient le front et la tête du malade; elles mettaient de la glace sur ses lèvres enflammées par la fièvre. Puis elles priaient avec une ardente ferveur. Rien n'était touchant comme de voir ces deux anges de la terre disputer à la mort sa victime. Parfois la mort vaincue s'éloignait et l'espérance rentrait dans l'âme des jeunes filles. Le médecin luttait aussi de toutes les forces de son énergie, de toutes les ressources de la science..... La lutte était étrange et belle.

Là-bas, dans la ville, trois êtres misérables se cherchaient comme les ombres cherchent les ombres, sans bruit, sans amour, sans charité, pour se communiquer les rumeurs saisies au vol. Ils prenaient un suprême intérêt à la lutte qui se livrait loin d'eux. Ce qu'ils pouvaient faire, ils l'avaient essayé. Ils n'avaient plus qu'à suivre d'un oeil inquiet les péripéties du combat. Les voeux qu'ils formaient n'étaient point pour le triomphe des anges et du jeune médecin, mais pour le triomphe de la mort. Elle tardait bien cette mort pourtant si vorace d'habitude.... elle tardait bien à venir.

Un jour, la rumeur apporta une nouvelle terrible pour les trois conjurés... La Longue chevelure avait le délire....Il allait mourir peut-être.... Mais ce n'est pas cela qui les effrayait. Dans sa folie il avait parlé; dans son délire il avait jeté un nom en pâture à la curiosité du monde, et plusieurs l'avaient entendu ce nom qui réveillait un triste souvenir. Il avait parlé de Sougraine.

--Ne tire pas, Sougraine, avait-il dit, si je le manque, tu l'attaqueras à ton tour.

Il faisait évidemment allusion à la chasse. Il avait dit encore:

--La Langue muette, cache-toi bien, car si l'on devine que tu es Sougraine, tu seras poursuivi comme le caribou de la forêt par le chasseur implacable...

Puis:

--Elle est méconnaissable, cette malheureuse Elmire, sous ses riches vêtements de dame.... Je ne peux cependant pas les laisser périr dans les flammes; il faut que je les sauve encore... Ils me tueront ensuite, mais n'importe, j'aurai fait mon devoir.

Une nuit entre autres il ne cessa de parler.

A ce nom de Sougraine une foule de pensées assaillirent l'esprit d'Ida. Elle se souvint de l'histoire lamentable racontée par le siou, le soir du bal et de l'évanouissement de madame D'Aucheron. Léontine, elle, avait des frémissements de terreur. Elle entrevoyait la vérité à travers le sombre tissu des événements, comme à travers des ombres flottantes on aperçoit une lumière encore vague... Elle avait peur de comprendre, de voir trop nettement dans ces mystères redoutables. Et pourtant quelque chose lui disait qu'il y avait un mensonge dans ce qu'elle avait entendu; qu'elle n'était pas l'enfant du crime, et que sa délivrance et son salut sortiraient de la ruine des siens. Elle aurait bien voulu épancher ses craintes et ses frayeurs dans l'âme de son amie, mais elle n'avait pas le droit de parler.

Elle passa une partie de cette nuit en prière. Ida, remarquant son extrême inquiétude et sa tristesse amère, s'unissait à elle pour prier.

IV

Quelque temps après, l'Abénaqui, fort tranquille en apparence, savourait un verre de whiskey en songeant au blessé de St. Raymond, dans un des nombreux estaminets de la basse ville. Il était seul. Plusieurs jeunes gens entrèrent et, debout près du comptoir, se firent verser à boire.

--Savez-vous la nouvelle? demanda l'un d'eux.

--Non, quelle nouvelle?

--Il paraît que Sougraine est revenu....

--Quel Sougraine?

--Un sauvage qui a tué sa femme et enlevé une jeune fille, il y a vingt ans.

--Et il est revenu? pourquoi?

--Pour se faire pendre, je suppose....

--Comment sais-tu cela?

--C'est lui, parait-il, qui a, dans une partie de chasse, envoyé une balle à ce beau siou, la Longue chevelure.... sous prétexte de tuer un caribou.

--C'est assez singulier, cela. Est-il arrêté?

--Je ne crois pas. On le cherche.

Pendant ce dialogue Sougraine éprouva toute les angoisses par lesquelles un homme peut passer. Des sueurs froides lui coulaient des tempes sur les joues et ses dents claquaient de frayeur.

La fille qui servait au comptoir ouvrait la bouche pour dire:

--Je crois que c'est lui qui est assis là-bas, à cette table, mais un sentiment de pitié l'arrêta.

--Il y a vingt ans, pensa-t-elle.... Mon Dieu, il doit avoir expié suffisamment sa faute.... qu'il s'échappe s'il le peut.

Les jeunes gens sortirent.

Sougraine était trop inquiet pour demeurer plus longtemps dans cet maison ouverte à la foule. Il sentait bien qu'il ne lui restait qu'une chose à faire, disparaître. Il lui en coûtait cependant de laisser le notaire et madame D'Aucheron recueillir seuls le fruit de la partie de chasse. Il décida de se rendre chez Vilbertin pour avoir des nouvelles. Il sortit, la tête basse, mais regardant sournoisement autour de lui pour voir s'il n'y avait rien de suspect. Il suivit les rues les plus désertes. Il rencontra chemin faisant quelques agents de police et, chaque fois, il sentit une sueur perler sur son front, un frisson parcourir tous ses membres. Il était tenté de courir à toutes jambes, au risque de donner l'éveil. Il est si naturel de se sauver quand on a peur. A la tombée de la nuit il entra chez Vilbertin.

Le notaire n'était pas, non plus, d'une gaieté folle. Il voyait clairement maintenant sa coupable sottise. Ses paupières se dessillaient et l'aveuglement qui précède toujours un crime faisait place aux lumières de la raison.... Avant la faute on ne voit que les jouissances promises, après, l'on suppute avec amertume ce qu'elles nous coûtent.

En voyant entrer l'indien, il devint d'une pâleur extrême et se prit à trembler.

--Savez-vous, dit-il, d'une voix basse et profondément émue, que le sioux a parlé et que votre vrai nom est connu maintenant?

--Les paroles d'un fou, cela ne compte guère, répliqua l'indien.

--La curiosité se réveille et l'on voudra savoir ce qu'il y a de vrai dans ces révélations dues à la fièvre: on vous fera arrêter, c'est sûr. Si vous êtes Sougraine, vous n'échapperez point; ne vous faites pas d'illusion.

--Oh! non l'indien n'est pas Sougraine!

--Alors vous n'avez rien à craindre, restez en paix, attendez les événements.

--Si l'indien s'éloigne, combien lui donneras-tu?

--Mais si vous ne partez pas c'est la prison, le pénitencier, l'échafaud, peut-être, qui vous attend. Allez-vous jouer ainsi votre vie? Vous pouvez fuir, il en est temps encore. Demain il sera peut-être trop tard....

--L'indien n'ira pas tout seul dans la prison, au pénitencier, sur l'échaufaud....

--Comment? fit le notaire effrayé, voudriez-vous nous perdre? pourquoi? quel mal vous avons-nous fait?

--L'indien veut être en bonne compagnie. Tout seul, il sera traité sans pitié; avec un gros monsieur et une grosse dame, il sera entouré de respect.

--Sougraine, allez-vous en, je vous en conjure!...

--Combien paies-tu?

Le notaire, écrasé sous une pensée de scandale, de trahison, d'ignominie et de pitié, crut être généreux en offrant vingt-cinq dollars à l'indien.... Sougraine éclata de rire, et ce rire moqueur fendit l'âme de l'avare Vilbertin.

--Quoi! pensa-t-il, ce n'est pas assez de se voir exposé à la honte, à la mort, au gibet.... il faut encore donner son argent....

Il fit un effort suprême.

--Cent dollars, offrit-il avec une angoisse profonde....

L'indien rit encore. Il se sentait heureux de faire à son tour l'office de bourreau.

Vilbertin se ravisa.

--Vous refusez, dit-il, soit, vous n'aurez rien. Nous n'avons point peur de vous; nous sommes deux pour contredire vos paroles mensongères. Les juges comprendront bien que je n'avais aucun intérêt à faire disparaître la Longue chevelure. Il ne m'a jamais fait de mal, cet homme-là; je n'ai rien à craindre de sa part. Il me connaît à peine. C'est vous qui le craigniez avec raison, et qui désiriez sa mort, puisqu'il savait votre nom et pouvait vous livrer à la justice des hommes.

Sougraine comprit que le notaire et madame D'Aucheron pouvaient, en effet, fort bien se tirer d'affaire, et que lui, leur instrument, il serait aisément sacrifié. Il ne lui servirait de rien d'essayer à les compromettre. Il aggraverait sa position, voilà tout. On pourrait être indulgent pour une faute vieille de vingt années, car on supposerait un long repentir; mais un crime nouveau s'aggraverait de toute la hideur des crimes précédents....

Il reprit après quelques minutes.

--On va s'enfuir, c'est bon, donne les cent dollars.

--Je serais bien fou de payer pour vous empêcher d'être pris, lorsque vous pouvez fuir aisément si vous le voulez. C'est votre affaire. Restez ou partez, cela m'est égal.

Sougraine suppliait à son tour.

--L'indien est pauvre, disait-il, il aura besoin de donner beaucoup d'argent pour se sauver loin; il ne pourra pas travailler pour gagner son pain. Il devra se tenir caché le jour, marcher la nuit... donne les cent dollars et il part tout de suite. Tu vas être heureux, toi, et tu vas épouser une belle jeune fille que tu aimes beaucoup.

Vilbertin s'attendrissait: il allait donner les cent dollars.

--Oh! si tu savais, continua Sougraine, si tu savais de qui elle est l'enfant, cette jeune fille!... On va te le dire puisque l'on s'enfuit pour ne jamais revenir. Tu ne feras pas voir que tu le sais... pas même à sa mère, madame D'Aucheron. Madame D'Aucheron est sa mère. Et son père... eh bien! son père, c'est moi!

--Vous! Vous! Ah! vous me trompez, Sougraine, s'écria le notaire, hors de lui. Ce n'est pas possible! Ai-je bien entendu! Malédictions!!

--Si l'indien te trompe, c'est qu'il aurait été trompé lui-même. Madame D'Aucheron lui a dit que Léontine est sa fille...

--Comment madame D'Aucheron sait-elle cela? Comment? Parlez, mais parlez donc!

Et Vilbertin, suffoqué, frappait du pied, se tordait les bras.

--Voila le fond de l'affaire... on te racontera tout, puisque l'on part pour ne plus revenir. Tu n'en diras mot à personne... Tu vas comprendre pourquoi l'indien avait de l'influence sur madame D'Aucheron... comme tu as compris pourquoi la Longue chevelure était son maître à lui l'indien. Madame D'Aucheron, c'est Elmire Audet, la jeune fille que j'avais enlevée...

Le notaire faillit tomber à la renverse. Il se passait la main sur le front comme pour en enlever des nuages qui obscurcissaient ses idées.

--Est-ce possible? murmurait-il, est-ce possible? Maudite destinée! Enfer! démon!

Tu comprends, on lui disait: fais ceci, fais cela et elle faisait comme on lui disait. Donne notre fille à monsieur le ministre, donne-la plutôt à monsieur le notaire, ou à M. Rodolphe... sinon on te dénoncera... et tu seras perdue.... Et la jeune fille passait de l'un à l'autre. La peur du scandale.... de la honte, c'est fort cela... Comprends-tu?

--Le notaire marchait à grands pas dans son étude, toujours la main sur son front:

--C'est affreux, ce que vous m'avez révélé, Sougraine, oui c'est affreux! Vous me tuez.... Vous me tuez. Vous me volez mon bonheur... O désespoir, ô malédiction! elle, votre fille? Ce n'est pas vrai! Dites-moi que ce n'est pas vrai... et je vous donne de l'or tant que vous en voudrez; qu'ai-je besoin d'argent, moi, maintenant, puisque je suis voué à la honte, à la douleur? puisqu'elle ne sera jamais ma femme, elle, Léontine?... j'aurais été si heureux! si heureux! Qu'êtes vous venu faire ici, vous, après cette longue absence? Troubler notre repos... ruiner nos espérances, empoisonner notre vie...

--L'Indien est venu chercher ses enfants, dit Sougraine d'une voix, sombre, car il les aime encore...

--Vos enfants! vos enfants! c'est faux!... vous ne les aimez point. Partez si vous les aimez encore; ne troublez point leur repos, ne les couvrez pas d'ignominie.... Croyez-vous qu'ils pourraient vous aimer, eux?

--Des enfants n'aiment-ils pas toujours leur père?

--Vous vous trompez... moi je suis votre fils... et je vous hais...

Sougraine recula épouvanté...

--Mon fils? toi, mon fils?

Sa voix tremblait, ses mains cherchaient un appui...

--Oui, je suis votre fils... répondit le notaire d'une voix sombre.

--Mon fils? tu es mon fils?... lequel! Louis ou Adélard?

--Adélard est mort il y a longtemps... Il est bien heureux, lui!...

Sougraine tomba à genoux:

--Mon enfant, pardonne à ton père, supplia-t-il...

Le notaire ne répondait rien, Sougraine demeurait à genoux. Il répéta:

--Pardonne à ton père, mon enfant...

--Sauvez-vous avant qu'il soit trop tard, répliqua Vilbertin en proie au désespoir, sauvez-vous.

Sougraine ne bougeait pas. Il était toujours à genoux. Le notaire reprit:

Partez, vous dis-je; si vous êtes coupable nul ne pourra vous sauver...

--Sougraine est coupable d'avoir enlevé une jeune fille et d'avoir abandonné ses enfants... C'est un grand mal, il le sait bien, mais il n'a point tué votre mère.....

--Quoiqu'il en soit, vous ne pouvez pas demeurer ici, vous le comprenez. Voici quelques dollars, adieu...

Sougraine, chassé par son fils, profita de la nuit pour sortir de la ville. Le notaire se mit au lit, mais son esprit exalté fut assailli par une volée de pensées étranges. Dans son angoisse il s'accrochait à des espérances incroyables. J'irai chez la D'Aucheron, se disait-il, je saurai tout. Il faudra bien qu'elle parle.

V

Le notaire Vilbertin était en effet l'un des enfants de Sougraine, le petit lutin, comme l'appelait son oncle Louis-Thomas qui le garda quelque temps chez lui, après la fuite de l'abénaqui avec Elmire Audet. Un notaire de la paroisse voisine, nommé Vilbertin, l'ayant vu, lui trouva de l'esprit, de l'intelligence, l'emmena chez lui, le fit étudier, et lui donna son nom, son étude et sa fille unique, sans autre condition que de pratiquer consciencieusement et de rendre sa femme heureuse. Peu de temps après l'obligeant notaire mourait presque subitement. A son lit de mort il appela son gendre et lui parla tout bas. Il lui montra une lettre qu'il fit jeter à la poste par un serviteur. C'était une lettre qu'il écrivait à madame Villor. Le malheureux gendre pâlit et se troubla mais ce ne fut pas long. Il fit de la tête un signe affirmatif et laissa le beau-père mourir en paix. Quelques semaines après sa femme suivait son père dans la tombe en lui léguant tout ce qu'elle possédait. Alors il partit, la laissant dans le cimetière de sa paroisse natale auprès des siens.

Vilbertin se rendit chez madame D'Aucheron. Une personne moins agitée, moins troublée qu'elle, eut remarqué du premier coup d'oeil le bouleversement du notaire.

--Vous savez, madame, commença-t-il, qu'il n'est question dans la Ville que de l'affaire Sougraine.

Quelle affaire? demanda-t-elle en pâlissant.

Une affaire madame, qui date de vingt-trois ans. Vous vous en souvenez?

Ce dernier mot était cruel et cruellement dit. Madame D'Aucheron éprouva une torture au fond du coeur.

--J'ai vu Sougraine, hier soir, reprit le notaire, et il m'a tout avoué. Il m'a dit qui vous êtes.

--Moi? fit madame D'Aucheron.

--Oui, vous... Et je lui ai dit qui je suis, et sa surprise a égalé la mienne. Vous êtes, vous, Elmire Audet....

Madame D'Aucheron, la tête basse, ne répondit point.

--Je suis venu vous demander si mademoiselle Léontine est ma soeur.... Parlez, soyez franche, dites, est-elle ma soeur?

--Votre soeur?... je ne sais point.... je ne comprends rien à ce que vous me demandez....

--Vous allez comprendre. Je suis Louis, l'un des enfants de Sougraine....

--Vous? vous? Louis? le fils de Sougraine? Est-ce possible?.... Et elle le regardait de ses grands yeux bleus hagards....

--Léontine est-elle ma soeur?

Madame D'Aucheron se mit à rire....

--Non je vous le jure, elle n'est pas votre soeur. J'ai dit un mensonge à votre père pour sauver la paix de ma maison.... Hélas! cela n'aura servi à rien.

--Dieu soit loué! s'écria le notaire.... tout n'est pas perdu encore.

Il s'abandonnait à une joie folle....

--Vous avez un autre frère... je ne sais point s'il vit.... je n'ai eu connaissance de rien, et l'on ne m'a jamais rien dit....

Le notaire revenait à son étude tout fier, tout palpitant, tout à ses amours un instant compromises.

--Dès que mon père sera loin, se disait-il, je profiterai de mes avantages sur mes rivaux; je serai, à mon tour, maître de ces gens-là... Il m'est bien égal d'être appelé Sougraine ou Vilbertin. On ne peut rien me faire à moi... Et puis, je suis riche, on me respectera... en ma présence, du moins. En arrière, on dira ce qu'on voudra... Madame D'Aucheron, elle, ce n'est pas la même chose.... Si elle tombe... elle tombe dans la boue.... Une grande dame ne se laisse pas traîner dans la fange comme cela. Elle fera bien des sacrifices avant de consentir à cette dégradation... J'aurai Léontine. O mon amour, tu n'es pas perdu!... Quand je pense à la peur que j'ai eue!... j'en frissonne encore... Elle, ma soeur? Bah! ça n'avait pas de bon sens... je le sentais bien... Vilbertin, tu vas te tirer d'affaire. Que le diable emporte les autres... Chacun pour soi... Les autres ne voudront peut-être pas épouser une jeune fille élevée par Elmire Audet, par Elmire Audet déchue, avilie, ridiculisée... montrée au doigt... Moi je l'emmènerai dans la solitude... je l'aurai à moi seul... Oh! qu'elle soit un objet de honte pour tous si je ne puis l'obtenir qu'à ce prix-là...

VI

Monsieur Le Pêcheur gardait rancune à Sougraine; il se mit en frais de découvrir sa retraite, et lança une meute de policiers sur ses traces.

--Si je le pince, se promettait-il, il verra!... je lui apprendrai à venir troubler mes amours.... Mais comment pouvait-il avoir tant d'influence sur madame D'Aucheron? se demandait-il?

Et il cherchait. Il avait l'esprit inventif, de l'audace dans la conception, de la curiosité dans le caractère, et ne s'effrayait devant aucune supposition quelqu'absurde qu'elle fut....

--Si c'était cela! se dit-il, tout haut, en se frappant le front comme un homme qui veut en faire jaillir une étincelle... si c'était cela! car enfin, il y a quelque chose, c'est sûr. Il faut voir.

Quelques heures après il présentait ses hommages à madame D'Aucheron. Léontine venait d'arriver et les nouvelles qu'elle apportait étaient des meilleures. La longue chevelure échappait à la mort; la science et la charité chantaient leur hymne de triomphe, et madame Villor commençait à se lever, marchait sans le secours de personne. La maison du médecin s'emplissait de chants et de gaieté.

--Vous savez sans doute, commença le jeune ministre que notre *ami* la Langue muette était un misérable enleveur de fille, un assassin, peut-être...

--J'ai vu ce que les journaux en disent, répondit madame D'Aucheron.

--Comment avez-vous pu être trompée, vous surtout, mesdames, qui avez un instinct si merveilleux?

--Nous ne faisons cependant pas métier d'épier les gens, répondit Léontine en souriant avec malice.

--J'espère, au moins, que vous ne faites pas, non plus, métier de protéger les scélérats en rupture de ban, reprit le ministre.

--Nous protégeons nos hôtes quelqu'ils soient, dit madame D'Aucheron; mais nous nous efforçons de recevoir des gens honnêtes seulement.

--Ce serait drôle, continua le ministre, si nous allions découvrir Elmire Audet, maintenant.... Elle se cache sans doute quelque part... qui sait? elle est peut-être une grande dame aujourd'hui... une dame louée, aimée, admirée de tout le monde...

Il pouvait parler, le ministre, on ne songeait pas à l'interrompre, tant la surprise était grande chez madame D'Aucheron et sa fille. Une même pensée les atteignait au coeur:

--Il sait tout; c'est fini...

Il revenait encore ce tourbillon noir: la honte, la peur, les terreurs, l'ignominie.... Et tout cela dansait, glissait, s'agitait lugubrement, confusément comme les cendres et les charbons d'un âtre immense où passe un souffle de tempête. Le ministre continuait toujours avec méchanceté:

--Je crois que je sais où la prendre, cette jolie femme aux yeux bleus; car elle avait les yeux bleus, la jeune Elmire. Elle aura vieilli un peu. Les femmes même les plus aimables sont soumises à cette inéluctable loi; mais je parie qu'on pourra la reconnaître encore. Il reste toujours quelque chose des traits de la jeunesse sur les visages les plus vieux. On soulève les rides et les teintes roses des fraîches années apparaissent encore. Qu'est-ce que je fais? parler de rides, c'est absurde. Elmire n'a pas plus de 40 ans maintenant, l'âge de la beauté parfaite, votre âge, madame, j'en ferais le pari.... Voyons, dites, est-ce que je me trompe beaucoup?

--Vous êtes bien cruel, monsieur, dit Léontine et vous n'avez pas la générosité d'un gentilhomme.

Elle se leva pour sortir.

--Je puis laisser échapper Sougraine, madame, si vous le désirez, vous n'avez qu'à parler.

--La clémence est une vertu divine, dit encore mademoiselle D'Aucheron, debout, prête à s'éloigner.

Madame D'Aucheron gardait le silence.

--L'amour est une chose divine aussi, répondit le ministre; je vous promets la clémence, mademoiselle, si vous me donnez l'amour....

--Jamais, monsieur; j'ai choisi mon époux.

Elle quitta le salon. Sa mère resta seule avec monsieur le Pêcheur.

Le Pêcheur se leva à son tour. Il était très froissé.

--Je sais votre secret, madame, dit-il froidement: j'avais deviné juste. Sougraine sera pris et vous verrez ce qui s'en suivra.

VII

Quelques jours plus tard, un homme armé d'une carabine, des raquettes aux pieds, errait à l'aventure dans les bois que traverse la rivière Batiscan, au-dessus de la paroisse de Notre-Dame-des-Anges. Il paraissait accablé de tristesse autant que de fatigue, et le soir, quand le silence envahissait la forêt et que tout se confondait dans un océan de ténèbres, il entrait dans une cabane de bûcheron, abandonnée depuis longtemps, et là, s'endormait sur un lit de branches. Il avait épuisé sa provision de poudre et de plomb, et sa carabine, fidèle amie des anciens jours, lui devenait inutile.

Quelques jeunes gens qui venaient de couper des billots vers le haut de la rivière, remarquèrent des traces de raquettes et se dirent entre eux qu'il devait y avoir un trappeur en ces endroits. Ils entrèrent dans la cabane pour y passer la nuit, car il se faisait tard, déjà. Ils ne furent pas surpris d'y trouver un chasseur. C'est l'habitude de ceux qui errent dans les bois, en hiver, de chercher un refuge dans les chantiers.

Sougraine,--car le chasseur c'était lui--réveillé en sursaut par le bruit que firent en entrant les bûcherons, s'élança vers la porte pour s'échapper.

--Eh! l'ami, dit l'un des survenants, vous êtes bien peureux... nous ne sommes pas des ours.

--Un sauvage! remarqua quelqu'un de la bande.

--La chasse est elle bonne? demanda un autre.

--La chasse ne paie guère encore, répondit Sougraine: on a tendu des collets aujourd'hui; on ne sait pas quelle chance on aura.

--Y a-t-il longtemps que vous avez laissé les habitations? Quelles nouvelles?

--Oh! non, il n'y a pas longtemps....

--D'où venez vous? de Lorette?

--Oui, de Lorette.

Il était content de faire croire cela. Le mensonge était petit et les conséquences pouvaient en être grandes.

--Comme ça, vous n'avez pas de nouvelles de Notre-Dame-des-Anges, fit un jeune homme. J'aurais pourtant voulu savoir comment se portent ma vieille mère et ma jeune blonde.... Mais je le saurai demain.

--Bah! la mère Audet est taillée pour vivre un siècle, reprit le plus vieux de la bande, et la petite Fradette, ta blonde, serait bien folle de ne pas *fréquenter* un peu pour se consoler de ton absence.

Au nom de la mère Audet, Sougraine eut un frisson. C'était un des frères d'Elmire qu'il voyait là, devant lui?...

La causerie ne fut pas longue, et tous ces hommes durs à la fatigue, rudes au travail, s'endormirent d'un profond sommeil, dans leur hutte de bois rond, sur des rameaux de sapin. Seul, Sougraine fut longtemps avant de clore les paupières, tant son esprit était cruellement tourmenté.

Les hommes de chantier partirent dès le point du jour. La première chose qu'ils apprirent en arrivant à Notre-Dame-des-Anges fut le retour de Sougraine.

--Il est à Québec, assurait-on. Il a été reconnu. Les gazettes annoncent une récompense de la part du gouvernement à celui qui l'arrêtera.

--Parions, s'écria Audet, que c'est lui que nous avons rencontré, dans la *cabane à billots*, la nuit dernière.... Je m'explique sa frayeur, maintenant.... Si nous avions pu deviner!

Comme une traînée de poudre, la nouvelle se répandit dans la paroisse, que Sougraine se cachait dans un chantier abandonné, sur le bord de la rivière Batiscan, à quelques milles seulement dans la forêt, et l'on organisa une expédition pour l'aller surprendre.

217/291

Sougraine prévit ce qui devait arriver. Vers le soir il sortit de la cabane et, marchant avec une grande précaution, il suivit le cours de la rivière pendant quelques arpents. Il s'arrêta près d'un amas de racines et de branches, reste d'un arbre arraché du sol un jour de tempête, attendant en ce lieu que les ombres fussent assez épaisses pour lui permettre de fuir sans être aperçu. Il venait de se réfugier en cet endroit, quand il entendit des voix et un bruit de raquettes sur la neige durcie. Quelques instants après il vit, dans la pénombre, un groupe noir qui s'avançait sur le lit gelé de la rivière. Les voix devenaient plus distinctes.

--Il ne nous échappera pas, s'il est encore dans la cabane, disait l'un de ceux qui approchaient.

--Nous ferions mieux d'attendre, dit un autre; il peut nous voir arriver.

Et la troupe s'arrêta.

--Nous n'allons pas rester ici, plantés comme des piquets, au beau milieu de la neige, repartit une voix.

--Avec cela qu'il ne fait pas chaud. Nous sommes exposés au vent comme des girouettes.

--Il y a là, tout près, un tas de branches qui feraient un excellent abri.

Celui qui disait cela montrait, de la main, l'endroit ou s'était réfugié l'abénaqui.

La troupe se dirigea vers l'arbre tombé. Sougraine ne pouvait pas fuir sans être vu. Les gens s'étaient mis au pas de course, à qui arriverait le premier.

Un moment il perdit la tête, demeura immobile, les yeux fixés sur ces hommes qui le traquaient, comme le charmeur qui regarde le serpent pour le désarmer. L'instinct de la conservation lui revenant tout à coup, il ôta ses raquettes et se fourra sous le tronc, passant à travers les branches que la neige n'avait pas entièrement recouvertes.

--On est mieux ici que sur la glace, observa l'un des chasseurs d'hommes, en s'asseyant sur un tronc d'arbre pourri.

--Il y a des pistes, observa un autre. Notre individu à du passer par ici.

--Nous ne sommes pas loin du chantier, ajouta un troisième.

Le fugitif, blotti dans la neige, ramassé sur lui-même, tremblant, retenant son haleine, éprouvait des tourments qui lui semblaient longs comme l'éternité. Il se demandait s'ils ne partiraient pas bientôt; s'ils allaient passer la nuit là. Il devait être nuit enfin. L'obscurité ne venait donc point, ce soir-là, sous la forêt? Ses pieds s'engourdissaient. Ils gelaient peut-être. S'il allait se geler les pieds!... Oh! il mourrait là, dans sa cachette, comme un fauve. On le trouverait au printemps. Les ours le dévoreraient peut-être.... Ce serait affreux, cette mort lente, dans le désert, sans une prière, sans un prêtre,... Mourir sans confession, sans recevoir le pardon de ses fautes... Mais, non! il ne gelait point.... Ce n'était rien que de l'engourdissement. Tout à l'heure il sortirait et ses pieds seraient encore dispos et rapides... Ses pieds! il ne les sentait plus. Il les remuait peut-être, mais il n'en était pas sûr... Ses mains! l'une était sous lui, plongée dans la neige froide, l'autre se crispait sur un tronçon de branche.

Et les hommes qui le traquaient riaient et discouraient ensemble. Tout à coup un grognement sourd et rauque sortit du fond de l'antre formé par le pied de l'arbre affaissé sur ses énormes racines. Sougraine frémit. Il leva quelque peu la tête et crut voir, plus avant sous le tronc, deux yeux ardents qui le regardaient fixement dans l'obscurité.

Il voulut reculer sans faire crier la neige, sans faire craquer une branche, car le moindre bruit pouvait attirer l'attention des hommes ou exciter la bête dont il profanait l'asile. Au premier mouvement qu'il fit, un rameau sec cassa, et l'animal gronda plus fort.

Une sueur abondante et glacée coulait maintenant sur ses membres, et des transes amères torturaient son âme. Devant lui, un fauve cruel et affamé, irrité d'être dérangé dans sa retraite, derrière, des hommes qui le guettaient pour lui faire expier une faute que le repentir avait sans doute effacée depuis longtemps. Alternative épouvantable! Les hommes sans pitié le conduiraient à l'échafaud, la bête le dévorerait tout vif... Après tout, s'il ne bougeait plus, s'il demeurait là, immobile comme un cadavre, l'animal l'oublierait peut-être, ou lui pardonnerait de l'avoir troublé dans son repaire. Mais il ne pourrait pas rester là longtemps: il y mourrait. Il fit un nouveau mouvement de recul.

--Avez-vous entendu? demanda quelqu'un de la bande.

--Oui, un grondement sourd qui sortait de là, fit un autre, en montrant l'arbre arraché qui leur servait d'abri.

--Il se pourrait qu'un ours y fut caché. Baptiste Lanouette en a tué un pas bien loin d'ici, l'hiver dernier.

Un nouveau grognement sortit du repaire et tous s'éloignèrent subitement.

--Sougraine aussi sortit de son gîte. L'ours poussa un cri féroce mais n'osa pas le suivre. Ces animaux-là ne marchent guère sur la neige molle. Ils s'enferment l'automne dans un arbre creux ou se cachent sous un tas de branches, d'où ils ne sortent que le printemps pour se mettre en quête de leur nourriture.

Quand l'obscurité fut assez épaisse, Sougraine prit le chemin des habitations, marchant d'abord avec peine à cause de l'engourdissement de ses pieds, et titubant comme un homme ivre. La nuit était avancée quand il arriva aux premières maisons. Tout reposait dans un calme profond, seul le coeur troublé du malheureux fugitif s'agitait convulsivement dans cette paix universelle.

VIII

Un missionnaire de l'ouest venait d'arriver à Québec. Il se nommait François-Xavier Blanchet, était natif de l'une de nos jolies paroisses de la rive sud. Il se consacrait aux missions des côtes du Pacifique depuis sa jeunesse. Il pouvait avoir cinquante ans. Il était grand, un peu courbé par l'habitude des longues marches dans les montagnes, plein de zèle pour le salut des hommes et doué d'une énergie indomptable. Il avait pour devise: *Quand on veut on peut.* Il fut vite au courant des nouvelles qui défrayaient la ville depuis quelques jours. On lui demanda s'il n'avait pas, par hasard, rencontré Sougraine, autrefois, dans ses pérégrinations. Il ne se souvenait pas de lui. Mais quand on lui parla de la Longue chevelure, il n'écouta plus avec la même indifférence. Il avait beaucoup entendu parler de ce fier sioux que les siens voulurent un jour mettre à mort. Il savait sa vie aventureuse, ses actions chrétiennes, sa condamnation à mort et sa délivrance par deux vieillards convertis. Il exprima le désir de le voir.

On lui dit qu'il était à St. Raymond. Il s'y rendit avec l'abbé Pâquet, un ancien compagnon de classe.

La Longue chevelure éprouva une indicible joie à la vue du missionnaire des Montagnes Rocheuses.

--Mon père, commença-t-il, je n'ai guère l'air d'un chasseur sioux mourant. Ce n'est pas ainsi d'ordinaire que l'on meurt dans ma tribu... sur un bon lit de duvet, dans une chambre bien chaude, avec des amis dévoués qui prient.

Puis il ajouta:

--Ce serait ridicule, n'est-ce pas, d'avoir échappé à tant de dangers, pendant une vie d'aventures comme la mienne, pour venir se faire tuer prosaïquement, dans une partie de chasse.

--Mais vous ne mourrez pas, vous êtes hors de danger, m'assure-t-on. J'ai moi-même un peu d'expérience en ces matières et je ne vois que d'excellents symptômes répliqua le missionnaire.

--En effet, je me trouve mieux...

--Pensez-vous, continua le prêtre, que vous étiez dans un moindre danger, il y a vingt ans, quand le conseil de guerre des sioux vous avait jugé et condamné?

--C'est vrai, dit la Longue chevelure, et je ne comprends pas comment j'ai été sauvé.

--Je le sais moi. Un jour, deux vieillards entrèrent dans ma cabane et se jetèrent à mes genoux en pleurant. Je fus étonné, car ce n'est que rarement que l'on voit pleurer des guerriers sioux.

--Quelles grandes douleurs remplissent-elles donc le coeur des courageux guerriers de la plus vaillante tribu? leur demandai-je avec douceur.

--Les guerriers, dans leur ignorance, ont fait bien du mal, me répondirent-ils; ils veulent connaître ton Dieu et l'adorer.

Ils me dirent que mon Dieu était bon puisqu'il ordonnait de rendre aux pères infortunés les corps de leurs fils; qu'il était juste, puisqu'il punissait le mal et récompensait le bien; qu'il était miséricordieux puisqu'il pardonnait tout à ceux qui l'imploraient avec humilité. Ils me racontèrent plus en détail la mort de leur deux fils, et comment vous aviez chassé les corbeaux qui venaient se repaître de leurs cadavres, en attendant qu'on put leur donner la sépulture. C'est cette bonne action qui les a touchés. Quand ils virent que vous étiez voué à une mort cruelle, ils résolurent de vous sauver. Ils étaient cependant dans un grand embarras, ne sachant comment faire pour tromper la vigilance des gardiens que l'on avait mis à la porte de votre wigwam et le temps pressait, la nuit arrivait, la dernière nuit que vous deviez passer sur la terre. Ils pensèrent à gagner les sentinelles par des promesses, mais si par malheur, l'une d'elles résistait, elle donnerait l'éveil, et toute chance de vous délivrer s'évanouissait alors. Ils auraient pu mettre le trouble dans le camp, en répandant une fausse rumeur d'attaque, mais on vous aurait égorgé immédiatement; c'était l'ordre. Tuer les sentinelles, voilà ce qu'ils allaient faire dans leur reconnaissance extrême, ces pauvres vieillards, et déjà leurs arcs tendus frémissaient dans leurs mains, quand l'un d'eux, se souvenant qu'il vous avait souvent vu prier le Seigneur, se jeta à genoux en disant:

--O grand Esprit qu'adore mon frère La Longue chevelure, viens à notre secours.

Alors, m'ont-ils tous deux assuré, une femme vêtue de blanc leur est apparue et leur a dit de la suivre. Dans leur étonnement ils ont laissé tomber leurs arcs et leurs flèches. Cette femme, ils la reconnurent bien, c'était la vôtre.

--Tu n'es donc pas morte, lui demandèrent-ils... tu n'as donc pas été tuée?...

--Ce sont vos fils qui m'ont assassinée, répondit la femme blanche, et elle se dirigea vers votre cabane.

Ils la suivirent en priant le Dieu qu'ils ne connaissaient pas encore. Les sentinelles dormaient. Ils entrèrent, défirent vos liens et vous conduisirent loin du campement, dans un endroit où vous alliez prier souvent, sur un tapis de gazon, au pied d'un rocher marqué d'une grande croix rouge.

--C'est l'endroit où mon père est mort, dit la Longue chevelure, fort impressionné. Je croyais avoir été le jouet d'un rêve étrange, pendant cette nuit-là, continua-t-il et je pensais apprendre un jour que ma délivrance n'avait rien eu que de fort naturel. Je n'étais pas digne de cette mystérieuse intervention de l'ange qui m'avait tant aimé ici-bas.

--N'oubliez jamais, dit le prêtre, combien le seigneur s'est montré miséricordieux envers vous.

IX

--Personne ici! fit avec un désappointement singulier, le premier des limiers qui entra dans la cabane où s'était d'abord réfugié Sougraine.

--Il me semblait, dit un autre, qu'il n'attendrait pas notre arrivée. Il sortira du bois ou il y crèvera de faim avant le printemps.

Ils reprirent le lendemain matin, tout décontenancés, le chemin de leur village. En passant près du repaire de l'ours, ils firent beaucoup de bruit et imitèrent les aboiements des chiens. L'ours, mécontent d'être troublé de nouveau dans sa tranquille demeure, répondit par de longs grognements.

--C'est ce que nous voulions savoir, dit alors l'un de la bande. Au revoir, compère Martin. Tu auras de nos nouvelles.

Sougraine s'était réfugié dans une grange. Il se blottit dans le foin, sur le fenil, et dormit en attendant le jour, d'un sommeil agité. Il resta dans sa cachette toute la journée du lendemain. La faim le torturait. Il fallait pourtant manger. Il ne pouvait pas se laisser mourir comme cela, autant valait se livrer à la justice et courir une chance de salut.

Le soir venu il sortit, se glissa le long de la première maison et vit, par la fenêtre plusieurs hommes assis autour du poêle. Ils fumaient en causant. Des nuages de fumée bleue montaient lentement sous le plafond noirci. Une femme et deux jeune filles travaillaient près de la table, éclairées par une petite lampe.

Sougraine pensa:

--Il y a plusieurs hommes ici, il ne doit pas y en avoir chez les voisins.

Il se dirigea vers la maison voisine, comme il y arrivait il vit venir quelqu'un de son côté. C'était un jeune garçon. Il paraissait tout petit dans l'obscurité et courait vite. Sougraine se cacha près d'une pile de bois. L'enfant entra sans frapper. Il sortit au bout d'un instant, portant quelque chose sous son bras. Sougraine eut envie de courir après lui pour voir si n'était pas un pain. Il aurait pu vivre quelques jours avec cela. Oui, mais quelle imprudence! On devinerait bien que c'est lui... et la chasse s'organiserait de nouveau. Il regarda par la fenêtre et ne vit qu'une vieille femme qui allait et venait dans l'unique pièce. Il entra.

--Bonjour, monsieur, dit la vieille femme avec cette bonne politesse qui ne se perd pas encore dans nos campagnes...

--Ma bonne mère, dit Sougraine, veux-tu me donner un morceau de pain, pour l'amour du bon Dieu...

--Pour l'amour du bon Dieu on donne toujours, répondit la vieille en se dirigeant vers la huche.

Elle prit du pain.

--Si vous avez besoin de souper, dit-elle, bien que je n'aie pas grand'chose, je puis toujours vous offrir un morceau de lard. L'eau est chaude, je pourrai aussi vous faire un peu de thé.

--Tu es bien bonne, la mère, mais on est pressé, répondit Sougraine, un peu de pain pour manger en allant, cela va suffire...

Cette grande hâte n'était pas naturelle. La vieille eut un soupçon et se mit à fixer l'inconnu. Elle savait que Sougraine était dans les environs.

L'abénaqui s'agitait et regardait souvent du côté de la porte...

--Si c'était lui! pensa la vieille.

Et elle se prit à trembler à son tour. Elle eut peur...

--Vous n'êtes pas d'ici? risqua-t-elle, de sa voix cassée.

--Non, répondit l'Indien, on n'est pas d'ici...

--Allez-vous loin?

--Oui, on va loin...

Elle s'approchait avec son morceau de pain. Sougraine avait envie de se reculer. Il sentait comme un fer rouge le regard inquisiteur de cette vieille femme. Elle s'avançait toujours tenant un morceau de pain à la main. Soudain elle s'écria, d'une voix terrible, pleine de colère et de douleur...

--Sougraine, qu'as-tu fait de ma fille?

L'abénaqui, terrifié, ne songea pas même à fuir. Il tomba à genoux.

--Pardon, dit-il, pardon!

La vieille femme était presque belle dans son indignation...

--Sougraine, tu m'as ravi mon enfant, ma fille bien-aimée, mon Elmire que j'aimais tant!... tu l'as déshonorée,... tu l'as perdue aux yeux de Dieu et des hommes... Sougraine, je pleure depuis plus de vingt ans, et c'est par ta faute!... J'aurais été heureuse, moi, avec mon Elmire! J'étais pauvre, mais nous autres, les pauvres, nous nous contentons de peu... c'est bien le moins qu'on nous laisse nos enfants! Tu ne sais pas toutes les larmes que peut verser une mère à qui l'on enlève sa fille chérie!... toutes les nuits qu'elle passe dans les angoisses! toutes les malédictions qu'elle appelle sur la tête du ravisseur! Où est-elle, ma fille, Sougraine, dis, où est-elle?... Elle est morte sans doute. Tu l'as peut-être tuée... On dit que tu sais tuer les femmes, toi...

Sougraine se leva subitement et d'un geste solennel....

--Jamais, se récria-t-il, jamais l'indien n'a tué sa femme.... c'est un mensonge....

--Où est ma fille, continuait la vieille femme Audet? Sougraine qu'as-tu fait de ma fille?...

--Ta fille, elle est riche et heureuse....

--Ah! tu me trompes.... tu ris de ma crédulité.... C'est mal de se moquer d'une mère... d'une vieille personne qui n'a plus d'espoir qu'en la tombe!....

--Je te le jure elle est riche... et heureuse... Elle demeure à Québec, c'est une des grandes dames de la ville....

La vieille femme branla la tête en signe de doute.... Sougraine reprit.

--Ta fille Elmire s'appelle maintenant madame D'Aucheron....

--Madame D'Aucheron? s'écria la mère Audet, en levant les mains au ciel... et presque défaillante, madame D'Aucheron?... la mère de mademoiselle Léontine?... de la bonne demoiselle Léontine!

--C'est elle-même, affirma Sougraine.

L'infortunée vieille murmurait.

--Madame D'Aucheron!... madame D'Aucheron!... est-ce possible... non, ce n'est pas possible....

Elle était accablée par une pensée amère.... Madame D'Aucheron avait renié sa mère.... Oui, elle l'avait reniée, puisqu'elle n'avait pas voulu la reconnaître.... Oh! la nouvelle douleur était bien plus aiguë que la première.... Une mère qui perd sa fille, c'est affreux, mais une fille qui renie sa mère... il n'y a point de mot pour exprimer cela.

Tout à coup la vieille éclata en sanglots... Sougraine fit un pas vers la porte. Il entendit du bruit au dehors. Une pâleur affreuse couvrit sa figure et il s'écria:

--Malédiction! je suis perdu!...

La mère Audet, oubliant sa douleur, oubliant sa vengeance, lui montra un caveau sous l'escalier.

--Cachez-vous, dit-elle, que Dieu me pardonne mes offenses, comme je vous pardonne le mal que vous m'avez fait.

X

Madame D'Aucheron avait vu, de nouveau, ses beaux projets s'évanouir comme un songe, le laborieux échafaudage de sa fortune et de son bonheur s'écrouler comme un mur que le pic a sapé. Cette fois, il lui semblait qu'elle resterait ensevelie sous les décombres. Elle cherchait, pour sortir de l'horrible position qu'elle s'était faite, une issue qu'elle ne pouvait trouver, et ressemblait à l'oiseau captif qui se heurte aux barreaux de sa cage avec l'espoir toujours nouveau mais toujours inutile d'en sortir. Dans ses efforts incessants elle perdait les ressources de son imagination. Ce qui l'effrayait surtout, c'était l'avenir. Un avenir tout prochain. Elle regrettait de s'être laissée surprendre par le rusé ministre. Il ne savait rien, d'abord: il ne pouvait pas savoir. Il supposait tout au plus. Des suppositions, ce ne sont point des preuves. Elle aurait dû se moquer de lui hardiment, lui rire au nez. Maintenant il était trop tard. La sottise était faite, il fallait en porter la peine. Le supplier, ce beau monsieur, cela ne servirait de rien. Il était froissé, plus que cela, irrité. Quand on est ministre on ne se laisse pas éconduire comme un mortel vulgaire. Si cette entêtée de Léontine n'avait pas parlé comme elle a fait. C'est elle, après tout qui est à blâmer. La misérable! voilà donc comment elle me récompense de mes soins et de mon amour....

Toutes ces idées et bien d'autres encore, trottaient dans l'esprit de madame D'Aucheron.

Depuis sa dernière visite à Vilbertin, et sa rencontre dans l'étude au notaire, avec sa femme et l'abénaqui, monsieur D'Aucheron éprouvait une vague inquiétude. Il sentait qu'il se passait quelque chose d'anormal dans son entourage, mais après s'être mis inutilement l'esprit à la torture pour deviner ce que cela pouvait bien être, il n'avait rien trouvé. Il attendit stoïquement, se disant qu'on est toujours averti assez tôt d'un malheur, et qu'il ne faut pas aller au devant du courrier qui nous apporte une mauvaise nouvelle.

Il n'avait pas eu de peine de l'accident arrivé à la Longue chevelure. Il était même arrivé fort à propos, cet accident, puisque le malheureux siou se trouvait comme une pierre d'achoppement dans le sentier qu'il suivait avec ses amis, lui D'Aucheron. La chasse allait donner plus qu'elle n'avait promis.

L'honorable monsieur Le Pêcheur avait lancé des limiers à la poursuite de Sougraine. Il éprouvait un certain plaisir à se venger de cet homme qui avait tenté de l'exploiter; il savourait d'avance, surtout, la satisfaction cruelle qu'il aurait de voir mademoiselle D'Aucheron devenir la risée du monde, car le monde impitoyable ne lui épargnerait ni ses plaisanteries, ni ses sarcasmes, dès qu'il saurait l'histoire de madame D'Aucheron, sa protectrice, sa mère adoptive. Les deux, la mère et la fille, seraient enveloppées dans la même réprobation. Cela ne pouvait tarder. Sougraine n'échapperait point. Et quand même il réussirait à déjouer les recherches de la police et à passer à l'étranger, l'ancienne coureuse d'aventures serait bien obligée de parler. On la provoquerait; on la taquinerait; on ferait revivre son passé dans les chroniques scandaleuses.

Il s'occupait aussi de son élection et disait partout, pour exciter la curiosité des gens, qu'une chose tout à fait surprenante, étrange, inouïe et scandaleuse, serait bientôt connue publiquement; qu'une famille haut placée, qui croyait sa considération affermie sur le roc, s'apercevrait qu'elle n'était assise que sur un sable mobile.... Le procès de Sougraine ferait éclater la bombe. On verrait.... Les gens gobaient la nouvelle, fouillaient dans les familles, soupçonnaient les réputations les plus intactes, sans rien trouver.

Monsieur Duplessis, le brave professeur de l'Ecole Normale, fut mis au courant de cette rumeur méchante que le ministre avait lancée dans la ville, qui volait de bouche en bouche, avec une rapidité que le mal seul peut atteindre, et prenait de jour en jour des proportions plus considérables. Il n'était pas sot, le père Duplessis, et les agissements singuliers de la famille D'Aucheron n'avaient pas manqué de le surprendre. Toutefois il en avait cherché vainement les motifs et avait fini par croire à l'un de ces caprices inexplicables auxquels les braves gens n'échappent pas toujours et dont souvent ils souffrent plus que les autres. Les paroles menaçantes du ministre furent un éclair. Il entrevit la vérité. Elle émergeait d'un fond de ténèbres. Le nom de Sougraine expliquait tout. Il savait que l'indien était devenu un habitué de la maison, mais un habitué que l'on cachait et dont on semblait rougir.

Il prenait vite une résolution et détestait les tâtonnements. Dès que l'on a jugé bonne une action, disait-il, il faut la faire. Le bien ne souffre point de délai, et tous les instants de la vie doivent être employés à bien faire.

Il se rendit auprès de l'honorable M. Le Pêcheur qui le reçut avec empressement, bien qu'il y eût, sur la banquette placée à sa porte, plusieurs solliciteurs déjà fatigués d'attendre.

--Vous vous portez bien, j'espère, mon cher professeur, dit le ministre en serrant les mains loyales du vieillard.

--Pas mal pour le temps et la saison, répondit le père Duplessis...

--C'est vrai que nous sommes en hiver; c'est une rude saison.

--Pour moi, je suis toujours en hiver et je ne verrai plus de printemps. Cela vaut autant, après tout, car j'ai fait mon tour, répondit le professeur...

--Heureux ceux qui passent leur vie dans la pratique du bien! reprit le ministre.

--Quand ces hommes sont placés comme vous, monsieur, ils sont doublement heureux, car leurs actes ont un grand retentissement et leur influence est immense.

Le ministre baissa la tête.

--Vous m'avez demandé mon appui dans votre élection, monsieur le ministre, reprit le professeur, et.... je viens vous le promettre à une condition...

--Laquelle? monsieur Duplessis, parlez; je suis sûr que nous allons nous entendre....

--Il circule une rumeur assez étonnante, continua le père Duplessis. On dit qu'une réputation va s'effondrer... qu'une famille opulente et respectée est sur le point de se voir aux prises avec la misère et le mépris.

--C'est vrai, se hâta de répondre le ministre.

--Pouvez-vous empêcher ce malheur?

Le ministre réfléchit assez longtemps.

--Peut-être, dit-il; cela dépendra de Sougraine. S'il échappe, le secret reste mien et je suis maître de la destinée de cette famille; s'il est arrêté, je n'y puis plus rien, car il parlera, lui. Il faudra qu'il dévoile tout...

--Je venais vous dire que mon influence vous serait acquise si vous pouviez éloigner le malheur de cette maison...

--Savez-vous donc, M. Duplessis, quelle est cette maison que le déshonneur menace?

--Je crois le savoir, monsieur le ministre. Dans tous les cas, soit que je devine juste ou que je fasse erreur, il y a, n'est-ce pas, des gens qui sont menacés d'une horrible infortune, eh bien! sauvez ces gens quels qu'ils soient, et comptez sur mon appui dans votre élection.

--Je vais donner des ordres secrets pour qu'on favorise la fuite de Sougraine.

--Faites ce qu'il vous plaira pourvu que ce ne soit rien de mal.

--Je serais si content d'avoir votre appui! ajouta le ministre; cela m'assurerait le succès...

Le père Duplessis se disposait à sortir quand on entendit un bruit de voix dans les couloirs.

--Il est pris!... Où est-il? L'avez-vous vu? C'est M. Le Pêcheur qui va jubiler!... Une foule de paroles, des questions, des réponses, des affirmations, des doutes qui volaient, se croisaient, s'éparpillaient. Le ministre pâlit tout à coup. Il toucha le bouton de la sonnette électrique. Un garçon de bureau parut.

--Quel est ce bruit? demanda-t-il...

--Sougraine est arrêté, monsieur le ministre, répondit le messager radieux, croyant annoncer une heureuse nouvelle à son chef.

Le ministre fit une grimace significative dont le messager fut tout ébahi. Il ne s'attendait pas à cela. Il y aura toujours des surprises pour les messagers des ministres, et jamais ces êtres pourtant bien curieux et profonds observateurs souvent, ne pourront comprendre tout à fait ceux qu'ils sont destinés à servir.

--Alors, fit le père Duplessis en se retirant, il n'y a plus d'espoir?

--Je vais essayer quand même, M. le professeur, je vais essayer.

Le ministre avait une idée. Un ministre qui a la grâce d'état doit avoir au moins une idée de temps à autre.

--Nous ferons les élections avant les assises criminelles, pensa-t-il; j'ai une chance de mater le père, si je ne l'ai tout à fait pour moi. Je nourrirai grassement ses espérances en lui promettant tout ce qu'on peut promettre en pareille occasion.

XI

Sougraine venait de s'enfoncer dans la noire cachette que la vieille femme lui avait désignée, lorsque la porte s'ouvrit. C'était le garçon de la mère Audet qui entrait. Il ne remarqua pas l'agitation de sa mère, ni ses yeux mouillés de larmes, ni ses soupirs étouffés. La pauvre vieille pleurait si souvent.

--Ce misérable Sougraine, dit-il, en ôtant son *capot*, il nous a échappé. Il a été plus fin que nous et n'est pas revenu à la cabane. N'importe, il est bien guetté; il n'ira pas loin.

Il vit du pain à terre. C'était le morceau que dans sa surprise Sougraine avait laissé tomber.

--Sapristi! la mère, le blé est donc bien abondant cette année, qu'on laisse traîner le pain du bon Dieu sur le plancher? dit-il avec une pointe d'humeur.

La vieille regarda, ne répondit rien et ramassa le pain.

--Nous allons tuer un ours, demain, reprit Audet; il est caché sous un arrachis, au 9e portage, un peu en deçà de la cabane où s'était réfugié Sougraine.

--Un ours? dit la vieille femme, l'avez-vous vu?

--Non, mais nous l'avons entendu grogner, c'est tout comme.... Ce qui me fait de la peine, c'est d'avoir manqué Sougraine. Le maudit! si je savais où il se cache....

Sougraine ne put s'empêcher de frissonner et le tremblement nerveux de ses membres dérangea quelque chose dans la collection de vieilleries entassées au fond du caveau.

--Des rats? fit Audet, allons! pataud! pataud!

Il appelait son chien. Pataud, c'était un petit *terrier*, allègre, vif, remuant qui ne répondait pas du tout à son nom lourd et sonore. Pataud ne vint point.

--Où est donc le chien? demanda le garçon.

--Le petit Bernier est venu le chercher il y a un instant, pour le mettre, cette nuit, dans leur laiterie, répondit la vieille en tremblant, il paraît qu'il y a une belette qui dévore tout...

Audet se mit à genoux et pria quelques minutes, les bras appuyés sur sa chaise, le dos au poêle qui chantait son monotone refrain. Il se coucha et la vieille, ayant éteint la lampe fumeuse, se jeta à genoux à son tour et pria longtemps. Ensuite elle ouvrit la huche, reprit le morceau de pain et l'alla donner à Sougraine.

--Sauvez-vous, dit-elle.

Elle lui ouvrit la porte tout doucement, tout doucement. Il était profondément touché. Il fouilla son gousset et tira un rouleau de billets de banque.

--Voici, dit-il, de l'argent qui vient de votre fille, Sougraine vous le donne, il n'en veut plus, que Dieu ait pitié de lui...

La mère Audet repoussa la main, et les billets tombèrent sur le plancher nu de la pauvre habitation.

--Ta fille te doit bien cela, reprit Sougraine; garde tout...

Il sortit ému, épouvanté, et prit le chemin qui longeait la rivière.

La mère Audet se jeta sur son lit et s'endormit en priant. Pendant son sommeil des larmes coulaient lentement sur ses joues ridées...

Sougraine s'enfuit en mangeant le pain que lui avait donné la charité chrétienne, et, quand le jour approcha, il monta sur un fenil pour y passer la journée. Il était tombé une légère couche de neige, qui recouvrait, comme un tapis d'une éclatante blancheur, les maisons, les granges, les routes et les champs. Maintenant, au ciel devenu clair, s'allumaient d'étincelantes étoiles, et sur les forêts noires bordant l'horizon, le disque de la lune à son premier quartier brillait comme les cornes de feu de quelqu'animal étrange noyé dans un océan d'azur. L'indien ne songea point aux traces que ses pieds avaient laissées sur la neige.

Un petit garçon vint à la grange, de bon matin, pour faire le *train*. Dans nos campagnes on charge les enfants de cette importante fonction. Il arrive que ceux-ci, faute d'expérience, donnent aux animaux une nourriture insuffisante ou mal proportionnée, négligent d'aérer les étables qui, le printemps venu, se transforment en *infirmeries* ou en musées de squelettes vivants. Ensuite, nos braves cultivateurs sont étonnés de la *malechance* qui les poursuit, et se demandent comment il se fait qu'ils perdent tant d'animaux et que leur bétail ne rapporte rien.

Le petit garçon remarqua les pistes sur la neige. Il dit en rentrant:

--Il est venu quelqu'un à la grange cette nuit: il y a des traces: un pied d'homme.

Un voisin survint.

--Savez-vous, demanda-t-il, que Sougraine a été vu par ici? Vous vous souvenez de Sougraine qui a enlevé la petite Audet, il y a bien vingt à vingt-cinq ans de cela? On disait aussi qu'il avait tué sa femme...

--Est-ce bien vrai, il est par ici?

--Rien de plus vrai. Pierre Audet, Léon Bernier, le petit Noël à Jean, et deux ou trois autres encore qui descendaient des chantiers ont couché avec lui dans la cabane du neuvième portage. Il ne savait pas alors que c'était lui. Ce n'est qu'en arrivant au village qu'ils ont appris que le gouvernement le faisait chercher. Ils sont remontés à la cabane le lendemain soir, mais, bernique!

--Le petit gars, qui vient de faire le train, a vu des pistes d'homme dans la direction de la grange. C'est un peu drôle; jamais il ne vient personne rôder comme cela autour de nos bâtiments. Si c'était lui?

Ils sortirent, suivirent les traces en les examinant attentivement....

--Il est certainement venu quelqu'un, observa Marcel L'Enseigne, le voisin.

Il n'y avait pas de risque à l'affirmer.

Et celui qui est entré dans la grange n'en est pas sorti, continua-t-il, c'est encore certain. Envoyez votre garçon chercher des gens; on va fouiller la grange. Il est bon d'être plusieurs: ces sauvages.... on ne sait pas....

Ils en demandèrent deux, il en vint dix.

Sougraine entendit venir tous ces hommes qui le cherchaient; il se vit perdu. Il eut été content de mourir tout à coup, et de n'offrir qu'un cadavre à ces chiens de visages pâles qui le traquaient comme une meute fait d'une bête fauve. Peu de temps après il fut pris garrotté et conduit à la maison au milieu des rires et des huées.

XII

Les élections générales mettaient la Province en feu. Les libéraux et les conservateurs s'acharnaient les uns contre les autres, et s'obstinaient à jeter entre eux un abîme tous les jours plus profond. Les héros de l'éloquence populaire escaladaient les hustings armés de lettres compromettantes, de journaux humoristiques, de documents de toutes sortes, et faisaient entendre à la foule enthousiaste et préjugée, des paroles de salut ou de ruine, de menace ou d'encouragement, selon qu'ils étaient inspirés par les faveurs ministérielles ou par les dépits de l'opposition. Les uns glorifiaient le premier ministre et ses collègues. Jamais hommes semblables ne nous avaient gouvernés. Ils possédaient toutes les vertus, toutes les qualités administratives, une finesse d'observation surprenante, un flair étrange. Depuis leur arrivée au pouvoir, la Province s'était enrichie, des travaux de toutes sortes avaient fourni du pain à l'ouvrier, l'économie était franchement à l'ordre du jour. Pas de bouches inutiles. Peu d'employés, mais des bons. Plus d'avances, de bonus, de gratifications d'aucune sorte. Il fallait songer au peuple qui paie, à l'ouvrier qui souffre.

Les autres, d'une voix indignée, démolissaient tout ce splendide échafaudage élevé à la gloire des ministres, décrivaient, avec des larmes dans la voix, les hontes et les lâchetés des escrocs politiques qui escaladent le pouvoir afin de dépouiller la Province et d'appeler leurs amis à la curée, montraient, avec des airs effrayés, la profondeur du gouffre que creusaient sous nos pieds les chevaliers d'industrie et les spéculateurs véreux, suppliaient le peuple d'ouvrir enfin les yeux, de secouer sa torpeur, de chasser les infâmes qui déshonoraient le pays et le poussaient à la ruine.

Le peuple écoutait toujours, avec un égal intérêt, ces diatribes échevelées et ces louanges stupides, trouvait que tout cela ne manquait point de bons sens, ni de vraisemblance; qu'il y avait probablement du vrai, beaucoup de vrai, et finissait par subir l'influence de quelque gros bonnets.

Il est évident que l'excès de langage de nos orateurs d'élection, de même que les articles pleins d'exagérations qui s'impriment presque chaque jour dans les journaux, ébranlent les convictions du peuple et faussent son jugement. Les hommes publics sont rarement aussi bons ou aussi méchants qu'on le dit. On oublie, dans l'intérêt de la cause que l'on embrasse, cette juste mesure qui est le propre de l'homme fort et du lutteur chrétien. Ceux qui gouvernent ne doivent pas faire litière de leur prestige et de leur nom. S'ils aiment la gloire et les distinctions, ils doivent tenir à leur réputation qui survit aux jours du pouvoir.

M. Le Pêcheur fut élu par une majorité de trois voix. Une petite majorité, l'on est convenu d'appeler cela une défaite morale. C'est un baume sur les blessures du vaincu, mais un baume qui n'est pas sans amertume. Il semble évident, en effet, qu'on aurait pu trouver, en cherchant mieux, les malheureuses voix qui manquent.

On cria dans les rangs de l'opposition, dans les réunions intimes et dans les assemblées publiques, que la corruption la plus effrénée venait de faire son oeuvre, et que l'argent du trésor avait coulé à flots; que la liberté avait été étouffée sous les monceaux d'or; qu'il faudrait une catastrophe pour réveiller la conscience publique.... Une chose certaine, c'est que le père Duplessis, tout à son idée de charité, avait mis ses pauvres dans la balance. Personne ne songeait à chercher là la raison du triomphe de l'hon. ministre. Le vieux professeur se donna garde de l'oublier, lui, et il écrivit un petit mot à son noble obligé pour lui rappeler ses engagements. Le Pêcheur jeta la note au panier.

Serait-il convenable d'intervenir pour arrêter les fins de la justice, raisonnait-il? N'y avait-il pas là une question sociale de la plus haute importance? Comment un homme honnête et intelligent comme le père Duplessis n'avait-il pas songé à cela? Il est vrai, d'un autre côté, que l'offense était ancienne, douteuse même. Si l'abénaqui eût été seul à jouir de l'impunité, passe encore... Mais cette femme, madame D'Aucheron, volait sa haute réputation et les hommages des honnêtes gens. C'était une injustice envers la société de Québec. On lui serait reconnaissant, à lui le ministre, s'il remettait chacun à sa place, comme cela doit être. Il était l'élu du peuple, il devait protéger le peuple contre la supercherie et la fraude. On attendait cela de son esprit impartial.

Il répondit à monsieur Duplessis qu'il s'occupait de l'affaire. C'était vrai, mais pas dans le sens que le voulait le professeur. Il avait un dernier espoir, c'est que mademoiselle D'Aucheron serait peut-être éblouie par son nouveau triomphe et se montrerait touchée enfin de la constance et de la force de son attachement. Il se faisait illusion. La résolution de Léontine était bien prise, maintenant, et rien ne pourrait l'ébranler: Rodolphe, ou le couvent. Rodolphe, dans son imagination exaltée, dans son coeur naïf et débordant d'amour, elle le voyait tout près, tout près... et le couvent paraissait là-bas, à demi-perdu dans une buée vaporeuse.

Madame D'Aucheron avait complètement perdu la tête, et ne se sentait plus la force de prendre une résolution. Elle était comme une épave ballottée par les flots, au gré des vents et des courants. Elle ne savait plus où était le salut; elle ne le voyait nulle part. Menacée par le ministre qui avait surpris ses secrets, par le notaire qui la jetterait comme une vaurienne sur le pavé, par sa fille qui reculait devant le sacrifice et parlait d'entrer dans un couvent, par son mari qui se montrait maintenant tout inquiet, tout troublé, tout désolé, elle chancelait, s'affaissait. Elle eût voulu s'insurger contre elle même, braver les menaces et se moquer du monde. Elle se disait qu'il fallait désarmer ses ennemis par l'audace, et ne pas se laisser désarçonner comme cela du premier coup. A quoi lui servirait de se laisser aller à la frayeur? ce n'est pas ce qui la sauverait. Elle comptait les jours qui la séparaient des assises, comme un condamné, les jours qui lui restent à vivre. Elle regardait cette époque fatale, comme on regarde avec terreur le nuage plein d'éclairs et de tonnerre qui accourt de l'horizon ténébreux.

XIII

En entrant chez lui, après sa dernière visite à madame D'Aucheron, M. Le Pêcheur trouva une lettre portant le timbre de St. Jean d'Iberville.

--Tiens, fit-il, une lettre du père.

Ce n'est point par l'écriture qu'il la reconnaissait; le père Le Pêcheur ne savait pas écrire. Il déchira le bout de l'enveloppe, déplia la mince feuille de papier réglé et lut des yeux, en un moment, les deux pages de fine écriture. C'était évidemment la main de la maîtresse d'école.

Le bonhomme Le Pêcheur suppliait le ministre d'empêcher l'arrestation de Sougraine. Il ne savait pas encore que le malheureux était pris. Il disait:

--Tu es tout puissant, puisque tu es ministre, interviens au plus vite, c'est moi qui t'en conjure. Il faut que cet homme reste libre; il faut qu'il s'éloigne, qu'il s'en aille, qu'on n'en entende jamais parler.

--Voilà qui est curieux, par exemple, se dit le jeune ministre.... Est-ce un coup monté? On dirait qu'il y a entente entre le père Le Pêcheur et le père Duplessis. C'est tout de même singulier. Je voudrais bien l'empêcher d'être pris, ce chenapan de sauvage, mais il n'est plus temps. On pourrait peut-être lui faire prendre la clef des champs... Mais madame D'Aucheron aurait beau rire de moi. Allons! que justice se fasse!

Une foule considérable suivait la rue St. Louis et s'engouffrait dans les ruelles qui conduisent aux anciens hôpitaux militaires, métamorphosés depuis plusieurs années en Palais de justice. A l'extérieur, la bâtisse a le même aspect triste, pauvre, désolé, avec sa couche d'enduit jaunâtre qui donne aux pierres une certaine harmonie de ton avec la rouille des vieilles ferrures; à l'intérieur, des malades encore et encore des médecins. Les malades d'une société qui se corrompt et les médecins que demande la morale outragée.

Un spectacle toujours nouveau attirait cette foule curieuse: Un procès à sensation. Le monde est tellement avide d'émotions qu'il serait capable de pousser au crime afin du voir juger un criminel. Si l'accusé n'a rien de remarquable, s'il est peu retors, laid, gauche, mal fait, on le verra condamner sans regret; s'il est beau, rusé, ferme, de bonne mine, on le prend sous sa protection, on fait des voeux pour son acquittement, et, s'il est condamné, on crie à l'injustice. C'est comme au théâtre. Ou ne songe pas qu'un malfaiteur est d'autant plus à redouter qu'il a plus de qualités physiques ou morales, et que ce n'est pas l'homme que la justice veut atteindre mais le crime même. L'homme s'est fait l'instrument du mal, il faut qu'il devienne l'instrument de la réparation. Le mal doit être honni, poursuivi, puni partout et toujours, sans merci ni pitié, l'homme doit être un objet de commisération. Attendrissons-nous sur le sort du coupable mais applaudissons au châtiment du crime.

Sougraine allait être amené à la barre des criminels. La salle d'audience était remplie. Il y avait des gens debout dans les passages, dans les galeries, autour des sièges réservés aux avocats, partout. Quand l'accusé parut précédé et suivi par des hommes de la police, il se fit un long murmure et toutes les têtes se tournèrent vers lui.

Il regarda avec assurance cette foule curieuse et menaçante et un sourire triste passa sur ses lèvres pâles. Le juge, l'un des plus éminents du pays, sa longue toge de soie noire sur les épaules et son rabat blanc tombant sur la poitrine, entra précédé de l'huissier audiencier. Le silence se fit dans toute la salle. Les jurés furent appelés et répondirent à leurs noms, en se levant. Les jurés sont tenus de connaître leurs noms et même leurs prénoms, mais rien de plus. Tant mieux s'ils sont ignorants et simples; on les pétrit plus facilement. Les natures timides sont recherchées. Les revêches qui ont un cran de fermeté sont souvent éloignées avec succès. Un beau système tout de même. N'y touchons pas, l'Angleterre nous l'a donné; c'est sacré. Honni soit qui mal y pense! Vous êtes jugé par vos pairs. Mes pairs? des naïfs qui souvent se laissent manipuler comme de la cire et trompent les fins de la justice. Si vous voulez pratiquer le système à la lettre, comme vous prétendez qu'il le doit être, faites donc juger l'accusé par ses compères... Le voleur par des voleurs et l'assassin par des assassins. Voilà ce qui s'appellerait suivre la lettre de la loi anglaise.

En face du banc des juges, auprès d'une longue table couverte de drap bleu foncé, s'étaient assis les avocats chargés de conduire la cause: Le substitut du Procureur Général, M. Dunbar, l'un des plus éminents parmi les jurisconsultes anglais, M. Guillaume Amyot, un orateur puissant, puis, M. F. X. Lemieux, jeune encore, mais déjà célèbre par son éloquence ardente et ses merveilleuses ressources.

Sougraine, désespéré, gémissait dans sa prison et personne ne voulait ou n'osait entreprendre la tâche ardue de le défendre. Il était pauvre et ne pouvait récompenser le dévoûment de son avocat. Il fallait donc que la charité, une grande charité, vînt s'unir à de grands talents pour lui venir en aide. C'est une chose terrible que d'être accusé d'un crime qui entraîne la peine capitale, lorsque l'on est innocent, et grand Dieu! quelle responsabilité pèse sur la tête d'un homme de loi qui se charge d'éclairer le tribunal et de faire triompher la justice! Comme il doit être habile, perspicace et prudent! comme il est bon qu'il sache bien dire, exposer nettement et savamment! comme il est important surtout qu'il soit honnête, car l'honnêteté a des accents qui vont à l'âme et que ne saurait trouver le mensonge.

Quand on vit monsieur Lemieux prendre la défense de Sougraine, on se dit que le prisonnier serait sauvé s'il était possible qu'il le fût....

Messieurs Stuart et Vallée--ce dernier, un notaire fatigué de sa paisible profession qui s'était fait avocat--tous deux remarquables aussi, s'étaient joints à leur jeune confrère, pour l'assister.

M. Dunbar avait préparé avec un soin tout particulier l'acte d'accusation. Jamais son talent d'investigation, son esprit logique, sa vertu farouche ne s'étaient mieux affirmés. Il fit l'exposé de la cause au milieu d'un religieux silence:

--Il y a vingt trois ans, dit-il, une famille du nom d'Audet vivait heureuse malgré son indigence, au milieu de nos campagnes tranquilles, dans l'une de nos bonnes et chrétiennes paroisses, sur les bords de la rivière Batiscan. Le père, la mère, les enfants étaient unis par des liens sacrés que les années resserraient de plus en plus.

Une jeune fille, surtout, une jolie enfant de seize ans, faisait les délices de cet intérieur heureux. Un jour elle disparut, et les recherches pour la trouver furent vaines. Le deuil entra dans l'humble maison et les pleurs coulèrent, coulèrent sans jamais cesser. Aujourd'hui encore, sous le même toit solitaire de la chaumière de Notre-Dame-des-Anges, une vieille femme qui n'a pas voulu être consolée, verse des larmes sur la perte de sa fille chérie.

Un indien était venu dresser sa tente au bord de la rivière, non loin de la calme demeure des Audet. Cet homme demi-sauvage avait une femme et des enfants; mais il vit la jeune fille canadienne et fut troublé jusqu'au fond de son âme. Il se laissa bercer par des rêves de volupté, ne trouva plus de charmes à la femme qu'il avait choisie pour compagne, ne fut pas ému des angoisses qu'il préparait à une mère pleine de sollicitude, et, dans son fol amour, il abusa de la confiance naïve de l'enfant, lui fit oublier ses devoirs et sa famille, et, repliant sa tente il partit pour d'autres lieux. Elmire Audet le suivait.

Cependant la femme trahie était restée comme une esclave auprès de l'homme infidèle. C'était sans doute l'amour de ses enfants qui l'enchaînait encore au malheureux. Les jours pour elle s'écoulaient dans l'amertume. Quelquefois, lasse de supporter tant de hontes et d'ignominies elle se révoltait et alors des querelles sérieuses survenaient, des injures et des coups s'échangeaient. Une telle existence ne pouvait durer. Le mari ne pouvait goûter tranquillement les délices de ses illégitimes amours, et la vue continuelle de sa femme ne laissait plus de repos à sa conscience. Il croyait sans doute que si elle disparaissait, le trouble de son âme disparaîtrait aussi, et qu'il pourrait s'endormir dans une douce sécurité. Etrange méprise des âmes coupables!

Un soir, sur les bords du St. Laurent, au pied des caps élevés de St. Jean Deschaillons, l'on entendit des plaintes, des cris et des gémissements. L'on savait que l'Indien s'était arrêté là depuis quelques jours avec sa famille. On vit un canot s'éloigner sur le fleuve profond. L'accusé--car c'était lui--l'accusé toucha la rive nord avec ses enfants. Sa femme ne les accompagnait point. Plus tard, à quelques lieues en bas de Québec, on trouva, sur le rivage, le cadavre d'une femme noyée. Cette femme avait une corde autour du cou. Elle avait donc été traînée à l'eau. On la reconnut, c'était Clarisse Naptanne, la femme de Sougraine, l'accusé.

Les témoins vont corroborer ces paroles.

Un long murmure roula sous les vieux lambris, et les têtes se bercèrent comme la houle au jour de grande brise. Chacun voulait voir ce don Juan de la forêt.

L'accusé se pencha sur la barre comme écrasé sous le poids de ces regards scrutateurs.

XIV

Le coroner du district de Québec, à l'époque du crime, était mort depuis longtemps. On retrouva toute fois le procès verbal de l'enquête qui eut lieu alors. Il y était dit qu'un nommé Turgeon, de la paroisse de Beaumont, avait déclaré avoir trouvé dans ses *pêches* le cadavre d'un homme ayant une corde au cou. Que ce cadavre ayant été transporté à Québec, on reconnut alors que c'était celui d'une femme. On rit un peu de la naïveté ou de la modestie extrême du brave pêcheur.

Le verdict fut: "Trouvé mort."

Verdict plein de sagesse et d'à propos auquel personne ne trouva à redire; la critique cette fois, fut désarmée.

Après l'enquête, le corps fut enterré dans le cimetière Belmont, près de Québec, et la description en fut donnée par les journaux de la ville. La semaine suivante, le curé de Notre-Dame-des-Anges vint à Québec et dit qu'une personne était disparue, l'automne précédent, de St. Jean Deschaillons. On fit l'exhumation du cadavre. Il était fort décomposé mais pas tout à fait méconnaissable. Le curé affirma que c'était la femme de Sougraine, un sauvage abénaqui.

Alors on se mit à la poursuite de ce sauvage qui était parti avec une jeune fille. Toutes les recherches furent inutiles. Les deux fugitifs erraient dans les prairies de l'Ouest.

Turgeon, le pêcheur de Beaumont, qui avait fait la lugubre trouvaille, vivait encore. Il fut appelé comme témoin. Il se souvenait bien du cadavre en question.

L'abbé Lamontagne, le curé de Notre-Dame-des-Anges se rendit aussi à l'appel de la cour.

Il avait connu le prisonnier et sa femme, Clarisse Naptanne, dite Bisson. Il furent ses paroissiens autrefois. La femme Sougraine, plus âgée que son mari, était grande et forte. Ils avaient deux petits garçons, l'un âgé de dix à douze ans et l'autre un peu plus jeune.

Ils demeuraient à une lieue environ du presbytère et habitaient une cabane d'écorce, sur les bords de la rivière Batiscan. L'accord paraissait régner dans le ménage.

Il continua:

Au nombre de mes paroissiens était aussi une jeune fille de seize ans, nommée Elmire Audet. J'ai vu cette fille aller plusieurs fois chez l'accusé. Celui-ci a quitté la paroisse avec sa famille vers la fin d'octobre. Je n'ai jamais revu sa femme. Lui, il est revenu en novembre. Il était seul. Je lui ai demandé où étaient sa femme et ses enfants et il m'a répondu qu'ils étaient aux Trois-Rivières. Elmire Audet était alors dans la paroisse. Quelques jours après elle n'y était plus.

J'ai vu le corps de la défunte au cimetière Belmont, et l'ai parfaitement reconnu. C'était bien la femme du prisonnier. A la mâchoire inférieure il y avait une dent qui faisait saillie. Les dents de la mâchoire supérieure étaient noircies par l'usage du tabac et usées par la pipe. La défunte fumait beaucoup. Les cheveux étaient très noirs.

Transquestionné par M. Lemieux le curé ajouta:

--Un peu avant son départ Sougraine est venu à confesse et a communié.

Hermine Auger, un autre témoin, fut appelée.

--Il y a vingt-trois ou vingt-quatre ans, dit-elle, je demeurais chez monsieur Raymond Beaudet, à St. Jean Deschaillons. Un soir du mois d'octobre, j'étais au bord du cap et j'entendis du bruit sur la grève. Un homme criait: Ma maudite, je vais te tuer et te noyer! Une voix de femme répliquait en pleurant: Laisse-moi donc, j'ai les pieds gelés, je vais mourir. Elle disait aussi: je vais me noyer! Un peu plus tard j'ai vu un canot qui s'en allait. Il y avait un homme à l'arrière et quelque chose de blanc au milieu.

A une transquestion qui lui fut posée par M. Lemieux, elle répondit:

--Après le départ du canot, j'ai encore entendu du bruit sur le rivage; c'était toujours la voix de femme qui continuait ses lamentations.

Alors comparut Metsalabanlé, le chef abénaqui de Bécancour.

--Je me nomme Joseph-Louis Metsalabanlé. Je suis le chef des Abénaquis de Bécancour. Mon nom signifie: un homme que l'on a renfermé par surprise et qui réussit à s'échapper. L'accusé est arrivé à Bécancour avec ses enfants, vers le commencement de novembre de l'an 18... Il est venu chez moi le lendemain de son arrivée. Il était sous l'influence de la boisson. Je lui ai demandé où était sa femme et il m'a répondu qu'il ne le savait pas; qu'elle était comme folle lorsqu'il l'avait laissée et qu'elle avait voulu faire chavirer le canot dans la traversée. Il a ajouté qu'elle était au désespoir et s'était peut-être jetée à l'eau.

Pierre-Antoine Thomas, autre Abénaqui vint à son tour:

--Je demeure à Bécancour dit-il. Je connais le prisonnier, et j'ai connu sa femme. Sougraine est arrivé chez moi, un soir de l'automne de 18... avec ses deux enfants. Un charretier les conduisait. Je lui demandai où était sa femme et il me répondit qu'elle était désertée par désespoir. Il me demanda si je voulais prendre ses enfants en pension parce qu'il allait *en chantier*. Il partit et je gardai les enfants. Je le revis plus tard; il s'informa de sa femme et de ce qu'on disait de lui. Je lui dis qu'on le soupçonnait d'avoir tué sa femme. Il nia, disant qu'il n'avait jamais pensé à cela. La première fois qu'il est venu il n'avait pas l'air inquiet, mais, la seconde fois, il était très abattu. Il partit le matin au petit jour et s'enfonça dans la forêt. Il revint le soir même, vers dix heures, mangea, alla se coucher dans le grenier, puis partit encore de grand matin, disant qu'on ne le reverrait probablement pas de sitôt.

Je lui dis que, puisqu'il n'était point coupable, il ferait mieux de se livrer. Il me répondit qu'il le ferait s'il n'était pas sûr d'être puni pour avoir enlevé une jeune fille.

Puis, il ajouta, répondant à M. Lemieux, que l'accusé lui avait dit qu'il regrettait de s'être amouraché de cette jeune fille et qu'il ne savait pas où il avait eu la tête; que Sougraine vivait en bon accord avec sa femme et était un bon sauvage; qu'un des enfants lui avait dit alors que la défunte, pendant la traversée, avait voulu faire chavirer le canot.

Desanges Denis, épouse de Léon Deveau, fit la déposition suivante: Nous demeurons à cinq arpents environ du fleuve. Sougraine est arrivé chez nous, un matin, il y a bien vingt ans passés de cela. Il est entré seul et nous a demandé de prendre soin de ses enfants jusqu'au lundi. C'était le samedi, je crois. Il dit qu'il voulait aller à la recherche de sa femme qui l'avait laissé après une querelle. Il a ajouté qu'elle était jalouse d'une jeune fille. Il a dit aussi qu'il irait à Notre-Dame-des-Anges chercher des pièges qu'il avait tendus. Il fut absent une couple d'heures. Il est allé chercher ses enfants et les a amenés chez nous. Ils sont partis le dimanche. Il est revenu une quinzaine de jours plus tard avec une jeune fille. Il m'a dit que c'était sa femme. Ils sont arrivés le soir, ont partagé le même lit et sont repartis le lundi matin.

Le témoin dit se rappeler bien tous ces détails, parce que Sougraine ayant été soupçonné du meurtre de sa femme, quelques mois plus tard, elle dut alors raconter souvent ce qu'elle savait touchant cet homme. Elle ne reconnaissait pas l'accusé, cependant; il avait trop vieilli.

L'huissier appela: Pierre Leroyer, de son nom sauvage la Longue chevelure.

Il se fit un profond murmure, et les curieux qui remplissaient les couloirs se rangèrent pour livrer passage au noble chasseur des Montagnes Rocheuses. Lui, pâle, mal rétabli encore de sa récente blessure, il s'avança lentement, le front haut mais sans arrogance, vers le banc des témoins. Un air de souffrance tempérait l'énergie de sa figure et lui donnait un charme nouveau. On savait comment il avait été blessé dans une partie de chasse, quelles souffrances il avait endurées, comme la mort était venue près de l'emporter. Depuis quelques jours seulement il pouvait sortir; la plaie était cicatrisée. C'est lui qui dans un accès de fièvre, avait innocemment et sans malice, trahi son frère l'Abénaqui, un sauvage comme lui. Il le regrettait sans doute.... comme l'on peut regretter une faute dont l'on n'est nullement responsable. S'il n'eût point eu cette fièvre, l'accusé serait encore libre et heureux. Voilà ce que peut faire une parole même inconsciente. Ah! si la partie de chasse n'avait pas eu lieu!... Mais c'était le notaire, c'était Sougraine, c'était madame D'Aucheron qui l'avaient imaginée, cette malheureuse partie de chasse.... Ainsi souvent les projets des méchants tournent contre eux.

La Longue chevelure parlait bien. Sa voix nette et ferme était l'écho d'une âme droite. On sentait que cette âme n'avait rien à cacher, et que cette parole n'avait rien à taire. On se plaisait à l'entendre, cet homme demi-sauvage.

Il raconta sa première rencontre avec l'accusé; comment il le sauva lui et sa jeune amie des flammes de la prairie, et les emmena dans son wigwam, au milieu des montagnes. Il répéta les questions qu'il leur adressa alors et les réponses qu'ils lui firent. L'accusé lui avait affirmé que sa femme était morte d'un hérésypèle, à St. Jean Deschaillons, et qu'elle était enterrée dans le cimetière de la paroisse; qu'il était marié avec cette jeune fille et ne voulait point s'en séparer; que cependant il avait fini par avouer que le mariage n'avait pas été célébré encore et que la jeune fille était sa maîtresse. Alors dit le témoin, je lui défendis de vivre plus longtemps avec elle, et je pris la résolution de renvoyer la jeune fille dans son pays, dès qu'il se présenterait une occasion. L'accusé se montra soumis. Des voyageurs canadiens passèrent vers le même temps et je leur confiai la jeune fille. Ma femme aussi partit alors avec une jeune enfant....

La voix du sioux trembla légèrement. On vit qu'il faisait un effort pour refouler une émotion profonde. Il s'interrompit un moment et baissa la tête comme pour se recueillir. Il reprit ensuite.

--Les malheurs qui suivirent ne regardent que moi, ce n'est point le lieu de les répéter ici. Je dus, pour échapper à la mort, fuir ma tribu. Je n'avais plus qu'à pleurer sur ma femme indignement massacrée par les sioux, et sur la perte de mon enfant morte avec sa mère, sans doute. Je m'éloignai de mes chères montagnes. Deux ans après je rencontrai l'accusé à Los Angeles. Il niait toujours avoir tué sa femme. Plus tard, je gagnai les pays espagnols de l'Amérique du Sud. Je cherchais les parents de ma mère. Je ne revis plus Sougraine, jusqu'au jour où je le rencontrai à l'auberge du Loup Garou, il y a quelques semaines. Je ne le reconnus pas alors, mais depuis j'ai pu constater son identité. Je le reconnais bien maintenant.

Les péripéties du procès n'étaient pas finies. Les curieux en auraient pour leur temps perdu, cette fois, et l'on en parlerait longtemps de l'affaire Sougraine.

L'audience avait été suspendue, mais la foule était restée là, entassée dans la vaste pièce, aimant mieux respirer l'air chaud et vicié qui la remplissait, que de perdre un mot des témoignages. Au reste, dans un tête à tête entre le prisonnier à la barre et son défenseur, on avait surpris une parole qui piquait la curiosité.

--On va le faire venir... Il faut qu'il vienne, avait dit l'avocat...

--Quel peut être ce témoin? C'était la question que chacun se faisait.

A la reprise de l'audience, au milieu d'un calme solennel, l'huissier appela:

--Louis Vilbertin!

Il y eut un désappointement. On comptait sur un nom nouveau, inconnu, improbable... et c'était le gros notaire que tout le monde connaissait.

Il roula lentement vers ce qu'on appelle vulgairement la boîte aux témoins. Il s'essuyait le front avec son mouchoir. En marchant il pensait:

--Qu'avait-il besoin de me déranger ainsi? Est-ce que je vais le sauver? Et puis, c'est cruel de me forcer à m'avouer publiquement son fils... Il embrassa l'Evangile, comme il eût embrassé n'importe quoi.

--Votre nom est Louis Vilbertin? demanda la greffier.

--Mon vrai nom est Louis Sougraine, répondit le notaire, d'une voix ferme, un peu irritée; je suis le fils de l'accusé.

Il bravait l'opinion.

--Le fils de l'accusé! ce mot s'échappa de toutes les bouches... Ce fut un murmure sourd qui couvrit un instant la parole des avocats.

--Nous demeurions, il y a vingt trois ans, à Notre-Dame-des-Anges. La famille se composait de mon père, de ma mère, de mon frère et de moi-même. Nous sommes partis de là avant l'hiver, en canot, suivant le cours de la rivière. Nous nous rendîmes à Ste Anne, sur la grève, et de là à St. Jean Deschaillons. Là, mon père et ma mère se battirent. C'était le soir, sur le bord de l'eau. C'est mon père qui commença la querelle. Il voulait avoir son *capot* que ma mère avait mis sur ses épaules pour se garantir du froid. Il battit la défunte à coups de poings et d'aviron et la jeta à terre dans les branches. Ma mère lui demandait de ne pas la tuer et elle pleurait. La querelle a bien duré une heure. Le prisonnier lança aussi des pierres à ma mère. Elle paraissait souffrir beaucoup. J'ai vu du sang sur elle.... Nous sommes partis pour traverser le fleuve, mon père, mon frère et moi.... ma mère est demeurée sur la grève. Mon père ne voulut pas la laisser embarquer. Il la menaça avec une branche. Après notre départ elle est restée assise sur le sable et elle pleurait. Dans la traversée mon père nous a dit qu'il nous tuerait si nous rapportions ce qu'il avait fait. Le temps était noir. Le prisonnier nous a conduits à une maison où nous avons couché. Puis nous avons gagné Bécancour. Mon père nous a laissés chez mon oncle Pierre-Antoine, et je n'ai jamais revu ma mère.

Répondant ensuite à M. Lemieux, il continua:

--En traversant la rivière ma mère a menacé de faire verser le canot. Avant de partir de Sainte Anne elle avait envoyé mon père acheter de la boisson. Elle but du whisky avant d'embarquer et aussi pendant la traversée, si je me rappelle bien.... Il y a longtemps de cela. Elle but, je crois, ce qui restait dans une première bouteille... Peut-être un demiard... C'est l'idée qui m'est restée. Cependant mon père avait bu plus qu'elle...

Plusieurs dirent:

--Le gros notaire ne tient pas à sauver son père...

Et d'autres:

--On dirait qu'il veut être le fils d'un pendu...

Le notaire, sous les questions pressées de M. Lemieux, soufflait, haletait, s'épongeait... puis se contredisait.

--Mon père, avoua-t-il, pria la défunte de lui hacher du tabac. C'était dans le canot, en traversant. Elle consentit, se mit à la besogne, puis cessa tout à coup.... La querelle commença alors....

Ma mère voulut faire chavirer le canot, comme je l'ai dit, et l'accusé la supplia d'avoir pitié de nous, ses enfants... mon défunt frère et moi... Elle donna un coup d'aviron à mon père... Rendus sur la grève elle le frappa avec un couteau... C'était pour se défendre... Ils se battaient. Mon père n'avait pas de couteau, pas de bâton, non plus.... Si je me souviens bien.... Mon père alluma un feu sur la grève pour nous réchauffer et préparer des aliments. Il demanda à ma mère de venir manger avec nous...... Elle refusa. La querelle était terminée. Lorsque nous fûmes sur la grève de Batiscan, après avoir traversé le fleuve, mon père fit un petit feu et nous nous couchâmes tout au près... Mon père nous avoua, à mon frère et à moi, qu'il avait du regret d'avoir ainsi abandonné sa femme, seule, dans l'état où elle se trouvait.... Il remonta alors dans le canot.... et fut absent pendant quelques heures... Nous crûmes qu'il allait la chercher.... Il revint seul.... Il était triste... Il dit qu'il l'avait trouvée morte et que dans la crainte d'être soupçonné ou inquiété il l'avait traînée à la rivière...

Vilbertin se retira. Il avait des sueurs aux tempes et des rougeurs sur les joues. On entendit comme un soupir de soulagement qui montait de tous les coeurs. Les choses devaient s'être passées ainsi. Il était raisonnable de le supposer.

Un témoin, M. Léon Deveau, de Batiscan, vint dire qu'il n'y avait pas de trace de feu sur la grève où s'était arrêté le prisonnier, et laissa croire que Vilbertin venait d'inventer une petite histoire pour sauver son père. Il y eut un malaise soudain. Mais le défenseur de l'accusé ne se tint pas pour battu.

--La grève est-elle large chez-vous? demanda-t-il au témoin.

--Oui, monsieur, répondit celui-ci, joliment large.

--Et la marée s'avance loin?

--Oui monsieur, assez loin.

--A-t-elle pu couvrir l'endroit où s'est arrêté l'accusé, et faire disparaître ainsi toute trace de feu?...

--Certainement, reprit le témoin.

--Alors, fit l'avocat triomphant, il n'est pas étonnant que vous n'ayez vu nulle trace du feu allumé par le prisonnier; c'est le contraire qui eût été surprenant... Une mer passant sur un feu sans l'éteindre...

Un rire bruyant courut dans la vaste salle.

XV

Un homme qui n'avait pas été peu surpris en voyant un huissier entrer chez lui, c'était monsieur D'Aucheron. Il pensa d'abord que Vilbertin le lâchait, comme on dit en termes d'affaires, et que la dégringolade allait commencer. Après tout, s'il fallait tomber, autant valait que ce fût aujourd'hui que demain. La pensée d'un mal qui vous menace est souvent plus amère que le mal lui-même. L'imagination grossit le mauvais comme le bon. C'est un verre qui nous montre souvent les choses sous un faux aspect.

--Un subpoena, monsieur D'Aucheron, avait dit l'huissier en saluant avec la gravité que comporte le métier.

--Un subpoena? fit M. D'Aucheron, qui eut envie d'éclater de rire, tant il avait eu peur.

--Oui monsieur, pour madame.

--Pour madame D'Aucheron? Mais, tonnerre! au sujet de quelle affaire?

--L'affaire Sougraine, monsieur D'Aucheron....

--Hein! l'affaire Sougraine? voilà qui est drôle. Où va-t-on chercher les témoins maintenant? Qu'est-ce qu'elle connaît de cette affaire, ma femme?

Cependant le souvenir du mystère qu'il avait essayé de débrouiller depuis quelque temps, mystère où sa femme, le notaire et Sougraine paraissaient se comprendre parfaitement, lui revint à l'esprit. De grosses gouttes de sueurs perlaient sur son front. Il comprit que tout allait éclater.

L'Huissier s'était retiré; il se rendit à la chambre de sa femme.

--Madame, dit-il avec un accent grave et solennel, lui tendant le papier légal d'une main qui s'efforçait de ne point trembler, on vous appelle comme témoin dans l'affaire Sougraine--une affaire vieille de vingt trois ans--dites-moi donc, s'il vous plaît, ce que vous connaissez de cette affaire.

Madame D'Aucheron poussa un cri.

--Témoin! moi, témoin! et elle s'affaissa sur sa chaise.

Léontine accourut.

Implacable, M. D'Aucheron se tenait là, debout devant elle. Il était résolu d'en finir.

--Madame, dites-moi, je vous prie de quelle façon vous avez été mêlée à l'affaire Sougraine?...

Léontine à son tour jeta une clameur, mais elle ne faiblit pas.

--Pauvre mère, dit-elle, c'est donc fini; tout est connu, et elle se prit à pleurer à chaudes larmes....

--Tout n'est pas connu, répliqua M. D'Aucheron, mais j'ai le droit de tout savoir, et je veux que l'on parle ici avant d'aller parler à la cour...

Il passa le subpoena à Mademoiselle Léontine qui lut à travers ses pleurs....

--Pauvre mère! reprit-elle! pauvre mère! comme elle va souffrir!....

--Eh bien! mademoiselle, parlez donc, s'il vous plaît, si votre mère ne veut ou ne peut pas le faire, dit monsieur D'Aucheron, impatienté.

--Mon père, dit-elle d'une voix pleine de douceur, de prières et de larmes, ayez pitié de ma malheureuse mère... soyez miséricordieux.

D'Aucheron tremblait. Il voyait bien que tout s'écroulait autour de lui, et que sa vie était à jamais empoisonnée. Il n'osait plus parler. Il écoutait maintenant, le front courbé, l'arrêt terrible qui le condamnait à la honte et à la souffrance pour le reste de ses jours.

--Ma mère, votre femme... reprit Léontine au milieu de ses sanglots... c'était....

--C'était?

--Elmire Audet!

--Elmire Audet! s'écria monsieur D'Aucheron, en se cachant le visage dans ses mains. Malheureux que je suis!

--Pitié! pardon! criait Léontine.

--Malheureux que je suis! répétait toujours D'Aucheron. Et il aurait voulu pleurer. La rage et la douleur l'étouffaient.

Il sortit marchant vite comme un homme pressé d'arriver, et cependant il ne savait où il allait. Ceux qui le rencontrèrent s'aperçurent qu'il n'était pas comme de coutume et se détournèrent pour le regarder. Il passa devant l'église du faubourg St. Jean et lui qui se vantait de ne pas importuner le Seigneur, et de ne jamais prendre la place des autres, dans les églises, il s'en alla tomber à genoux devant les saints tabernacles. C'est que les grandes douleurs ramènent à Dieu, et que les hommes profondément infortunés sentent bien que le secours ne peut pas leur venir des hommes. Il demeura longtemps, là, sur le parquet, la tête baissée, les mains jointes, et criant vers Dieu.

Le père Duplessis se trouvait à l'église; c'était l'heure de sa visite au St. Sacrement.

--Il devait en être ainsi, pensa-t-il. Le retour à Dieu ou le suicide.

Quand D'Aucheron sortit il le suivit.

--Mon cher ami, commença-t-il, à quelque chose malheur est bon. Vous perdez beaucoup mais vous gagnez davantage. Au reste, songez-y bien, il n'y a pas de quoi se jeter à la rivière, s'il y a raison de se jeter dans les bras de Dieu.

--Connaissiez-vous mon malheur? demanda monsieur D'Aucheron.

--Je le soupçonnais. Madame D'Aucheron était mademoiselle Elmire Audet.

--Hélas! qui l'aurait pensé?

--Mademoiselle Elmire Audet, tout enfant, a fait une faute mais elle s'est repentie; elle est devenue une excellente femme. Ce n'est pas la première fois que cela arrive, ce ne sera pas la dernière non plus, hélas! soyez-en sûr.

D'Aucheron s'était attendu à bien des mécomptes, à des revers, à des insuccès, mais il ne se doutait nullement que l'orage viendrait de ce côté. Ce qui l'affligeait surtout, c'était de passer sous la dent venimeuse de la médisance. Il se sentait horriblement humilié. Il ne lui serait pas possible de se relever de ce coup et il serait obligé de s'en aller vivre ailleurs.

XVI

Plusieurs témoins furent appelés encore pour prouver la culpabilité de l'accusé, mais aucun ne put affirmer que ce ravisseur de jeunes filles fût en effet le meurtrier de sa femme. Ils dirent, pour la plupart, que des querelles s'élevaient souvent entre Sougraine et sa femme et qu'ils proféraient l'un contre l'autre des menaces de mort. Au reste, après vingt-trois ans, les témoins se faisaient rares et ne se souvenaient guère.

Il y eut un mouvement extraordinaire dans la salle, et un murmure d'étonnement passa sur la foule quand l'huissier audiencier appela le nom de madame D'Aucheron.

Elle entra vêtue de noir et voilée. L'huissier grossissant de plus en plus sa voix qu'il voulait rendre terrible, criait en vain: silence! silence! silence!

Madame D'Aucheron prêta le serment d'usage.

--Votre nom, madame, est Elmire Audet, n'est-ce pas? demanda le greffier, qui voulait lui éviter la honte de le dire elle-même.

Elle répondit affirmativement, mais on ne l'entendit pas dans la salle, tant la surprise était grande.

L'honorable M. Le Pêcheur vint alors s'asseoir près de l'avocat de la couronne et parut suivre la cause avec beaucoup d'intérêt. Les gens remarquèrent avec surprise le plaisir qu'il paraissait éprouver en voyant la souffrance du témoin. Plusieurs s'en indignèrent. On fit raconter à madame D'Aucheron ses amours avec l'abénaqui alors qu'elle était jeune fille, sa fuite de la maison paternelle, ses pérégrinations nombreuses. Elle parlait bas et à chaque instant on la suppliait de parler plus haut. Ce n'était pas assez de raconter ses hontes, il fallait même les raconter à haute voix. La pudeur n'avait plus le droit de jeter son voile mystérieux sur ces confidences. Souvent la pauvre femme hésitait. Elle balbutiait des aveux qu'elle était tentée de cacher. Elle n'avait que seize ans lorsqu'elle partit avec l'accusé. Elle le connaissait depuis deux ans déjà....

--J'avais eu alors, depuis un mois environ, des relations avec le prisonnier, avoua-t-elle, et j'ignore si sa femme le savait. Nous sommes partis secrètement. Nous avons passé la première nuit dans une grange, à St. Ubalde, et le lendemain, nous étions à Batiscan. Il ne m'avoua la mort de sa femme qu'au lac Mégantic. Chez M. Deveau, à Batiscan, il me dit qu'elle était aux Trois-Rivières avec ses enfants. Il avait dit la même chose à ma mère. Nous traversâmes le fleuve en canot, puis, nous nous acheminâmes, à pied, vers Richmond où nous devions prendre le train. Il affirmait que nous allions à la recherche de sa femme... Dans la gare de Richmond j'entendis des gens qui disaient qu'un sauvage enlevait une jeune fille et qu'il fallait l'arrêter. Je prévins Sougraine et il se cacha pendant quelques jours dans le bois. Puis, quand il revint nous partîmes pour nous rendre au lac Mégantic où nous passâmes huit jours, chez un monsieur Beaulé. Il nous dit alors que sa femme était morte...

Il m'a parlé de la traversée du fleuve qu'il avait faite avec sa famille. Il m'a dit que sa femme avait voulu faire chavirer le canot et qu'il l'avait suppliée de le laisser rendre à terre pour l'amour de ses enfants. A terre, il prépara le souper et pria sa femme de venir manger. Elle prit un aviron et le lui brisa sur le dos. Elle était ivre. Il est ensuite allé choisir du bois pour faire un aviron, après avoir défendu à ses enfants qu'il avait placés sur une grosse roche, de suivre leur mère quand même elle irait les chercher. A son retour les enfants lui dirent que leur mère avait voulu les battre avec un bâton, puis qu'elle s'était éloignée en disant qu'ils ne la reverraient jamais. C'est lui qui m'a conté cela.

Nous avons continué notre route vers les Etats-Unis.

Transquestionnée par M. Lemieux, elle répondit:

Pendant que nous étions au lac Mégantic, mon père est venu avec un autre homme pour me chercher. Il a donné la main à tout le monde, à Sougraine comme aux autres. Il lui a demandé s'il avait objection à me laisser partir, et l'accusé a répondu que non. Lorsque mon père m'a demandé de retourner chez nous, j'ai refusé en disant que j'avais honte, que je serais montrée du doigt comme une chienne....

Il y eut un mouvement de surprise... Le mot sonnait mal. On la regardait avec curiosité.

Madame D'Aucheron paraissait horriblement souffrir. Son regard avait quelque chose de vague et de hagard qui faisait mal; sa parole, tantôt vive et saccadée, tantôt hésitante et embarrassée décelait un grand trouble intérieur. Il lui venait des rougeurs de honte sur les joues et aussitôt après, des pâleurs d'effroi.

Le substitut du Procureur lui demanda si le prisonnier ne lui avait jamais dit comment était morte sa femme.

Elle se leva vivement:

--Oui, monsieur, répondit-elle, et sa voix était vibrante, il m'a dit que cela lui ayant fait de la peine de l'avoir quittée seule sur la grève, il était allé la chercher pour l'emmener avec ses enfants, mais qu'il la trouva morte étendue sur le sable. Oui, je m'en souviens comme si c'était d'hier... monsieur le juge.... Qu'alors il l'a jetée à l'eau pour éviter les persécutions... Vous comprenez? Il aurait été soupçonné... Le monde est si méchant...

--C'est en effet bien possible... murmura-t-on de toute part, dans la salle.

--C'est ce que tu m'as dit, Sougraine, n'est-ce pas? continua le témoin, en se tournant vers le prisonnier.

--C'est bien, madame, observa le juge, mais adressez-vous aux jurés, s'il vous plaît, non pas à l'accusé.

--Je ne mens pas, monsieur le juge. J'avais oublié cela dans mon premier témoignage, parce qu'on ne me demandait rien. La mémoire me faisait défaut. Maintenant je vois tout comme si j'y étais. Il y a pourtant longtemps de cela...

Elle se mit à compter sur ses doigts....

--Un, deux, trois, quatre, cinq--quatre fois cinq font vingt, et trois, font vingt-trois... Mon garçon aurait vingt-trois ans....

--Elle est folle! madame D'Aucheron est folle s'écria-t-on de toute part. Le juge la fit reconduire chez elle. Un vague malaise s'appesantit sur l'assistance, et chacun se sentit touché de cette douloureuse destinée.

L'honorable monsieur le Pêcheur pensait, lui:

--Les voilà bien punis, les D'Aucheron, de leur insolence à mon égard.

XVII

La défense n'ayant pas de témoins à faire entendre, l'enquête fut déclarée close.

M. Lemieux prit la parole, et, dans un long et habile plaidoyer, il démolit pièce par pièce le raisonnement subtil de l'avocat de la Couronne. Il paraissait profondément ému; sa voix un peu hésitante d'abord, comme un flot qui cherche à rompre sa digue, prit peu à peu de la force et de l'ampleur. La vague devenait torrent.... On sentait des frémissements passer sur la foule anxieuse.

--Pourquoi, disait-il, pourquoi peindre sous des couleurs si terribles l'infortuné que voici? Il montrait Sougraine. Pourquoi lui prêter une malice qu'il n'eut jamais et des intentions dont le Seigneur seul peut connaître la droiture ou la perversité?... Qu'il se soit fait aimer d'une jeune fille, et que cette infortunée, dans son aveuglement fatal, ait poussé la folie jusqu'à déserter le foyer paternel et s'enfuir, avec lui, en pays étranger, c'est possible, c'est vrai, mais cela ne prouve nullement qu'il soit un assassin. On prétend que la femme délaissée le gênait. On le prétend mais on ne le prouve pas. C'est elle-même, cette femme que l'on veut faire passer pour une victime touchante, c'est elle-même qui pria la jeune Elmire de venir demeurer sous la tente de son mari.

Mais voyons donc ce qu'était la défunte elle-même, voyons ce qu'elle faisait, ce qu'elle disait et déduisons en les conséquences naturelles. La logique n'est pas à dédaigner. Cette femme était adonnée à l'ivrognerie, le plus odieux des vices et celui qui mène le plus souvent à la mort tragique et subite. Elle était grande, fortement constituée, d'une humeur maussade et querelleuse. Elle ne craignait pas de provoquer la colère de son mari et savait se défendre de lui. Ne l'a-t-elle pas frappé à coup d'aviron, pendant qu'ils traversaient le fleuve dans leur canot. En se livrant à une action aussi brutale, dans un pareil moment, au milieu des flots prêts à les engloutir, n'exposait-elle pas volontairement la vie de tous ceux qui se trouvaient dans la frêle embarcation? Et ses enfants n'étaient-ils pas là! De quel crime n'est pas capable une mère qui expose de la sorte la vie de ses enfants?...

Mais la vie, elle s'en souciait bien, elle. C'est la mort qu'elle appelait, la mort pour elle même et pour les autres. Ne l'a-t-elle pas crié, dans sa rage insensée. Je veux mourir, disait-elle, je veux me noyer.

Elle était ivre. Elle but encore cependant, et, descendue sur le rivage, elle continua l'odieuse orgie commencée pendant la traversée.

Fatigué de ces menaces, de ces plaintes, de ces clameurs qui montaient comme des imprécations de l'enfer, et jetaient dans l'étonnement les habitants des côtes voisines l'accusé se rembarqua seul avec ses enfants. Il avait pardonné à sa femme cependant, puisqu'il l'avait priée de venir partager avec lui son modeste souper.

La femme délaissée se livra, dans son désespoir, à des fureurs nouvelles, redoubla ses gémissements et ses blasphèmes, s'avança, chancelante, sur le sable de la grève, et tomba d'épuisement sur le sol glacé. Là, les émotions trop violentes, la colère, la crainte, et surtout l'action des alcools, le froid de l'atmosphère et l'humidité du sol, venaient de lui porter un coup funeste. Le cerveau s'était enflammé, peut-être, ou le coeur s'était paralysé. La mort qu'elle avait invoquée tout à l'heure vint tout à coup la chercher...

Ce n'est pas du roman que je fais, messieurs, les choses ont dû se passer ainsi. L'accusé, dont le caractère est doux, éprouva bientôt des remords et regretta d'avoir abandonné sa femme dans le triste état d'ébriété ou il l'avait laissée. Et puis, il n'était pas sans éprouver certaine crainte assez légitime.

Si elle venait à mourir là bas, pensait-il, on me soupçonnerait peut-être de l'avoir tuée. On sait que j'ai débarqué sur cette rive et que j'en suis reparti soudainement, le soir, sans elle. Les apparences seraient contre moi. Le préjugé naîtrait vite, et je serais peut-être condamné. Il est arrivé que des innocents aient été ainsi trouvés coupables... Je vais aller la chercher.

Il partit seul dans son canot, et quand il atteignait la rive sud, il régnait partout un silence lugubre. Il appela, rien ne répondit à son appel.... rien que les échos des rochers. Il marcha vers l'endroit où il avait quitté la malheureuse créature. Rien encore.

Elle a peut-être essayé de se rendre aux maisons de la côte, se dit-il, et il se dirigea vers les hauteurs.

Alors il l'aperçut couchée dans les broussailles. Il crut qu'elle dormait et voulut l'éveiller. Elle ne se réveilla pas. Elle dormait du sommeil qui n'a pas de réveil ici bas. Il fut effrayé, anéanti.

On va dire que je l'ai tuée.... que faire?

Il était hors de lui, et ne pouvait rassembler ses idées. Il aurait voulu réfléchir froidement, ne fût-ce qu'une minute, et son trouble augmentait toujours.

La faire disparaître, c'est tout ce qu'il trouva au milieu du tourbillon des pensées diverses qui l'agitaient.

Il détacha machinalement la corde qui lui ceignait les reins, la passa en frémissant autour du cou de la morte et, traînant le lourd fardeau, il se dirigea vers le fleuve.

C'est mal, pourtant ce que je fais-là, pensait-il, mais il ne pouvait s'empêcher de marcher. Et le cadavre suivait, glissant avec son bruit mat sur la grève rocailleuse. Il l'attacha à l'arrière de son canot et se mit à ramer avec ardeur, se hâtant d'achever cette horrible tâche. Derrière le canot, le cadavre roulait et creusait un sillage lugubre qui s'effaçait bientôt. Au milieu du fleuve il détacha la corde et la morte descendit lentement, creusant la vague qui se referma bientôt sur elle comme le couvercle d'un tombeau. Il reprit sa rame. Alors une pensée, comme une lame aiguë, traversa son esprit.

--Ma ceinture!... Malheur!

Il venait de comprendre les suites terribles que pouvaient avoir cet oubli... Il était trop tard. Il n'y avait plus qu'à attendre le hasard des événements, la sagesse des hommes, ou la justice de Dieu. Il fut longtemps plein de tristesse et puis, afin d'éviter les dangers d'une accusation redoutable dont il serait toujours difficile de se laver, il s'en alla vers des régions lointaines.

Il eut tort de ne pas avouer franchement les causes de la mort de sa femme et les circonstances dont elle fut environnée. La franchise est encore la meilleure défense d'un accusé. Mais quand on connaît le caractère timide et craintif du sauvage, l'idée étrange qu'il se forme de nos tribunaux, son horreur instinctif de la prison, son effroi de tous ces apprêts solennels de la justice, on n'est pas surpris de le voir se compromettre par des explications inexactes...

C'est là l'histoire vraie du crime de Sougraine, et qui se déduit naturellement des témoignages rendus.

Un murmure approbateur accueillit les paroles du jeune avocat.

Alors M. Amyot se leva à son tour. On était avide de voir comment il rétablirait l'accusation et pourrait détruire l'effet produit par son habile confrère. On le savait un redoutable jouteur aux luttes de la parole. Il repassa, en les commentant les témoignages que l'on venait d'entendre et s'écria en terminant:

--L'accusé voulait vivre avec la jeune fille qu'il avait introduite sous sa tente, contre la morale et la justice, mais la présence de l'épouse légitime devenait un embarras, et il fallait qu'elle disparût. En effet elle disparaît, et désormais le bonheur coupable ne sera plus troublé. Elle disparaît, mais Dieu qui se joue des projets des hommes, veut qu'un jour, longtemps après le crime, à trente lieues de l'endroit où pour la dernière fois les accents plaintifs de la victime ont été entendus, on trouva sur le rivage un cadavre que la vague y avait apporté. Une corde est nouée autour du cou bleuâtre de ce cadavre sans nom qui vient l'on ne sait d'où..... ce cadavre c'est celui de la femme de l'accusé, cette corde qui lui serre le cou, c'est une corde qui servait de ceinture à l'accusé. La dernière fois qu'ils ont été vus, la victime et l'accusé, ils étaient ensemble. Ils burent, s'injurièrent et se battirent odieusement.... L'homme, le mari infidèle partit, mais il revint seul, au milieu de la nuit... Que se passa-t-il alors entre la femme délaissée et lui, dans les ténèbres, sur les rivages déserts?... Ce cadavre retrouvé avec une corde au cou trahit le secret des ombres et révèle un crime qui demande un châtiment!

Sougraine écouta, la tête basse, cet appel à la vengeance des hommes. Tout le monde le regardait pour deviner ce qui se passait en lui.

Le juge s'obstina à voir un crime où il n'y avait peut-être qu'un accident, et son adresse porta quelque peu le trouble dans l'esprit des jurés qui se retirèrent pour délibérer. Ils passèrent la nuit en discussion. Le lendemain, à l'ouverture de la séance, ils dirent qu'ils s'accordaient et l'huissier les introduisit dans leur tribune. Tous les yeux se fixèrent sur eux avec une intensité brûlante. Il y avait un serrement de coeur presque douloureux dans cette foule anxieuse. On cherchait à deviner sur la figure de ces hommes qui tenaient dans leurs mains la vie de leur semblable, le jugement solennel qui allait être rendu. L'accusé aussi regardait ses juges, et son oeil mélancolique était suppliant comme une prière. Il s'efforçait de ne point trembler et pourtant un frisson courait de temps en temps sur tout son corps. Les jurés furent comptés et appelés par leur nom. Le silence devint profond.

--Le prisonnier à la barre est-il coupable ou non coupable du crime dont il est accusé? fit la voix solennelle du juge.

XVIII

Madame D'Aucheron rentra chez elle en chantant. Léontine qui attendait son retour à la maison, se leva vivement et courut au devant d'elle. Elle crut d'abord que tout avait tourné pour le mieux, et que sa mère était véritablement au comble de la joie. Elle reconnut bientôt son erreur.

La malheureuse femme fit quelques pas en cadence, puis éclata de rire. Elle rit longtemps de ce rire nerveux, hébété qui fait tant de mal à entendre.

Alors Léontine se mit à pleurer. Elle devinait un nouveau malheur. La pauvre folle se regarda dans une glace et, après avoir salué son image, se mit à lui parler.

--C'est toi qui es Elmire Audet, dit-elle; une belle coureuse, en vérité, une belle fille, oui, qui rougit de sa mère et ne veut pas la faire manger à sa table. Tu seras punie, un jour, et c'est moi, madame D'Aucheron, moi la riche, la belle madame D'Aucheron, qui t'apprendrai à courir les bois... Ne raisonne pas! Insolente, tu te moques de moi! tu répètes mes paroles, comme un perroquet, tiens! attrape!...

Et, du revers de sa main, elle frappa d'un vigoureux coup la glace qui tomba en éclats sur le tapis soyeux.

Léontine tout effrayée appela.

Monsieur D'Aucheron qui se trouvait dans une pièce retirée n'avait rien entendu. En entendant la cri poussé par Léontine il se précipita vers le salon. Sa femme ne le reconnut point. Elle regardait sa main ensanglantée. Elle s'était blessée en frappant la glace.

--C'est vous, monsieur qui m'avez mordu, dit-elle, et elle se précipita sur lui.

Il voulut lui parler avec douceur pour la calmer. Rien n'y fit: elle s'irritait de plus en plus et vociférait des paroles incohérentes. Il tenta de l'intimider et la poussa violemment sur un fauteuil. Elle se releva comme une tigresse et, ne pouvant l'atteindre parce qu'il se mettait à l'abri derrière les meubles, elle déchira ses vêtements en lambeaux. Alors, un sentiment de pudeur, le dernier qui meurt chez la femme, lui revint tout à coup et elle se cacha derrière une porte.

La servante avait couru chercher du secours. Des voisins arrivèrent. Ils triomphaient peut-être au fond du coeur, mais ils paraissaient fort touchés de ce qui se passait. Madame D'Aucheron fut enfermée, les mains solidement liées, et des Soeurs de Charité vinrent en prendre soin, en attendant qu'on la conduisît à l'hospice des aliénés.

XIX

Les jurés avaient répondu "non coupable" et Sougraine, mis en liberté, était sorti au milieu des applaudissements de la foule. Le peuple, naturellement honnête et droit, a toujours peur de voir la justice humaine faire fausse route, et l'innocent subir la peine due au coupable. Il veut que l'accusé soit élargi lorsque le crime n'est pas irrévocablement attesté.

Sougraine fut pendant quelques jours comme abasourdi par la commotion qu'il avait éprouvée.

A la prostration succéda je ne sais quel réveil joyeux, comme un rayon de soleil après l'orage. Il est si bon de se sentir plein de vie après avoir vu le fossoyeur chercher l'endroit où il creuserait notre fosse! de n'avoir plus rien à redouter de ceux-là mêmes qui pouvaient nous perdre d'une seule parole! de dire que l'on a, comme les autres, sa place au soleil, et que personne n'osera nous déranger.

Il reparut donc, le vieil abénaqui, heureux et triomphant, dans nos rues encore pleines de rumeurs. Tout la monde le regardait avec curiosité. On se détournait pour le voir marcher de son pas lent et mesuré, le corps légèrement penché en avant, avec ce balancement léger commun à l'homme des bois et à l'homme de la mer. Lui, il élaborait un nouveau projet. Il voulait avoir sa fille, mademoiselle Léontine, car il la croyait bien son enfant. Il la donnerait ensuite à qui il voudrait. Rien n'appelle le succès comme le succès. Il venait d'échapper à l'échafaud, il ne devait pas s'arrêter en si beau chemin; la fortune allait devenir son esclave. Il se le promettait. La chance grise comme la déveine, et fait faire les mêmes folies.

Le notaire paraissait d'une gaieté folle depuis quelques jours. Il fredonnait, chantait presque sans cesse dans son étude ordinairement si calme. Il serrait la main à ses clients, leur racontait des anecdotes pour les faire rire, les laissait sortir sans les faire payer plus que de raison. Et puis, par moments il s'arrêtait, la figure enflammée, l'oeil ardent, la bouche entr'ouverte voluptueusement. Il voyait quelque chose de divin, que personne ne pouvait deviner.

Une forme svelte, gracieuse, pleine d'amoureuses provocations, se balançait dans un rayon de lumière devant lui, comme une feuille de rose sur le souffle qu'elle parfume. Il voyait Léontine.

Qui l'empêcherait d'être à lui, maintenant? La Longue chevelure n'était plus à craindre; le jeune ministre jouait le rôle d'un ennemi, presque d'un persécuteur; le médecin Rodolphe ne serait pas de force à lutter, le voulût-il; mais il n'oserait pas, ce jeune homme sans fortune, affronter le scandale et se marier avec une fille élevée par une coureuse de sauvages. Il triomphait de cet effondrement pitoyable de la famille D'Aucheron; il allait édifier son bonheur, sur ces ruines qu'il avait désirées.

Il frémissait, et ses lèvres charnues jetaient des souffles de feu...

--Dès qu'ils apprirent le malheur qui était venu fondre sur Léontine, leur amie, Rodolphe et sa cousine se hâtèrent d'accourir. L'entrevue fut des plus touchantes et des plus douloureuses. Les deux jeunes fiancés, dans cette immense affliction, ressentirent le besoin de se rapprocher davantage, de s'unir plus intimement. Quand l'ouragan se déchaîne sur la prairie, les petits oiseaux cherchent un refuge dans l'arbre voisin et se serrent l'un contre l'autre, sur la branche feuillue que le souffle impétueux agite et dépouille.

Vilbertin tout à sa passion, fit de nouvelles ouvertures à son ami D'Aucheron. Mais celui-ci, depuis qu'il s'était agenouillé dans l'église, sous la main de Dieu qui le châtiait, ne voyait plus le monde comme auparavant. Toute chose lui paraissait vaine et rien ne le touchait plus. Il se reposait dans l'indifférence, en attendant peut-être qu'il se lançât avec une nouvelle ardeur dans une autre direction.

Il ne se souciait plus d'imposer ses volontés à la jeune fille ni d'intervenir dans ses amours. Vilbertin le menaça.

--Tout m'est égal, maintenant, répondit D'Aucheron. La ruine matérielle n'est rien à côté de l'autre.

Vilbertin ne lâcha point prise. Rien n'est tenace comme un jeune amour dans un coeur vieux. Il imagina un moyen qu'il crut irrésistible pour obtenir la jeune fille et devenir le maître de ses destinées. Il dit à Sougraine son père.

--Mademoiselle Léontine est votre fille, n'est-ce pas?

--Je n'ai pas de preuves certaines, mais madame D'Aucheron me l'a donné à entendre:

--Vous allez la réclamer; je paierai les frais. Adressez-vous aux tribunaux. Allez trouver D'Aucheron d'abord, et demandez-lui d'être raisonnable. S'il refuse pas de pitié. Je le ruine. Il me doit tout ce qu'il possède. Quand il n'aura plus d'argent, et en conséquence plus d'amis, il ne sera plus en état de supporter les frais d'un procès et sera condamné d'avance.

Sougraine, sans se demander pourquoi, fit comme le voulait le notaire, son fils.

Mais il rencontra une résistance absolue de la part de M. D'Aucheron.

Alors il revendiqua publiquement mademoiselle Léontine comme sa fille. Ce fut un nouvel appât jeté à la curiosité publique. Les journaux promirent à leurs lecteurs de les tenir au courant de l'intéressant procès. On se disait cependant:

--Comment cela se fait-il? madame D'Aucheron, dans son témoignage, a parlé d'un garçon, et non pas d'une fille.... Il est vrai que la folie commençait....

Mademoiselle Léontine était tombée dans une profonde mélancolie. Elle n'osait plus sortir car la honte de celle qui lui avait servi de mère retombait sur sa tête. Elle songeait à mourir. Oh! la, mort, comme elle est douce et bien venue parfois!.... Elle songeait aussi à entrer au couvent. Une autre mort. La mort au monde et à ses plaisirs.... mais aussi à ses amertumes et à ses déceptions. Elle rentrerait au couvent pour s'y enterrer sous les voûtes saintes où l'on chante des cantiques à la louange du Seigneur, où l'on prie avec ferveur, où l'on pleure sans amertume. Il n'était pas raisonnable qu'elle fît porter à un homme aimé, le poids de ses chagrins et de ses humiliations.... Non, cela serait un crime.... Le procès lui avait révélé une chose étonnante, mais qui la réjouissait un peu: Le notaire Vilbertin était peut-être son frère.... Il ne la poursuivrait plus de ses amoureuses instances....

Elle fut effrayée de cette autre persécution qui la trouvait sans défense. L'homme en qui elle avait instinctivement placé une confiance absolue, sans savoir trop pourquoi, la Longue chevelure, paraissait lui-même sans espérance et sans ressources. Les armes dont il comptait se servir pour frapper les ennemis de sa jeune protégée, venaient de se rompre dans ses mains, et la victoire lui échappait. Le vieil instituteur et sa pieuse femme conseillaient le couvent, comme le refuge naturel des âmes aimantes que le monde persécute et que le sauveur appelle à lui. D'Aucheron qui se trouvait seul et sentait le besoin d'être aimé, soutenu, encouragé, la suppliait de ne point l'abandonner. Au milieu de ces cruelles perplexités, battue comme une algue légère par la fureur des flots, la jeune fille tournait souvent les yeux vers la retraite de l'amour pur et des âmes chastes. Le couvent lui envoyait des rayonnements mystiques qui l'éblouissaient, des bouffées de parfums célestes qui l'enivraient. Elle y devinait une paix complète, inaltérable. C'était le port calme et sûr après la tempête. Elle y verserait des larmes silencieuses en songeant à celui qu'elle aime... qu'elle aimera toujours... Dieu le permettrait, car il a aimé lui-même jusqu'à la mort. Bien des âmes vont à Dieu par la voie douloureuse; c'est la plus sûre. Elle irait à lui par cette voie.

Elle demanda son entrée chez les soeurs de la Charité. Ses premières années s'étaient écoulées dans cette maison; elle y avait puisé les germes de ces douces vertus qui s'épanouirent ensuite au milieu des plaisirs du monde. Son retour sous le toit sacré fut salué avec joie. Ses adieux à Rodolphe furent longs, pénibles, douloureux. Elle faillit un instant faiblir dans sa décision devant les vives instances du jeune homme.

XX

Cependant Sougraine faisait des recherches, sérieuses pour prouver qu'il était le père de Léontine. Il avait parfois des doutes dans la réussite, mais comme le résultat du procès ne pouvait le mettre dans une condition pire, il donnait tête baissée dans l'aventure.

Le notaire intenta une poursuite contre son ex-ami D'Aucheron, et la fortune surfaite du brasseur d'affaires s'écroula en un jour aux yeux du public ébahi.

Le Pêcheur se dit en apprenant cela:

--Sapristi! je l'ai échappé belle...

Le jour ne se faisait pas sur la légitimité des prétentions de Sougraine, et Vilbertin commençait à craindre qu'il ne fût plus possible de faire sortir la jeune fille du couvent où elle venait de se réfugier. Il entrait dans des fureurs subites à la pensée de cette proie tant convoitée qui lui échappait. Son mécontentement se manifestait de mille manières, et les malheureux, qui avaient affaire à lui, se retiraient fort rudoyés. Il se vengeait en multipliant les ruines autour de lui. Il voulait que tout le monde souffrît, et le métier de bourreau lui révélait des délices qu'il ne soupçonnait pas auparavant.

Cependant la jeune postulante fut amenée devant la cour pour rendre témoignage de ce qu'elle connaissait. Elle était plus belle encore avec sa capeline blanche et sa robe de bure. Ses yeux toujours baissés ne laissaient guère apercevoir la rougeur que les pleurs avaient laissée après la perte de son bonheur. Elle dut avouer que madame D'Aucheron, un jour, avait fait comprendre à Sougraine qu'elle, Léontine, était leur fille à tous les deux.

Après cet important témoignage, on crut que Sougraine avait gagné sa cause.

Un vieux prêtre d'une paroisse éloignée se présenta alors devant le juge.

--J'ai vu par les journaux, dit-il, que l'on serait heureux d'avoir des renseignements sur un enfant né l'on ne sait où, d'une fille nommée Elmire Audet, il y a vingt trois ans. J'ai baptisé un enfant dont la mère portait ce nom, et dont le père était un indien du nom de Sougraine. Voici le registre.

Il y eut un grand murmure de surprise dans le palais d'audience.

Le vieux prêtre fut assermenté comme témoin et l'extrait de baptême fut alors lu comme suit:

Nous soussigné prêtre, curé de la paroisse de St. Jean d'Iberville avons ce jourd'hui, le 5 juillet 18... baptisé un enfant du sexe masculin, né le même jour, d'une fille nommée Elmire Audet et d'un père inconnu.

Parrain, Jean-Louis Martel.

Marraine, Jeanne-Marie Laliberté.

Mais, M. le curé, observa le juge, vous saviez le nom du père de l'enfant, puisque vous dites que c'est Sougraine, et vous ne l'avez pas enregistré cependant.

--Je ne le savais que par ouï dire.... La jeune fille perdit connaissance et devint folle. Elle venait des Montagnes Rocheuses. Ceux qui se trouvaient avec elle durent la laisser dans l'une de nos charitables familles et continuer leur chemin. Sa folie dura plusieurs mois. Quand elle fut capable de se lever, elle ne se souvenait plus de rien. Elle se rendit à Lowell, dans les Etats. Son enfant est resté dans la maison où il est né. L'excellent citoyen qui l'a élevé est ici, il rendra témoignage si vous le désirez....

Alors le curé s'étant retiré, un beau vieillard à la barbe blanche, au sourire doux, se présenta. Il embrassa l'Evangile avec respect, après l'avoir pris de sa main tremblante.

Il déclina son nom et dit:

--J'ai élevé, en effet, un enfant étranger né dans ma maison, comme M. le curé vient de le dire. C'était un petit garçon. Il y a vingt-trois ans de cela. J'avais dix autres enfants, mais n'importe! il lui fallait une place au soleil, à cet enfant. Puisqu'il était venu, il fallait voir pourquoi. Je l'ai fait instruire un peu. Il a fait son chemin. Il a pris mon nom qui n'est pas beau mais qu'on porte honnêtement. Il s'appelle Jean-Baptiste-Oscar Le Pêcheur. L'honorable Oscar Le Pêcheur, monsieur le juge...

Il y eut un tel étonnement dans la salle d'audience que, pendant dix minutes, toute procédure fut interrompue. Cependant cet incident mettait fin à la cause, et Sougraine, qui n'était pas le moins étonné, se proposa d'aller sans délai renouveler connaissance avec l'honorable ministre son enfant.

XXI

Le père le Pêcheur s'était imposé une rude tâche en venant rendre témoignage dans cette affaire Sougraine-D'Aucheron. Il n'avait jamais, avant ce jour-là, révélé à son fils le secret de sa naissance. Il fallait éviter l'humiliation à ce déshérité. Le jeune homme apprit de ses petits compagnons, cependant, cette chose pénible que la charité lui cachait avec soin. Les petits compagnons, dans leurs colères d'un moment, sont d'implacables bourreaux. Ils l'appelaient: bâtard. Il demanda à ses parents ce que signifiait ce mot qu'on lui lançait, comme une flèche acérée, pour le braver. Il ne le sut pas d'abord. On lui donna des explications qui n'expliquaient rien du tout. Cependant il finit par le comprendre ce mot cruel, il finit par la savoir cette chose humiliante... Mais il ne connut jamais le nom des auteurs de ses jours. Il songeait maintenant, depuis qu'il était devenu un homme important, à retrouver sa mère, si elle vivait encore. Il y mettait de la vanité. Il pensait en souriant: Il faut qu'elle dise: ô felix culpâ.... l'heureuse faute que j'ai faite....

Le bonhomme Le Pêcheur avait suivi le procès de Sougraine avec un intérêt que l'on comprend aisément. Il s'était bien ému du triste sort de madame D'Aucheron, mais il s'était réjoui de voir que son fils adoptif n'aurait rien à souffrir des scandaleuses révélations. Il resterait inconnu. Il n'en était plus ainsi aujourd'hui; c'est l'enfant lui-même qu'on voulait retrouver, et, en face d'une erreur possible et d'une grande injustice en voie de s'accomplir, le brave homme n'hésita plus. Il descendit à Québec. Le jeune ministre fut enchanté mais surpris de le voir. Le bonhomme ne voyageait plus depuis des années. Il demeurait tranquille au coin de son humble foyer, laissant rouler le monde d'ornière en ornière.

--Quel bon vent vous amène, père? avait dit le ministre en serrant la main du vieillard.

--Des choses sérieuses, mon enfant...

--Quoi donc?.... Venez-vous chercher une réponse à votre lettre de l'autre jour. En vérité j'ai tant d'occupations que j'oublie mes devoirs envers vous: Je vous prie de me pardonner...

--Ce qui est fait est fait. Il faut affronter le péril, maintenant, et marcher droit au but. Au reste, tu n'es pas responsable de ta naissance, et l'on juge un homme d'après son mérite, aujourd'hui, non pas d'après la valeur de ceux qui l'ont engendré.

--Je parie que vous venez me révéler, sans que je vous le demande, le secret que vous m'avez toujours caché lorsque je vous ai interrogé.

--C'est vrai, mon enfant, c'est vrai, fit le vieillard tout tremblant.

--Eh bien! parlez, je suis fort. Je puis tout entendre sans broncher.

--J'en doute, mon enfant... j'en doute.

--Vraiment! vous m'effrayez, parlez vite. J'aime mieux en finir tout de suite.

--Eh bien! mon cher... ta mère... était... Elmire Audet... et ton père, Sougraine l'indien.

Le ministre bondit en jetant une clameur.

--Si j'avais pu te voir plus tôt, ajouta le vieillard, ce qui nous afflige maintenant ne serait peut-être pas arrivé; mais il m'a été impossible de sortir la semaine dernière. Je ne voulais pas faire écrire. Des lettres, ça parle à tout le monde; il n'y a qu'à les interroger. Puis, notre maîtresse d'école est jeune; il faut respecter son ignorance... son innocence, je veux dire.

Le jeune ministre n'entendait guère les réflexions du père Le Pêcheur. Il repassait dans son esprit les incidents qui s'étaient produits depuis quelques semaines, et regrettait la position qu'il avait prise à l'égard de madame D'Aucheron. Il s'était vengé de sa mère... Tout se fût si bien arrangé, si mademoiselle Léontine n'eût pas tant fait la difficile. Madame D'Aucheron serait encore une femme respectée. Sougraine aurait été facilement désintéressé, moyennant finances, son prestige et sa fortune, à lui, n'auraient fait que grandir; il aurait continué à recueillir les hommages et les félicitations de tout le monde.... Au lieu de cela, la folie d'une femme qu'il devait reconnaître publiquement pour sa mère, la ruine financière d'un homme auquel il devait tous les égards, et, sur le front de son père, la tache indélébile que laisse toujours une accusation capitale... Et c'était à cause de Rodolphe Houde que tout cela arrivait... Il se rencontre donc des hommes qui nous apportent toutes sortes de calamités. Si on les connaissait d'avance il faudrait les écraser comme des vipères. Quand on les devine ils nous ont mordu. Il sentait qu'il était injuste envers Rodolphe, mais dans son irritation il mettait un certain plaisir à déchirer l'innocence.

Tout à coup il se prit à rire.

--Mais tout n'est pas perdu, fit-il. Personne encore ne sait le nom de mes parents, n'est-ce pas?

--Je crois bien, en effet, que chez nous, personne, excepté le curé, ne se souvient du nom de ta mère.

--Alors pourquoi parleriez-vous? que venez-vous faire ici? retournez à la maison discrètement et les choses vont s'arranger. Le monde ne s'en portera pas plus mal parce qu'il ne saura ni le nom de mon père ni celui de ma mère.

--Ecoute, mon garçon, si tu étais seul en cause on resterait muet. On comprend aisément qu'il ne serait pas légitime de briser une existence comme la tienne, de t'apporter, dans tous les cas, des déboires et des humiliations pour satisfaire les caprices d'un homme qui t'a mis sur la terre, comme on jette une graine dans un champ étranger, sans se soucier qu'elle germe ou périsse, mais il y a une question de justice envers une autre personne: Il ne faut pas que mademoiselle Léontine prenne ta place et boive le calice que tu refuses de boire...

--Bah! des scrupules... On sait qu'elle est une enfant trouvée, elle... qu'importe le nom de ses parents?

--Le curé est venu; il saurait toujours bien remplir son devoir, lui, si j'étais assez lâche pour forfaire au mien.

Le vieillard secouait ses longs cheveux blancs et des rayons de vertu indignée illuminaient sa belle figure.

--Alors, vite, que cela finisse. Puisque le calice ne peut s'éloigner de moi, je le boirai.

Le jeune ministre passait vite d'un sentiment à un autre. Il était mobile comme une vague, malin comme un diable, capricieux comme un lutin. Il se rendit chez D'Aucheron pendant que son père adoptif se dirigeait vers le palais de justice. Il prenait les devants. Il dit en riant, à tous ceux qu'il rencontra, le secret qui lui faisait tant de mal. Personne ne voulut le croire. Il était anxieux de voir sa mère. Il regrettait bien d'avoir été dur à son égard et de s'être réjoui de son humiliation. La faute retombait sur sa tête. Il est toujours mal de se réjouir des malheurs des autres. On ne sait pas ce qui nous attend. S'il avait su qu'elle était sa mère, il se serait mis entre elle et la main brutale du destin. Le soufflet n'eût pas été pour elle. Enfin, il était trop tard et toutes les réflexions, tous les regrets, tous les reproches ne serviraient de rien.

Madame D'Aucheron le reconnut. Elle se portait beaucoup mieux; la crise était passée et le danger d'une folie irrémédiable s'éloignait de plus en plus. Ceci avait lieu pendant le procès même, le dernier jour, au moment où le père Pêcheur rendait témoignage. Personne ne connaissait donc encore le redoutable secret. Le jeune ministre était un peu dans l'embarras. Il ne savait pas s'il devait, par des phrases adroites, préparer madame D'Aucheron à la grande surprise qui l'attendait, ou se jeter dans ses bras en l'appelant sa mère. Il la regardait fixement, doucement, et lui, toujours froid, léger, badin, sceptique, il sentait des larmes mouiller ses paupières... Une mère, voyez-vous, ce n'est pas une femme comme une autre. Il y a dans son amour quelque chose qui n'est pas de la terre.

--Vous pleurez, monsieur, dit madame D'Aucheron... vous avez donc du chagrin, vous aussi?

--C'est de joie, répondit le jeune ministre... je ne suis plus orphelin... j'ai retrouvé ma mère...

--Votre mère?... vous l'aviez perdue?...

--Je l'ai retrouvée, s'écria-t-il, en enveloppant de ses bras la pauvre femme tout étonnée, c'est vous... c'est vous!... je suis l'enfant que vous avez mis au monde en revenant des Montagnes Rocheuses, à St. Jean d'Iberville, il y a vingt trois ans!

Madame D'Aucheron poussa un cri, puis fondit en larmes...

Monsieur D'Aucheron, qui entrait au même instant, vit le jeune ministre et sa mère serrés l'un contre l'autre dans un étroit embrassement... Il ne savait rien encore. Le sang reflua vers son coeur, il pâlit, la colère s'alluma dans son âme. Il était armé.

--Misérables! s'écria-t-il.

Un éclair jaillit et le garçon d'Elmire Audet roula sur les tapis soyeux, comme une fleur qui se détache de sa tige.

Madame D'Aucheron se leva tout effrayée, toute désespérée. Elle était belle à voir dans sa douleur de mère...

--Mon enfant! s'écria-t-elle! mon fils!.... Vous me l'avez tué!... Ah!... tuez-moi! tuez-moi, je vous en prie!...

Puis elle se jeta sur le corps ensanglanté du jeune ministre, s'efforçant de le rappeler à la vie, par les paroles les plus douces que les lèvres d'une mère puissent prononcer...

Il ne l'entendait plus; il était mort.

D'Aucheron, terrifié, regardait debout, immobile, le lamentable spectacle...

Alors quelques amis se présentèrent. Le procès venait de se terminer et ils accouraient annoncer à D'Aucheron que M. Le Pêcheur était l'enfant de sa femme. Ils s'arrêtèrent stupéfiés en face du tableau sanglant que présentait le salon.... D'Aucheron raconta ce qui venait de se passer. Madame D'Aucheron criait toujours:

--Mon enfant! mon fils!... ah! tuez-moi!...

C'était vraiment une scène à fendre l'âme, et tout le monde se mit à pleurer. On apprit dans la ville la mort tragique de l'honorable M. Le Pêcheur en même temps que le secret de sa naissance...

XXII

Le printemps arrivait avec ses brises tièdes, ses volées harmonieuses d'oiseaux voyageurs, le murmure des eaux qui reprenaient leurs courses vagabondes, les épanouissements des boutons sur les branches, les effluves d'amour dans les airs ensoleillés. La Longue chevelure songeait maintenant à retourner dans les lointaines contrées d'où il venait. Il irait revoir encore l'humble tombeau de sa femme dans les solitudes des Montagnes Rocheuses. Il voulut avant son départ, se rendre à St. Raymond pour dire adieu à la maison hospitalière de Rodolphe. Le jeune médecin se livrait à l'étude avec une ardeur de plus en plus grande. L'amour de la science, le désir de savoir, la noble ambition de protéger la vie de ses semblables le consolaient un peu de l'amour perdu et du bonheur envolé. Il cherchait l'oubli de sa peine dans le travail et le bien, comme d'autres le cherchent dans le mal et l'oisiveté.

Madame Villor sentait ses forces revenir. Le printemps la ramenait comme il ramène tout. Un soir, tout à coup, elle recouvra complètement l'usage de la parole. Ce furent des cris de joie dans la famille. On remercia le Seigneur à genoux. La Longue chevelure entra un instant après. Il leva les mains au ciel et poussa une exclamation de surprise en voyant la malade s'approcher et lui souhaiter le bon jour.

--Dieu s'est montré miséricordieux envers moi, dit-elle; il est juste, et c'est vous, sans doute, que sa bonté veut atteindre. Asseyez-vous là, je vais vous parler de votre enfant.

Leroyer se prit à trembler comme s'il eût été saisi de frayeur. C'était la joie et l'espérance.

--Vous le savez, continua Madame Villor, je suis la soeur de Léon Houde, l'un des voyageurs que vous avez autrefois arrachés à la mort. Il fut blessé en défendant votre femme. Les sauvages jetèrent votre petite fille dans un torrent et lui, malgré leurs clameurs et leurs flèches, il se précipita et réussit à la sauver. Il l'apporta à son foyer. Il y avait une somme considérable dans les langes de l'enfant;

il confia cette somme à un notaire de ses amis, pour qu'il la fît fructifier. Elle fut perdue. Mon frère mourut peu de temps après et sa femme le suivit aussitôt dans la tombe. La petite fille fut envoyée dans un hospice. Ce fut le docteur Grenier, un ami de mon défunt mari, qui se chargea de la conduire à Québec et de la mettre entre les mains des soeurs de la Charité. C'est-à-dire non, ce n'est pas lui-même qui la porta chez les Soeurs, mais un de ses parents, un homme de la plus haute respectabilité, m'a-t-il assuré, alors, en toute franchise. Sachant la petite dans un couvent, sous l'oeil des bonnes soeurs et de Dieu, je n'ai plus eu d'inquiétudes à son sujet et,... je dois l'avouer, je ne m'en suis pas occupée davantage. Si j'avais su!... Si j'avais pu prévoir!...

Elle s'arrêta suffoquée par les émotions.

--Mon enfant! ma petite Estellina, disait la Longue chevelure, dans son transport, vais-je enfin la retrouver?... j'ai peur! j'ai peur qu'elle fuie encore, qu'elle fuie toujours, comme l'oiseau dont le nid a été détruit par la foudre!... Et moi qui m'en allais désespéré!... Ah! mon âme a manqué de confiance en Dieu....

Madame Villor alla prendre, dans une petite boîte en fer blanc verni, un papier qu'elle remit au siou.

--Un jour j'ai reçu ce billet, dit-elle, voulez-vous le voir?

Leroyer prit le papier d'une main tremblante et se mit à lire:

Madame,

Vous êtes la soeur d'un homme qui fut mon ami, c'est à vous que je demanderai pardon, puisque cet homme et sa digne femme ne sont plus. Je serai bref, car mes forces s'en vont. Je vais mourir... je me meurs.... Les 5,000 dollars de la petite indienne n'ont pas été perdus, comme je l'ai faussement attesté; je les ai gardés... j'ai chargé mon gendre de tout remettre à l'enfant, si on la trouvait, capital et intérêts. A l'enfant, ou aux siens, ou aux hospices de la charité.... Voyez à ce que mes volontés dernières soient exécutées. Mon gendre se nomme Louis Sougrain... que Dieu me fasse miséricorde!...

Il n'y avait pas de signature. Un oubli du mourant.

--Sougrain! Sougrain! disaient toutes les personnes.... Il faut que ce soit Sougraine, le notaire Sougraine.... Si c'était lui? Vilbertin?...

La Longue chevelure regarda madame Villor d'une singulière façon.

--Vous êtes désireux de savoir, devina-t-elle, si les volontés du mourant ont été accomplies. L'héritier du notaire infidèle est parti pour les Etats-Unis peu de temps après la mort de son beau-père. Il a méprisé les prières du mourant. Il a gardé l'argent sans doute....

--Le notaire Vilbertin est riche, très riche, observa Rodolphe....

Madame Villor reprit:

--Au moment où je me proposais de vous révéler ce que vous venez d'entendre, j'ai reçu cet autre billet. J'ai eu peur, car la première lettre n'étant pas signée, ne pouvait me servir de preuve. La peur m'a causé le mal que vous savez, et dont le Seigneur m'a enfin délivrée.

Ce nouveau billet, c'était la lettre menaçante que l'on a vue déjà. Elle venait de Vilbertin. Il savait, le rusé notaire, que son beau-père avait écrit à la soeur de Léon Houde pour lui déclarer ses dernières volontés et lui demander pardon. C'est cet écrit que le mourant lui avait montré. Il croyait bien faire, il donna l'éveil au coquin qui laissa le pays immédiatement.

--Il est certain, dit Rodolphe, que Sougrain, Sougraine et Vilbertin ne sont qu'une seule et même personne. Allons le voir. Le misérable, il faudra bien qu'il parle.

--C'est vrai, soupira la Longue chevelure, mais tout cela n'a rapport qu'à l'argent et m'intéresse peu. C'est mon enfant que je veux retrouver.... ma pauvre Estellina!

XXIII

Le même jour une voiture s'arrêtait à la porte de l'étude de maître Vilbertin. Le cheval était essoufflé, chaud, enveloppé d'une buée de vapeur tiède. Il avait dévoré le chemin. C'est que Rodolphe et la Longue chevelure avaient hâte d'arriver. Le notaire ouvrait la porte pour mettre dehors son ex-ami D'Aucheron.

--Va-t-en au diable! criait-il, et crève comme un chien!

D'Aucheron était ruiné. Il partit pour ne jamais revenir. On dit qu'il est aujourd'hui dans un ermitage, en pays étranger. Il aurait cherché auprès de Dieu des consolations que le monde ne sait point donner. Il ne fut pas mis en accusation pour le meurtre de M. Le Pêcheur. L'erreur était évidente....

Disons tout de suite, puisque nous arrivons au terme de notre récit, que madame D'Aucheron est entrée, après le départ de son mari, chez les pénitentes du Bon Pasteur. Elle est un modèle de douceur et de soumission. Rien ne pourrait l'arracher au refuge béni où la tempête l'a poussée.

Pourquoi ces naufragés de la vertu trouvent-ils un port où s'abriter, pendant que tant d'autres sont engloutis tout à coup, dans les abîmes?... Secret de Dieu. Pourtant la miséricorde du Ciel est infinie et sa justice est éternelle.... Mais on ne sait pas le secret des coeurs, les rayonnements de la Foi dans l'ombre, la puissance de la prière. Il se fait, en faveur de certaines âmes, un travail mystérieux et puissant qui échappe à notre attention, mais non pas à l'oeil de Dieu....

Sougraine, effrayé des coups qui frappaient ses enfants, effrayé de la solitude qui se faisait autour de lui, pleurant ses fautes inutiles ou ses espérances effondrées, prit sa carabine fidèle et s'enfonça dans les forêts.

Rodolphe et son compagnon entrèrent chez le notaire Vilbertin. Le notaire ne leur offrit pas de sièges. Il leur demanda rudement ce qu'ils désiraient.

--Mon enfant! répondit brusquement le siou.

--Je ne vous comprends pas, répliqua le notaire, un peu décontenancé.

--Vous êtes M. Louis Sougraine dit Vilbertin? reprit l'indien.

--Oui. Et vous, vous êtes la Longue chevelure dit Leroyer?...

--Et le père d'une petite fille dont vous détenez la dot injustement et contre la volonté sacrée d'un mourant.

Ce fut un coup de foudre. Le notaire ne s'attendait pas à cela. Pourtant il ramassa ses forces et voulut lutter.

--J'ai des preuves, reprit la Longue chevelure et je vais vous faire rendre gorge. Si vous avez oublié les recommandations de votre beau-père, je vous en ferai souvenir....

--Connaissez-vous le misérable qui a écrit ce papier? demanda à son tour Rodolphe, en dépliant le billet que l'on connaît déjà.

--Non, répondit le notaire, je ne le connais pas.

--Vous faites mieux d'avouer, continua Rodolphe, on ne vous laissera pas en paix, et l'on retracera bien le chemin que vous avez fait pour dépister les recherches.

--Votre beau-père vous connaissait sans doute, car il a bien pris ses précautions.... repartit le siou. Il a chargé quelqu'un de vous surveiller et de vous forcer à faire la restitution qu'il ne pouvait plus faire, lui; mais ce que je veux, c'est mon enfant, ajouta-t-il avec douceur; je n'ai nul besoin de l'argent que vous avez reçu, je ne veux pas qu'il en soit question, je suis riche, très-riche.

Le notaire essaya de nier encore, mais devant les promesses formelles de la Longue chevelure et de Rodolphe, qu'il ne serait nullement inquiété au sujet de l'argent s'il aidait à retrouver l'enfant;

devant l'espérance d'arracher encore quelque chose à la reconnaissance du généreux indien, il consentit à parler.

--J'ai passé quelques mois aux Etats-Unis, avoua-t-il, et je suis ensuite venu demeurer à Québec. Je ne me suis jamais occupé de l'enfant... je ne dis pas où elle est... je ne l'ai jamais vue...

--O mon enfant! mon enfant! soupirait la Longue chevelure... si je la trouve, je vous récompenserai bien.

La notaire était presque ému. Il pensait.

--Comme cela tourne bien! Après tout, l'argent console de l'amour quelquefois... Si je pouvais l'oublier, elle, je serais encore heureux... L'oublier! l'oublier!...

Rodolphe dit:

--Si nous allions voir le père Duplessis, c'est un homme de bons conseils....

--Je le veux bien, répondit Leroyer. Venez avec nous, monsieur Vilbertin.

Le père Duplessis était en tête à tête avec Horace, un gai compagnon des âges passés qui ne vieillit pas. Il fut enchanté de la visite, enchanté, mais presque stupéfait. Ce qui l'étonnait, c'était de voir ensemble Rodolphe et le notaire. Après tout, se dit-il, *sage ennemi vaut mieux que fol ami.*

Le jeune docteur prit la parole et annonça la guérison de sa tante, puis il exposa ce qu'elle avait raconté au sujet de la petite fille de la Longue chevelure. Il fut assez délicat pour ne pas faire allusion à l'argent. Le notaire était tout surpris d'une si haute indulgence; il n'en suait pas moins à grosses gouttes, tant il avait peur.

--Attendez donc! fit Duplessis, attendez donc!... est-ce que...? Ah! par exemple, ce serait bien drôle....

Et sa figure honnête s'illuminait des rayons de l'espoir.

La Longue chevelure éprouvait des tressaillements indicibles et s'enivrait de ses paroles comme d'une liqueur généreuse.

--Le docteur Grenier, de Lotbinière, reprit le vieillard, en regardant profondément dans le passé, c'est à moi qu'il a confié une petite fille... oui c'est à moi....

--A vous? s'écrièrent les visiteurs au comble de l'étonnement.

--A moi-même, oui, il y a bien vingt et un ou vingt-deux ans de cela.... Grenier, c'était mon cousin. J'ai porté la petite, le même jour, chez les Soeurs de la Charité.... Je n'ai seulement pas demandé d'où elle venait.... Grenier l'apportait c'était suffisant.... Il est bon d'être un peu curieux parfois.... La curiosité n'est pas toujours un défaut.

De terribles émotions bouleversaient l'âme de la Longue chevelure pendant ces paroles du vieux professeur.

--Allons vite à l'hospice de la charité, s'écria-t-il, allons vite....

--Sans doute qu'on y va courir, répliqua le père Duplessis. Il faut la retrouver, la petite... il le faut.... Imaginez un peu!... Je prends mon carnet.... Tout y est, l'arrivée, le mois, le jour.... On a fait les choses régulièrement.... Si j'avais su.... Mais: *"avant de juger de tout il faudrait tout connaître. Soyons tranquilles pourtant, quand Dieu donne le mal il donne aussi le remède."*

Ils partirent tous quatre en voiture, le siou, Rodolphe, le notaire et le père Duplessis. En allant ils étaient d'une gaieté folle. Arrivés dans le parloir du couvent, Duplessis, qui était bien connu, demanda à voir la Supérieure. Elle s'empressa d'accourir.

--Il y a vingt et un ans, commença-t-il, on a confié à la charité de votre maison, une petite fille de quelques mois, pensez-vous qu'il soit possible de la retrouver?

--Je n'étais pas supérieure alors, répondit la religieuse, en souriant, et je n'étais pas ici, même; mais on peut retrouver cette enfant, je crois, si elle n'est pas morte. Avez-vous quelqu'indication qui nous aiderait à la reconnaître?

--Non, rien, dit le vieux professeur, si ce n'est la date précise de son entrée.

--C'est quelque chose mais c'est peu, répliqua la religieuse. On la retrouvera cependant si elle peut être retrouvée, continua-t-elle; je vais ordonner les recherches.

Elle sortit.

La Longue chevelure ne pouvait, la première émotion passée, se défendre d'une vague et pénible crainte. Si elle était morte, son enfant.... Si l'on ne pouvait la retrouver?...

La supérieure ne fut pas longtemps absente. On entendit, dans les grands couloirs vides, ses pas empressés. C'était comme des coups de marteau dans le coeur du père infortuné. Elle revenait. La porte s'ouvrit.

--Mon Dieu! soupira Leroyer, que va-t-elle m'apprendre?...

La bonne religieuse souriait.

--Elle sourit, pensèrent les quatre hommes, la nouvelle est bonne; on va revoir la petite... qui doit être grande.

--Eh bien? fit la Longue chevelure, d'une voix à peine intelligible à cause de l'émotion.

--Elle est retrouvée, répondit la supérieure.

--Retrouvée!

Ce fut le cri qui s'échappa des quatre poitrines.

La Longue chevelure leva les mains au ciel:

--Mon Dieu, soyez béni! dit-il... soyez béni!... béni!...

Rodolphe avait des larmes plein les yeux; le notaire comptait ce que l'heureuse trouvaille pouvait lui rapporter; Duplessis pensait, lui: *quand Dieu envoie le jour, c'est pour tout le monde.*

--Où est-elle? demanda la Longue chevelure, où est-elle?....

--Ici même, répondit la religieuse; elle nous a laissées pendant longtemps, mais elle est revenue au bercail.

--Ici! répétèrent à la fois Leroyer, Duplessis, Rodolphe et le notaire.

--La voici! fit la supérieure en ouvrant la porte.

Léontine apparut.

--Ma fille?... elle?... s'écria la Longue chevelure en se précipitant les bras ouverts au devant de la jeune postulante.

Il la pressa longtemps sur son coeur débordant d'ivresse.

--Léontine! Léontine! disait Rodolphe, et il était fou de surprise et de bonheur.

--Elle! Elle! rugit le notaire.... Ah! si j'avais su!... si j'avais su!...

Le père Duplessis pensait: *"Ce ne sont pas les grandes choses qui sont belles, ce sont les belles choses qui sont grandes."*

--Ma fille! mon Estellina! disait le siou, ah! comme je t'aime!... Il n'était pas vain cet instinct qui me poussait à te protéger.... Ah! comme je t'aime!...

La jeune postulante, tenant ses bras enlacés autour du cou de son père, pleurait, pleurait.

--Je ne vous quitterai plus, dit-elle enfin.

--O mon enfant, répondit la Longue chevelure, voici l'homme que tu ne quitteras plus, car il sera ton époux.

Il montrait Rodolphe.

--Malédiction! hurla le notaire.

Et il tomba sur le parquet comme une machine qui se brise. L'apoplexie l'avait foudroyé.

Milton Keynes UK
Ingram Content Group UK Ltd.
UKHW050715181023
430769UK00009B/326